教員採用試験

2026
年度版

学習指導要領・答申・通知・報告

東京学芸大学
福本みちよ 編著

TAC出版
TAC PUBLISHING Group

はじめに

『令和の日本型学校教育』の推進，学校の働き方改革の本格化，教師人材の確保強化，ウェルビーイングの向上など，近年わが国の教育政策は加速度的に変化し続け，かつますます多方面化している。

こうした教育全般の動きに敏感であることは，教員を目指す者にとっては必要不可欠な姿勢であり，それゆえ教員採用試験でも教育時事に関する出題は年々増加の傾向にある。しかし，一方でそれは容易いことではない。

そこで本書は，教員を目指す大学生・社会人の方をはじめとして教員採用試験の突破をめざす方々が**効率的・効果的に教育時事の学習を進める**ために，次のような工夫を凝らして構成されている。

- 各地の教員採用試験で実際に出題された**過去問を徹底的に分析**し，その傾向にもとづいて特におさえるべき事項をリストアップしている。

- 数多くある答申や通達・通知の中で**「何を・どこにポイントをおいて学習したらよいのか」**がわかるように，テーマごとにポイントをまとめ解説している。

- 学習をより確実なものとするために，テーマごとに過去問による演習問題をつけている。

貴重な学習時間を有効に活用するためにも，本書を活用しながら**効果的・効率的に**教育時事の学習を進めてください。

東京学芸大学
福本 みちよ

CONTENTS

第1章 学習指導要領

第2章 答申・通知・報告等

Ⅰ 中央教育審議会答申

Ⅱ　トピックス別重要発出文書

【学校運営】

【生徒指導提要】

【不登校】

【いじめ】

【特別支援教育】

【情報】

※　演習問題につきましては，令和４年度（令和３年実施）～令和６年度（令和５年実施）の過去問より精選し掲載しています（記載においては一部表記や記号等を変更している場合があります）。

※　項目によっては，関連性の強い発出文書についての過去問を併せて掲載している場合があります。

※　本書では，スクールカウンセラーをSC，スクールソーシャルワーカーをSSWという略称で表記している場合があります。

第1章

学習指導要領

幼稚園，小学校，中学校，高等学校及び特別支援学校の学習指導要領等の改善及び必要な方策等について（答申）

中央教育審議会　平成 28 年 12 月

本答申の概要

子供一人一人が自分の価値を認識するとともに相手の価値を尊重し，多様な人々と協働しながら様々な社会的変化を乗り越え，よりよい人生とよりよい社会を築くために，教育課程を通じて初等中等教育が果たすべき役割を示すとともに，変化する社会の中で「学校教育を通じてよりよい社会を創る」という目標を学校と社会が共有し，必要な教育内容を子供たちが「どのように学び」「どのような資質・能力を身に付けるのか」を各学校が明確にし，社会と連携・協働して実現を図っていく「社会に開かれた教育課程」を目指すべき理念としている。その基盤となる学習指導要領を，子供たちが身に付けるべき資質・能力や学ぶべき内容等の全体像を分かりやすく見渡せる「学びの地図」と位置づけ，教職員間，学校段階間，学校と社会との間の相互連携を通して学校教育目標の実現を目指すこととしている。

ココが大事！ 出題のポイント

1. 社会に開かれた教育課程の実現

よりよい学校教育を通じてよりよい社会を創るという目標を学校と社会が共有し，連携・協働しながら，未来の創り手となるために必要な資質・能力を育む。

2. カリキュラム・マネジメントの確立

各学校では児童生徒や学校，地域の実情を踏まえて，学校教育目標の実現に向けて学習指導要領等に基づき教育課程を編成し，実施・評価・改善することを通して，組織的かつ計画的に各学校の教育活動の質の向上を図る。

3. 育成を目指す資質・能力（何ができるようになるか）

「生きる力」を育むため，育成を目指す資質・能力の要素を「知識及び技能」「思考力・判断力・表現力等」「学びに向かう力，人間性等」の三つの柱で整理，各教科等の「目標」「内容」も三つの柱で再整理。

4. 「主体的・対話的で深い学び」の視点からの授業改善（どのように学ぶか）

子供たちが学習内容を深く理解し，資質・能力を身に付け，生涯にわたって能動的（アクティブ）に学び続けることを目指す。

5. その他，出題傾向の高い内容

学習評価のあり方，道徳教育の充実，キャリア教育の充実など

本文（抜粋）

（「カリキュラム・マネジメント」の重要性）

（略）教育課程とは，学校教育の目的や目標を達成するために，教育の内容を子供の心身の発達に応じ，授業時数との関連において総合的に組織した学校の教育計画であり，その編成主体は各学校である。各学校には，学習指導要領等を受け止めつつ，子供たちの姿や地域の実情等を踏まえて，各学校が設定する学校教育目標を実現するために，学習指導要領等に基づき教育課程を編成し，それを実施・評価し改善していくことが求められる。

（「主体的・対話的で深い学び」とは何か）

（略）「主体的・対話的で深い学び」の実現とは，以下の視点に立った授業改善を行うことで，学校教育における質の高い学びを実現し，学習内容を深く理解し，資質・能力を身に付け，生涯にわたって能動的（アクティブ）に学び続けるようにすることである。①学ぶことに興味や関心を持ち，自己のキャリア形成の方向性と関連付けながら，見通しを持って粘り強く取り組み，自己の学習活動を振り返って次につなげる「主体的な学び」が実現できているか。：子供自身が興味を持って積極的に取り組むとともに，学習活動を自ら振り返り意味付けたり，身に付いた資質・能力を自覚したり，共有したりすることが重要である。②子供同士の協働，教職員や地域の人との対話，先哲の考え方を手掛かりに考えること等を通じ，自己の考えを広げ深める「対話的な学び」が実現できているか。：身に付けた知識や技能を定着させるとともに，物事の多面的で深い理解に至るためには，多様な表現を通じて，教職員と子供や，子供同士が対話し，それによって思考を広げ深めていくことが求められる。③習得・活用・探究という学びの過程の中で，各教科等の特質に応じた「見方・考え方」を働かせながら，知識を相互に関連付けてより深く理解したり，情報を精査して考えを形成したり，問題を見いだして解決策を考えたり，思いや考えを基に創造したりすることに向かう「深い学び」が実現できているか。：子供たちが，各教科等の学びの過程の中で，身に付けた資質・能力の三つの柱を活用・発揮しながら物事を捉え思考することを通じて，資質・能力がさらに伸ばされたり，新たな資質・能力が育まれたりしていくことが重要である。

（学習評価の意義等）

○　学習評価は，学校における教育活動に関し，子供たちの学習状況を評価するものである。「子供たちにどういった力が身に付いたか」という学習の成果を的確に捉え，教員が指導の改善を図るとともに，子供たち自身が自らの学びを振り返って次の学びに向かうことができるようにするためには，この学習評価の在り方が極めて重要であり，教育課程や学習・指導方法の改善と一貫性を持った形で改善を進めることが求められる。

○　子供たちの学習状況を評価するために，教員は，個々の授業のねらいをどこまでどのように達成したかだけではなく，子供たち一人一人が，前の学びからどのように成長しているか，より深い学びに向かっているかどうかを捉えていくことが必要である。

○　また，学習評価については，子供の学びの評価にとどまらず，「カリキュラム・マネジメント」の中で，教育課程や学習・指導方法の評価と結び付け，（略）更に教育課程や学習・指導の改善に発展・展開させ，授業改善及び組織運営の改善に向けた学校教育全体のサイクルに位置付けていくことが必要である。

（道徳教育）

（略）小・中学校の道徳科において資質・能力を育成する学習過程は，道徳科の目標に示された「道徳的諸価値の理解を基に，自己を見つめ，様々な物事を（広い視野から）多面的・多角的に考え，自己の（人間としての）生き方についての考えを深める学習」である。

○　道徳的諸価値の理解を図るには，児童生徒一人一人が道徳的価値の理解を自分との関わりで捉えることが重要である。「道徳的諸価値の理解を基に」とは，道徳的諸価値の理解を深めることが自分自身の生き方について考えることにつながっていくということだけでなく，自分自身の生き方について考えたり，体験的な学習を通して実感を伴って理解したり，道徳的問題について多面的・多角的に捉えその解決に向けて自分で考えたり他者と話し合ったりすることを通じて道徳的諸価値の理解が深まっていくことも含まれている。

○　このため，特定の道徳的価値を絶対的なものとして指導したり，本来実感を伴って理解すべき道徳的価値のよさや大切さを観念的に理解させたりする学習に終始することのないように配慮することが大切である。（略）例えば，社会のルールやマナー…（略）について…（略）これらの指導の真の目的は，ルールやマナー等を単に身に付けさせることではなく，そのことを通して道徳性を養うことである。

演習問題

【1】「幼稚園，小学校，中学校，高等学校及び特別支援学校の学習指導要領等の改善及び必要な方策等について（答申）」（中央教育審議会　平成28年12月）に関する記述として適切なものは，次の１～５のうちのどれか。〔東京都〕

1　観点別評価については，目標に準拠した評価の実質化や，教科・校種を超えた共通理解に基づく組織的な取組を促す観点から，小・中・高等学校の各教科を通じて，「知識・技能」「理解」「思考・判断・表現」「主体的に学習に取り組む態度」の４観点に整理することとした。

2「主体的に学習に取り組む態度」と，資質・能力の柱である「学びに向かう力・人間性」の関係については，「学びに向かう力・人間性」には「主体的に学習に取り組む態度」として観点別評価を通じて見取ることができる部分と，観点別評価や評定にはなじまず，こうした評価では示しきれないことから相対評価を通じて見取る部分とがある。

3「主体的に学習に取り組む態度」については，子供たちが学習に関する自己調整を行いながら，粘り強く知識・技能を獲得したり思考・判断・表現しようとしたりしているかどうかという，意思的な側面を捉えて評価するものではなく，学習前の診断的評価のみで判断したり，挙手の回数やノートの取り方などの形式的な活動で評価したりすることが求められる。

4　単元や題材を通じたまとまりの中で，子供が学習の見通しを持って学習に取り組み，その学習を振り返る姿を見取るためには，子供たちが主体的に学習に取り組む場面を設定していく必要があり，「キャリア・パスポート」の視点からの学習・指導方法の改善が欠かせない。また，学校全体で評価の改善に組織的に取り組む体制づくりも必要となる。

5　資質・能力のバランスのとれた学習評価を行っていくためには，指導と評価の一体化を図る中で，論述やレポートの作成，発表，グループでの話合い，作品の制作等といった多様な活動に取り組ませるパフォーマンス評価などを取り入れ，ペーパーテストの結果にとどまらない，多面的・多角的な評価を行っていくことが必要である。

【2】次のＡ～Ｅは，「幼稚園，小学校，中学校，高等学校及び特別支援学校の学習指導要領等の改善及び必要な方策等について（答申）」（平成28年12月21日　中央教育審議会）第９章２に記載された，学習評価の観点についての記述である。評価の観点に関して適切な記述を○，不適切な記述を×としたとき，組合せとして正しいものを①～⑤から一つ選べ。〔島根県〕

A　今回の改訂においては，全ての教科等において，教育目標や内容を，資質・能力の三つの柱に基づき再整理することとしている。これは，資質・能力の育成を目指して「カリキュラム・マネジメント」を実質化するための取組でもある。

B　これまでの学習評価の成果を踏まえつつ，今後は，小・中・高等学校の各教科を通じて，観点別評価については「知識・理解」「思考・判断・表現」「関心・意欲・態度」の３観点に整理することとする。

C　「学びに向かう力・人間性等」に示された資質・能力には，感性や思いやりなど幅広いものが含まれるが，これらは観点別学習状況の評価になじむものではないことから，観点別学習状況の評価の対象外とする必要がある。

D　これらの観点については，毎回の授業で全ての観点について，学習・指導内容と評価の場面を適切に組み立てて見取ることが重要である。

E　観点別学習状況の評価には十分示しきれない，児童生徒一人一人のよい点や可能性，進歩の状況等については，日々の教育活動や総合所見等を通じて積極的に子供に伝えることが重要である。

	A	B	C	D	E
①	○	○	×	○	○
②	×	×	×	○	×
③	×	×	○	×	○
④	○	×	×	×	○
⑤	×	○	○	○	○

【3】　次の文は，中央教育審議会「幼稚園，小学校，中学校，高等学校及び特別支援学校の学習指導要領等の改善及び必要な方策等について（答申）」（平成 28 年 12 月 21 日）のうち，学習評価についての記述である。文中の（　A　）～（　D　）に入る語句の正しい組合せを，下の①～⑤のうちから一つ選べ。なお，同じ記号には同じ語句が入るものとする。〔大分県〕

学習評価は，学校における教育活動に関し，子供たちの学習状況を評価するものである。「子供たちにどういった力が身に付いたか」という学習の（　A　）を的確に捉え，教員が指導の改善を図るとともに，子供たち自身が自らの学びを振り返って次の学びに向かうことができるようにするためには，この学習評価の在り方が極めて重要であり，（　B　）や学習・指導方法の改善と一貫性を持った形で改善を進めることが求められる。

子供たちの学習状況を評価するために，教員は，個々の授業のねらいをどこまでどのように達成したかだけではなく，子供たち一人一人が，前の学びからどのように成長しているか，より（　C　）学びに向かっているかどうかを捉えていくことが必要である。

また，学習評価については，子供の学びの評価にとどまらず，「カリキュラム・マネジメント」の中で，（　B　）や学習・指導方法の評価と結び付け，子供たちの学びに関わる学習評価の改善を，更に（　B　）や学習・指導の改善に発展・展開させ，授業改善及び組織運営の改善に向けた（　D　）のサイクルに位置付けていくことが必要である。

	A	B	C	D
①	成果	単元計画	深い	学習活動全体
②	達成度	教育課程	主体的な	学校教育全体
③	成果	単元計画	主体的な	学習活動全体
④	成果	教育課程	深い	学校教育全体
⑤	達成度	教育課程	主体的な	学習活動全体

【4】 次の文は，中央教育審議会答申「幼稚園，小学校，中学校，高等学校及び特別支援学校の学習指導要領等の改善及び必要な方策等について」(平成 28 年 12 月 21 日) の一部である。文中の（　①　），（　②　），（　③　）にあてはまる語句の組合せとして最も適切なものを，下のアからエのうちから一つ選べ。〔栃木県〕

観点別評価については，目標に準拠した評価の実質化や，教科・校種を超えた共通理解に基づく組織的な取組を促す観点から，小・中・高等学校の各教科を通じて，「（　①　）」「（　②　）」「（　③　）」の３観点に整理することとし，指導要録の様式を改善することが必要である。

ア	①知識	②技能・表現	③思考・判断
イ	①知識及び技能	②思考力，判断力，表現力等	③学びに向かう力，人間性等
ウ	①知識・理解	②思考・判断	③関心・意欲・態度
エ	①知識・技能	②思考・判断・表現	③主体的に学習に取り組む態度

【5】 次は,「幼稚園, 小学校, 中学校, 高等学校及び特別支援学校の学習指導要領等の改善及び必要な方策等について（答申）」（平成 28 年 12 月, 中央教育審議会）において示された「15. 道徳教育 ⑵具体的な改善事項」の一部である。（ ア ）～（ ウ ）にあてはまることばを記せ。なお, 同じ記号には同じことばが入るものとする。〔山梨県〕

現在検討されている学習指導要領全体改訂の中では, 社会で生きて働く知識や力を育むために, 子供たちが「何を学ぶか」という学習内容の在り方に加えて,「どのように学ぶか」という, 学びの過程に着目してその質を高めることにより, 学習内容を深く理解し, 資質・能力を身に付け, 生涯にわたって能動的（アクティブ）に学び続けるようにしていくことが重要である。「どのように学ぶか」の鍵となるのがアクティブ・ラーニングの視点, すなわち子供たちの「（ ア ）」をいかに実現するかという学習・指導改善の視点である。道徳教育においては, 他者と共によりよく生きるための基盤となる（ イ ）を育むため, 答えが一つではない道徳的な課題を一人一人の児童生徒が自分自身の問題と捉え, 向き合う「（ ウ ）」を実現することが,「（ ア ）」を実現することになると考えられる。

【6】 下の文は,「幼稚園, 小学校, 中学校, 高等学校及び特別支援学校の学習指導要領等の改善及び必要な方策等について（答申）」（平成 28 年 12 月 21 日 中央教育審議会）の一部である。文中の下線部 a ～ f について, 正しいものを○, 誤っているものを × としたとき, 正しい組合せはどれか。①～⑥から 1 つ選べ。〔奈良県・大和高田市〕

○ 道徳的諸価値の理解を図るには, 児童生徒一人一人が道徳的価値の理解を$_{a}$他者との関わりで捉えることが重要である。「道徳的諸価値の理解を基に」とは, 道徳的諸価値の理解を深めることが$_{b}$自分自身の生き方について考えることにつながっていくということだけでなく, 自分自身の生き方について考えたり, $_{c}$体験的な学習を通して実感を伴って理解したり, 道徳的問題について多面的・多角的に捉えその解決に向けて自分で考えたり$_{d}$他者と話し合ったりすることを通じて道徳的諸価値の理解が深まっていくことも含まれている。

○ このため, 特定の道徳的価値を$_{e}$多様な選択肢の一つとして指導したり, 本来実感を伴って理解すべき道徳的価値のよさや大切さを$_{f}$観念的に理解させたりする学習に終始することのないように配慮することが大切である。児童生徒の発達の段階等を踏まえ, 例えば, 社会のルールやマナー, 人としてしてはならないことなどについてしっかりと身に付けさせることは必要不可欠であるが, これらの指導の真の目的は，ルールやマナー等を単に身に付けさせることではなく，そのことを通して道徳性を養うことである。

①	a－×	b－○	c－○	d－○	e－×	f－○
②	a－○	b－○	c－×	d－×	e－×	f－×
③	a－○	b－○	c－○	d－○	e－○	f－×
④	a－×	b－×	c－○	d－×	e－×	f－×
⑤	a－○	b－×	c－×	d－×	e－○	f－○
⑥	a－×	b－×	c－○	d－×	e－○	f－○

【7】 次の文は，「幼稚園，小学校，中学校，高等学校及び特別支援学校の学習指導要領等の改善及び必要な方策等について（答申）」（平成28年12月21日　中央教育審議会）の中の，キャリア教育（進路指導を含む）の記述の一部であるが，下線部については誤りが含まれている場合がある。下線部A～Dの語句のうち，正しいものを○，誤っているものを×とした場合，正しい組合せはどれか。①～⑤から一つ選べ。〔大阪府・豊能地区・大阪市・堺市〕

キャリア教育については，中央教育審議会が平成23年1月にまとめた答申「今後の学校におけるキャリア教育・職業教育の在り方について」を踏まえ，その理念が浸透してきている一方で，例えば，A職場体験活動のみをもってキャリア教育を行ったものとしているのではないか，B社会への接続を考慮せず，次の学校段階への進学のみを見据えた指導を行っているのではないか，C職業を通じて未来の社会を創り上げていくという視点に乏しく，特定の既存組織のこれまでの在り方を前提に指導が行われているのではないか，といった課題も指摘されている。また，将来の夢を描くことばかりに力点が置かれ，「働くこと」の現実や必要な資質・能力の育成につなげていく指導が軽視されていたりするのではないか，といった指摘もある。

こうした課題を乗り越えて，キャリア教育を効果的に展開していくためには，D社会教育活動を通じて必要な資質・能力の育成を図っていく取組が重要になる。

	A	B	C	D
①	○	○	○	○
②	○	○	○	×
③	○	○	×	○
④	○	×	○	○

⑤	×	○	○	○

【8】 次の文章は，「幼稚園，小学校，中学校，高等学校及び特別支援学校の学習指導要領等の改善及び必要な方策等について（答申）」（平成 28 年 12 月 21 日　中央教育審議会）からの抜粋である。文章中の空欄（　①　）～（　⑤　）に当てはまる語句を正しく組み合わせているものはどれか，下のア～オから１つ選びなさい。〔京都府〕

○ （　①　）を定める日本国憲法の下，民主主義を尊重し責任感をもって政治に参画しようとする国民を育成することは学校教育に求められる極めて重要な要素の一つであり，（　②　）歳への選挙権年齢の引下げにより，小・中学校からの体系的な（　③　）の充実を図ることが求められている。

○ また，（　③　）については，政治に関わる主体として適切な判断を行うことができるようになることが求められており，そのためには，政治に関わる主体としてだけではなく広く国家・社会の形成者としていかに社会と向き合うか，例えば，経済に関わる主体（（　④　）等としての主体を含む）等として適切な生活を送ったり産業に関わったりして，社会と関わることができるようになることも前提となる。

○ （中略）必要な資質・能力の具体的な内容としては，国家・社会の基本原理となる法やきまりについての理解や，政治，経済等に関する知識を習得させるのみならず，事実を基に多面的・多角的に考察し，公正に判断する力や，課題の解決に向けて，協働的に追究し根拠をもって主張するなどして合意を形成する力，よりよい社会の実現を視野に国家・社会の形成に主体的に参画しようとする力である。これらの力を教科横断的な視点で育むことができるよう，教科等間相互の連携を図っていくことが重要である。

○ これらの力を育んでいくためには，発達段階に応じて，家庭や学校，地域，国や国際社会の課題の解決を視野に入れ，学校の（　⑤　）を確保しつつ，例えば，小学校段階においては地域の身近な課題を理解し，その解決に向けて自分なりに考えるなど，現実の社会的事象を取り扱っていくことが求められる。

	①	②	③	④	⑤
ア	社会民主主義	18	義務教育	労働者	政治的中立性
イ	議会制民主主義	16	義務教育	消費者	政治的中立性
ウ	議会制民主主義	18	主権者教育	労働者	宗教的中立性
エ	社会民主主義	16	主権者教育	消費者	宗教的中立性
オ	議会制民主主義	18	主権者教育	消費者	政治的中立性

P.6〜P.11 解答

▶幼稚園，小学校，中学校，高等学校及び特別支援学校の学習指導要領等の改善及び必要な方策等について（答申）

【1】5，【2】③，【3】④，【4】エ，【5】アー主体的・対話的で深い学び イー道徳性　ウー考え，議論する道徳　【6】①，【7】②，【8】オ

小学校学習指導要領 総則

文部科学省　平成 29 年 3 月告示

小学校学習指導要領総則の概要

学習指導要領総則では，教育課程全般にわたる配慮事項や授業時数の取扱いなどを定め，各教科等の目標，内容，内容の取扱いについて規定している。

ココが大事！ 出題のポイント

1．小学校教育の基本と教育課程の役割：何ができるようになるか

「社会に開かれた教育課程」の実現を基盤とし，主体的・対話的で深い学びの視点からの授業改善，教育活動の質を向上させ学習効果の最大化を図るためのカリキュラム・マネジメントを通して，育成を目指す資質・能力（「知識及び技能」「思考力，判断力，表現力等」「学びに向かう力，人間力等」）を育む。

2．教育課程の編成：何を学ぶか

各教科，道徳科，外国語活動，総合的な学習の時間及び特別活動（学級活動）の指導を通して育成を目指す資質・能力を明確にして，教育活動の充実を図る。

○各教科等の授業は年間 35 週（第 1 学年は 34 週）以上にわたって行う。

○各教科等や学習活動の特質に応じ効果的な場合には，夏季，冬季，学年末等の休業日の期間に授業日を設定する等，特定の期間に行うことができる。

○幼児期，中学校教育及びその後の教育との円滑な接続が図られるよう工夫。

3．教育課程の実施と学習評価：どのように学ぶか，何が身に付いたか

○主体的・対話的で深い学びの実現に向けた授業改善（各教科等の見方・考え方／学習の見通しを立てる・振り返る／体験活動／プログラミングを体験しながら論理的思考力を身に付ける学習活動等）

○学習評価の充実（よい点や進歩の状況等を積極的に評価し学習の意義や価値を実感／各教科等の目標に向けた学習状況を把握／組織的かつ計画的な評価等）

4．児童の発達の支援

○ガイダンスとカウンセリング／学級経営／特別な配慮を必要とする児童への指導

5．学校運営上の留意事項

○教育課程の改善（カリキュラム・マネジメントの実施，学校評価の充実）

○家庭や地域社会との連携・協働，学校間の連携

6．道徳教育に関する配慮事項

道徳教育の目標に基づき全体計画を作成，校長の方針の下，道徳教育推進教師を中心に全教師が協力して展開。家庭や地域社会との連携を図る。

本文（抜粋）

第１　小学校教育の基本と教育課程の役割

１　各学校においては，教育基本法及び学校教育法その他の法令並びにこの章以下に示すところに従い，児童の人間として調和のとれた育成を目指し，児童の心身の発達の段階や特性及び学校や地域の実態を十分考慮して，適切な教育課程を編成する…（略）。

３　（略）学校教育全体並びに各教科，道徳科，外国語活動，総合的な学習の時間及び特別活動（学級活動）の指導を通してどのような資質・能力の育成を目指すのかを明確にしながら，教育活動の充実を図るものとする。

４　各学校においては，児童や学校，地域の実態を適切に把握し，教育の目的や目標の実現に必要な教育の内容等を教科等横断的な視点で組み立てていくこと，教育課程の実施状況を評価してその改善を図っていくこと，教育課程の実施に必要な人的又は物的な体制を確保するとともにその改善を図っていくことなどを通して，教育課程に基づき組織的かつ計画的に各学校の教育活動の質の向上を図っていくこと（カリキュラム・マネジメント）に努めるものとする。

第２　教育課程の編成

２　教科等横断的な視点に立った資質・能力の育成

⑴　各学校においては，児童の発達の段階を考慮し，言語能力，情報活用能力（情報モラルを含む。），問題発見・解決能力等の学習の基盤となる資質・能力を育成していくことができるよう，各教科等の特質を生かし，教科等横断的な視点から教育課程の編成を図るものとする。

⑵　（略）児童や学校，地域の実態及び児童の発達の段階を考慮し，豊かな人生の実現や災害等を乗り越えて次代の社会を形成することに向けた現代的な諸課題に対応して求められる資質・能力を，教科等横断的な視点で育成していくことができるよう，各学校の特色を生かした教育課程の編成を図るものとする。

第３　教育課程の実施と学習評価

１　主体的・対話的で深い学びの実現に向けた授業改善

⑴　（略）単元や題材など内容や時間のまとまりを見通しながら，児童の主体的・対話的で深い学びの実現に向けた授業改善を行うこと。

⑶　（略）情報活用能力の育成を図るため，各学校において，コンピュータや情報通信ネットワークなどの情報手段を活用するために必要な環境を整え，これらを適切に活用した学習活動の充実を図ること。また，各種の統計資料や新聞，視聴覚

教材や教育機器などの教材・教具の適切な活用を図ること。あわせて，各教科等の特質に応じて，次の学習活動を計画的に実施すること。

イ　児童がプログラミングを体験しながら，コンピュータに意図した処理を行わせるために必要な論理的思考力を身に付けるための学習活動

(6)　児童が自ら学習課題や学習活動を選択する機会を設けるなど，児童の興味・関心を生かした自主的，自発的な学習が促されるよう工夫すること。

第4　児童の発達の支援

1　児童の発達を支える指導の充実

(1)　(略) 日頃から学級経営の充実を図ること。また，主に集団の場面で必要な指導や援助を行うガイダンスと，個々の児童の多様な実態を踏まえ，一人一人が抱える課題に個別に対応した指導を行うカウンセリングの双方により，児童の発達を支援すること。

(3)　児童が，学ぶことと自己の将来とのつながりを見通しながら，社会的・職業的自立に向けて必要な基盤となる資質・能力を身に付けていくことができるよう，特別活動を要としつつ各教科等の特質に応じて，キャリア教育の充実を図ること。

2　特別な配慮を必要とする児童への指導

(1)　障害のある児童などへの指導

イ　特別支援学級において実施する特別の教育課程について

(ア)　障害による学習上又は生活上の困難を克服し自立を図るため，特別支援学校小学部・中学部学習指導要領に示す自立活動を取り入れること。

(イ)　児童の障害の程度や学級の実態等を考慮の上，各教科の目標や内容を下学年の教科の目標や内容に替えたり，各教科を，知的障害者である児童に対する教育を行う特別支援学校の各教科に替えたりするなどして，実態に応じた教育課程を編成すること。

(3)　不登校児童への配慮

ア　不登校児童については，保護者や関係機関と連携を図り，心理や福祉の専門家の助言又は援助を得ながら，社会的自立を目指す観点から，個々の児童の実態に応じた情報の提供その他の必要な支援を行うものとする。

第5　学校運営上の留意事項

ア　(略) 各学校の特色を生かしたカリキュラム・マネジメントを行うよう努めるものとする。

演習問題

【1】 次は，「小学校学習指導要領」（平成 29 年３月）第１章　総則　第３　教育課程の実施と学習評価　の一部である。下線部の中で誤っているものはいくつありますか。〔長野県〕

(3)　第２の２の(1)に示す情報活用能力の育成を図るため，各学校において，コンピュータや情報通信ネットワークなどの情報手段を活用するために必要な環境を整え，これらを適切に活用した学習活動の充実を図ること。また，各種の統計資料や新聞，視聴覚教材や教育機器などの教材・教具の適切な活用を図ること。

あわせて，各教科等の特質に応じて，次の学習活動を計画的に実施すること。

ア　児童がコンピュータでデータを入力するなどの学習の基盤として必要となる情報手段の基本的な操作を習得するための学習活動

イ　児童が AI 技術を体験しながら，コンピュータに意図した処理を行わせるために必要な論理的思考力を身に付けるための学習活動

①　1つ　　②　2つ　　③　3つ　　④　4つ　　⑤　5つ

【2】 次の文は，学習指導要領の「第１章　総則　第４　児童の発達の支援　２　特別な配慮を必要とする児童への指導」の一部を示そうとしたものである。文中の（　　）内にあてはまる語句は何か。あとの１～４から一つ選べ。〔香川県〕

海外から帰国した児童などについては，学校生活への適応を図るとともに，（　　）などの適切な指導を行うものとする。

1　習熟の程度に応じた学習計画を立てる
2　児童の興味・関心に応じた学習課題を設ける
3　児童の実態に配慮した教育課程を編成する
4　外国における生活経験を生かす

【3】 次の文は，小〈中〉学校学習指導要領（平成 29 年３月告示）「第１章　総則　第１　小〈中〉学校教育の基本と教育課程の役割」の一部である。文中の（　ア　）～（　エ　）に当てはまることばを下記の a ～ l から選び，その記号を書きなさい。※中学校は〈　〉内で読み取る。〔福島県〕

3　２の(1)から(3)までに掲げる事項の実現を図り，豊かな創造性を備え（　ア　）な社

会の創り手となることが期待される児童〈生徒〉に，（　**イ**　）を育むことを目指すに当たっては，学校教育全体並びに各教科，道徳科，外国語活動〈記載なし〉，総合的な学習の時間及び特別活動（以下「各教科等」という。ただし，第２の３の⑵のア及びウにおいて，特別活動については学級活動（学校給食に係るものを除く。）に限る。）の指導を通してどのような資質・能力の育成を目指すのかを明確にしながら，教育活動の充実を図るものとする。その際，児童〈生徒〉の発達の段階や特性等を踏まえつつ，次に掲げることが偏りなく実現できるようにするものとする。

⑴　（　**ウ**　）が習得されるようにすること。

⑵　思考力，判断力，表現力等を育成すること。

⑶　（　**エ**　），人間性等を涵《かん》養すること。

a　共生的	b　基礎的・汎用的能力	c　知識及び技能
d　安全・安心	e　生きる力	f　持続可能
g　学びに向かう力	h　確かな学力	i　見方・考え方
j　豊かな心	k　学習意欲	l　生きて働く力

【4】「小学校学習指導要領（平成29年３月告示）」，「中学校学習指導要領（平成29年３月告示）」，「高等学校学習指導要領（平成30年３月告示）」の総則では，児童（生徒）の発達の支援について，次のとおり述べられている。文中の（　①　）～（　④　）に入る語句を以下のア～クから一つずつ選び，記号で答えなさい。ただし，同じ番号の（　　　）には同じ語句が入る。〔静岡県・静岡市・浜松市〕

小学校（中学校）学習指導要領　第１章 総則 第４ 児童（生徒）の発達の支援（一部抜粋）

２　特別な配慮を必要とする児童（生徒）*への指導

⑴　障害のある児童（生徒）などへの指導

（中略）

ウ　障害のある児童（生徒）に対して，通級による指導を行い，（　①　）を編成する場合には，特別支援学校小学部・中学部学習指導要領第７章に示す（　②　）の内容を参考とし，具体的な目標や内容を定め，指導を行うものとする。その際，効果的な指導が行われるよう，各教科等と通級による指導との関連を図るなど，教師間の連携に努めるものとする。

エ　障害のある児童（生徒）などについては，家庭，地域及び医療や福祉，保健，労働等の業務を行う関係機関との連携を図り，長期的な視点で児童（生徒）への教育的支援を行うために，（　③　）を作成し活用することに努めるとともに，各教科等の指導に当たって，個々の児童（生徒）の実態を的確に把握し，（　④　）

を作成し活用することに努めるものとする。(以下略)

(注) ＊小学校学習指導要領は児童，中学校学習指導要領は生徒と表記している。

高等学校学習指導要領　第1章 総則 第5款 生徒の発達の支援 (一部抜粋)

2　特別な配慮を必要とする生徒への指導

(1)　障害のある生徒などへの指導

(中略)

イ　障害のある生徒に対して，学校教育法施行規則第140条の規定に基づき，(①)を編成し，障害に応じた特別の指導 (以下「通級による指導」という。) を行う場合には，学校教育法施行規則第129条の規定により定める現行の特別支援学校高等部学習指導要領第6章に示す (②) の内容を参考とし，具体的な目標や内容を定め，指導を行うものとする。その際，通級による指導が効果的に行われるよう，各教科・科目等と通級による指導との関連を図るなど，教師間の連携に努めるものとする。(中略)

ウ　障害のある生徒などについては，家庭，地域及び医療や福祉，保健，労働等の業務を行う関係機関との連携を図り，長期的な視点で生徒への教育的支援を行うために，(③) を作成し活用することに努めるとともに，各教科・科目等の指導に当たって，個々の生徒の実態を的確に把握し，(④) を作成し活用することに努めるものとする。(以下略)

ア 特別の教育課程	**イ** 通級による教育課程	**ウ** 自立活動
エ 各段階の目標	**オ** 個別の教育支援計画	**カ** 指導の全体計画
キ 個別の指導計画	**ク** 年間指導計画	

【5】 小学校学習指導要領総則に関する次の記述ア〜エのうち，平成29年の改訂において新たに示されたものを選んだ組合せとして適切なものは，下の①〜⑤のうちのどれか。〔東京都〕

ア 各学校においては，児童の発達の段階を考慮し，言語能力，情報活用能力 (情報モラルを含む。)，問題発見・解決能力等の学習の基盤となる資質・能力を育成していくことができるよう，各教科等の特質を生かし，教科等横断的な視点から教育課程の編成を図るものとする。

イ 各教科等の指導に当たっては，児童がコンピュータや情報通信ネットワークなどの情報手段に慣れ親しみ，コンピュータで文字を入力するなどの基本的な操作や情報モラルを身に付け，適切に活用できるようにするための学習活動を充実するとともに，これらの情報手段に加え視聴覚教材や教育機器などの教材・教具の適切な活用を図ること。

ウ　児童が，学ぶことと自己の将来とのつながりを見通しながら，社会的・職業的自立に向けて必要な基盤となる資質・能力を身に付けていくことができるよう，特別活動を要としつつ各教科等の特質に応じて，キャリア教育の充実を図ること。

エ　学校がその目的を達成するため，地域や学校の実態等に応じ，家庭や地域の人々の協力を得るなど家庭や地域社会との連携を深めること。また，小学校間，幼稚園や保育所，中学校及び特別支援学校などとの間の連携や交流を図るとともに，障害のある幼児児童生徒との交流及び共同学習や高齢者などとの交流の機会を設けること。

① ア・イ　② ア・ウ　③ イ・ウ　④ イ・エ　⑤ ウ・エ

【6】 次の文章は，平成 29 年告示の小学校学習指導要領の「第 1 章　総則」の一部である。（　A　）～（　E　）に当てはまる語句の組合せとして正しいものはどれか。

〔岡山県〕

(1)　学習や生活の基盤として，教師と児童との信頼関係及び児童相互のよりよい人間関係を育てるため，日頃から学級経営の充実を図ること。また，主に集団の場面で必要な指導や援助を行う（　A　）と，個々の児童の多様な実態を踏まえ，一人一人が抱える課題に個別に対応した指導を行う（　B　）の双方により，児童の発達を支援すること。

(2)　児童が，自己の（　C　）を実感しながら，よりよい人間関係を形成し，有意義で充実した学校生活を送る中で，現在及び将来における（　D　）を図っていくことができるよう，児童理解を深め，学習指導と関連付けながら，（　E　）の充実を図ること。

	A	B	C	D	E
1	カウンセリング	ガイダンス	達成感	自己実現	生活指導
2	ガイダンス	カウンセリング	存在感	自己実現	生徒指導
3	カウンセリング	ガイダンス	達成感	キャリア形成	生徒指導
4	ガイダンス	カウンセリング	存在感	キャリア形成	生活指導
5	カウンセリング	ガイダンス	存在感	自己実現	生徒指導

【7】 次の文は，「小学校学習指導要領」（平成29年告示）の「第１章 総則 第３ 教育課程の実施と学習評価」の一部である。文中の記号に当てはまる語句の組合せを，下の選択肢から１つ選び，番号で答えなさい。〔宮崎県〕

児童の（ ア ）などを積極的に評価し，学習したことの意義や価値を実感できるようにすること。また，各教科等の目標の実現に向けた学習状況を把握する観点から，単元や題材など内容や時間のまとまりを見通しながら評価の場面や方法を工夫して，（ イ ）を評価し，指導の改善や学習意欲の向上を図り，（ ウ ）に生かすようにすること。

1	ア	学習の過程や成果	イ	よい点や進歩の状況	ウ	個別の教育支援
2	ア	よい点や進歩の状況	イ	学習の過程や成果	ウ	資質・能力の育成
3	ア	よい点や進歩の状況	イ	学習の過程や成果	ウ	個別の教育支援
4	ア	学習の過程や成果	イ	よい点や進歩の状況	ウ	資質・能力の育成
5	ア	よい点や進歩の状況	イ	学習の過程や成果	ウ	思考力，判断力，表現力等の育成

P.16〜P.20 解答

▶小学校学習指導要領 総則

【1】②，【2】4，【3】アーf イーe ウーc エーg，【4】①ーア ②ーウ ③ーオ ④ーキ，【5】②，【6】2，【7】2

小学校学習指導要領 総則以外

文部科学省　平成 29 年 3 月告示

小学校学習指導要領の概要

▶教育基本法，学校教育法などを踏まえ，これまでの我が国の学校教育の実績や蓄積を活かし，子供たちが未来社会を切り拓くための資質・能力の一層確実な育成を目指す。その際，子供たちに求められる資質・能力とは何かを社会と共有し，連携する「社会に開かれた教育課程」を重視する。

▶知識及び技能の習得と思考力，判断力，表現力等の育成のバランスを重視し，教育内容を維持しつつ知識の理解の質をさらに高め，確かな学力を育成する。先行する特別教科化など道徳教育の充実や体験活動の重視，体育・健康に関する指導の充実により，豊かな心や健やかな体を育成する。

ココが大事！ 出題のポイント

▶前文は出題頻度が高い。キーワードを中心に全文をおさえておく。

▶各教科の目標，各学年の目標・内容は資質・能力の三つの柱で明示。

▶各教科の「指導計画の作成と内容の取扱い」には，単元など内容や時間のまとまりを見通して，児童の「主体的・対話的で深い学び」の実現を図ることが明記されており，その際，各教科における「見方・考え方」を働かせて，追究・解決する活動の充実を図ることとしている。

▶その他，小学校学習指導要領におけるポイントとして次の点が挙げられる。

1. 外国語活動及び外国語科の新設

○第５・６学年…外国語科（英語）：聞くこと，話すこと，読むこと，書くことの言語活動を通してコミュニケーションを図る基礎となる資質・能力を育成。

○第３・４学年…外国語活動（英語）：聞くこと，話すことの言語活動を中心に，外国語に慣れ親しみ，コミュニケーションを図る素地となる資質・能力を育成。

2. 情報活用能力の育成（プログラミング教育）

コンピュータでの文字入力など基本的な操作を習得するとともに，各教科等においてプログラミングを体験することで，論理的思考力を育成する。

3. 特別の教科 道徳

（目標）よりよく生きるための基盤となる道徳性を養うため，道徳的諸価値についての理解を基に，自己を見つめ，物事を多面的・多角的に考え，自己の生き方についての考えを深める学習を通して，道徳的な判断力，心情，実践意欲と態度を育てる。

本文（抜粋）

【前文】 教育は，教育基本法第１条に定めるとおり，人格の完成を目指し，平和で民主的な国家及び社会の形成者として必要な資質を備えた心身ともに健康な国民の育成を期すという目的のもと，同法第２条に掲げる次の目標を達成するよう行われなければならない。　①幅広い知識と教養を身に付け，真理を求める態度を養い，豊かな情操と道徳心を培うとともに，健やかな身体を養うこと。②個人の価値を尊重して，その能力を伸ばし，創造性を培い，自主及び自律の精神を養うとともに，職業及び生活との関連を重視し，勤労を重んずる態度を養うこと。③正義と責任，男女の平等，自他の敬愛と協力を重んずるとともに，公共の精神に基づき，主体的に社会の形成に参画し，その発展に寄与する態度を養うこと。④生命を尊び，自然を大切にし，環境の保全に寄与する態度を養うこと。⑤伝統と文化を尊重し，それらをはぐくんできた我が国と郷土を愛するとともに，他国を尊重し，国際社会の平和と発展に寄与する態度を養うこと。

これからの学校には，こうした教育の目的及び目標の達成を目指しつつ，一人一人の児童が，自分のよさや可能性を認識するとともに，あらゆる他者を価値のある存在として尊重し，多様な人々と協働しながら様々な社会的変化を乗り越え，豊かな人生を切り拓《ひら》き，持続可能な社会の創り手となることができるようにすることが求められる。このために必要な教育の在り方を具体化するのが，各学校において教育の内容等を組織的かつ計画的に組み立てた教育課程である。

教育課程を通して，これからの時代に求められる教育を実現していくためには，よりよい学校教育を通してよりよい社会を創るという理念を学校と社会とが共有し，それぞれの学校において，必要な学習内容をどのように学び，どのような資質・能力を身に付けられるようにするのかを教育課程において明確にしながら，社会との連携及び協働によりその実現を図っていくという，社会に開かれた教育課程の実現が重要となる。

学習指導要領とは，こうした理念の実現に向けて必要となる教育課程の基準を大綱的に定めるものである。学習指導要領が果たす役割の一つは，公の性質を有する学校における教育水準を全国的に確保することである。また，各学校がその特色を生かして創意工夫を重ね，長年にわたり積み重ねられてきた教育実践や学術研究の蓄積を生かしながら，児童や地域の現状や課題を捉え，家庭や地域社会と協力して，学習指導要領を踏まえた教育活動の更なる充実を図っていくことも重要である。

【総合的な学習の時間／第１ 目標】 探究的な見方・考え方を働かせ，横断的・総合的な学習を行うことを通して，よりよく課題を解決し，自己の生き方を考えていくための資質・能力を次のとおり育成することを目指す。

⑴ 探究的な学習の過程において，課題の解決に必要な知識及び技能を身に付け，課題に関わる概念を形成し，探究的な学習のよさを理解するようにする。

⑵ 実社会や実生活の中から問いを見いだし，自分で課題を立て，情報を集め，整理・分析して，まとめ・表現することができるようにする。

⑶ 探究的な学習に主体的・協働的に取り組むとともに，互いのよさを生かしながら，積極的に社会に参画しようとする態度を養う。

【外国語／第２ 各言語の目標及び内容等】

2. 内容〔第５学年及び第６学年〕（知識及び技能）

⑴ 英語の特徴やきまりに関する事項

実際に英語を用いた言語活動を通して，次に示す言語材料のうち，１に示す五つの領域別の目標を達成するのにふさわしいものについて理解するとともに，言語材料と言語活動とを効果的に関連付け，実際のコミュニケーションにおいて活用できる技能を身に付けることができるよう指導する。

（思考力，判断力，表現力等）

⑵ 情報を整理しながら考えなどを形成し，英語で表現したり，伝え合ったりすることに関する事項

具体的な課題等を設定し，コミュニケーションを行う目的や場面，状況などに応じて，情報を整理しながら考えなどを形成し，これらを表現することを通して，次の事項を身に付けることができるよう指導する。

３ 指導計画の作成と内容の取扱い

⑴ 指導計画の作成に当たっては，第３学年及び第４学年並びに中学校及び高等学校における指導との接続に留意しながら，次の事項に配慮するものとする。

ア 単元など内容や時間のまとまりを見通して，その中で育む資質・能力の育成に向けて，児童の主体的・対話的で深い学びの実現を図るようにすること。その際，具体的な課題等を設定し，児童が外国語によるコミュニケーションにおける見方・考え方を働かせながら，コミュニケーションの目的や場面，状況などを意識して活動を行い，英語の音声や語彙，表現などの知識を，五つの領域における実際のコミュニケーションにおいて活用する学習の充実を図ること。

演習問題

【1】 学習指導要領の「第５章　総合的な学習の時間　第３　指導計画の作成と内容の取扱い」の内容について述べた次の１～４の文のうち，誤っているものはどれか。一つ選べ。〔香川県〕

1　全体計画及び年間指導計画の作成に当たっては，学校における全教育活動との関連の下に，目標及び内容，学習活動，指導方法や指導体制，学習の評価の計画などを示す。

2　他教科等及び総合的な学習の時間で身に付けた資質・能力を相互に関連付け，学習や生活において生かし，それらが総合的に働くようにする。

3　各学校における総合的な学習の時間の名称については，各学年や学級において適切に定める。

4　道徳教育の目標に基づき，道徳科などとの関連を考慮しながら，総合的な学習の時間の特質に応じて適切な指導をする。

【2】 次の文は，平成 29 年３月に文部科学省から告示された小学校学習指導要領（平成 29 年３月）の前文の一部です。この文は中学校学習指導要領（平成 29 年３月），高等学校学習指導要領（平成 30 年３月），特別支援学校小学部・中学部学習指導要領（平成 29 年４月）及び特別支援学校高等部学習指導要領（平成 31 年２月）と同じ記述になっています。文中の（　ア　）～（　オ　）にあてはまる語句を，下のＡ～Ｏから一つずつ選び，その記号を書きなさい。〔岩手県〕

教育は，教育基本法第１条に定めるとおり，人格の完成を目指し，平和で民主的な国家及び社会の形成者として必要な資質を備えた心身ともに健康な国民の育成を期すという目的のもと，同法第２条に掲げる次の目標を達成するよう行われなければならない。

1　幅広い知識と教養を身に付け，真理を求める態度を養い，豊かな情操と（　ア　）を培うとともに，健やかな身体を養うこと。

2　個人の価値を尊重して，その能力を伸ばし，創造性を培い，自主及び自律の精神を養うとともに，職業及び生活との関連を重視し，（　イ　）を重んずる態度を養うこと。

3　正義と責任，（　ウ　），自他の敬愛と協力を重んずるとともに，公共の精神に基づき，主体的に社会の形成に参画し，その発展に寄与する態度を養うこと。

4　生命を尊び，自然を大切にし，（　エ　）に寄与する態度を養うこと。

5　伝統と文化を尊重し，それらをはぐくんできた我が国と（　オ　）を愛するとともに，他国を尊重し，国際社会の平和と発展に寄与する態度を養うこと。

A 人類の平等　B 郷里　C 労働　D 男女の平等
E 環境の維持　F 就労　G 故郷　H 多様性
I 協調性　J 自立心　K 環境の保護　L 道徳心
M 郷土　N 環境の保全　O 勤労

【3】 小学校学習指導要領総合的な学習の時間に関する次の記述ア～エのうち，正しいものを選んだ組合せとして適切なものは，下の１～５のうちのどれか。〔東京都〕

ア　各学校において定める目標及び内容については，他教科等の目標及び内容との違いがあるので，他教科等で育成を目指す資質・能力と関連させないことに配慮するものとする。

イ　各学校において定める内容については，目標を実現するにふさわしい探究課題，探究課題の解決を通して育成を目指す具体的な資質・能力を示すことに配慮するものとする。

ウ　探究課題の解決を通して育成を目指す具体的な資質・能力のうち，思考力，判断力，表現力等については，自分自身に関すること及び他者や社会との関わりに関することの両方の視点を踏まえることに配慮すること。

エ　指導計画の作成に当たっては，各学校における総合的な学習の時間の名称については，各学校において適切に定めることに配慮するものとする。

1 ア・イ　2 ア・エ　3 イ・ウ　4 イ・エ　5 ウ・エ

【4】「小学校学習指導要領解説　総合的な学習の時間編（平成29年7月）」第4章第2節「内容の取扱いについての配慮事項」にあるプログラミングを体験しながら論理的思考力を身に付けるための学習活動について述べた内容として誤っているものを，1～5の中から1つ選んで番号で答えなさい。〔福井県〕

1　総合的な学習の時間のみならず，算数科や理科をはじめとして各教科等の特質に応じて体験し，その意義を理解することが求められている。

2　どの教科等において実施するかということについては，各学校が教育課程全体を見渡し，プログラミングを体験する単元を位置付ける学年や教科等を決定していく必要がある。

3　時代を超えて普遍的に求められる力としての「プログラミング的思考」の育成を

目指しており，そのためにプログラミングのための言語を用いて記述する方法（コーディング）を覚え習得することが望ましい。

4　情報に関する課題について探究的に学習する過程において，自分たちの暮らしとプログラミングとの関係を考え，プログラミングを体験しながらそのよさや課題に気付き，現在や将来の自分の生活や生き方と繋げて考えることが必要である。

5　全ての学習活動においてコンピュータを用いてプログラミングを行わなければならないということではない。

【5】 小学校学習指導要領特別活動に関する記述として適切なものは，次の１～５のうちのどれか。〔東京都〕

1　特別活動の「目標」は，「探究的な見方・考え方を働かせ，横断的・総合的な学習を行うことを通して，実社会や実生活の中から問いを見いだし，自分で課題を立て，情報を集め，整理・分析して，まとめ・表現することができるようにする。」と示されている。

2　〔学級活動〕の「内容の取扱い」において，「一人一人のキャリア形成と自己実現」の指導に当たっては，「学校，家庭及び地域における学習や生活の見通しを立て，学んだことを振り返りながら，新たな学習や生活への意欲につなげたり，将来の生き方を考えたりする活動を行うこと。その際，児童が活動を記録し蓄積する教材等を活用すること。」と示されている。

3　〔学級活動〕の「内容の取扱い」において，〔第５学年及び第６学年〕で指導に当たって配慮することとされている事項は，「理由を明確にして考えを伝えたり，自分と異なる意見も受け入れたりしながら，集団としての目標や活動内容について合意形成を図り，実践すること。自分のよさや役割を自覚し，よく考えて行動するなど節度ある生活を送ること。」と示されている。

4　〔児童会活動〕の「内容」は，「『児童会の組織づくりと児童会活動の計画や運営』，『異年齢集団による交流』，『学級や学校における生活づくりへの参画』の各活動を通して，それぞれの活動の意義及び活動を行う上で必要となることについて理解し，主体的に考えて実践できるよう指導する。」と示されている。

5　〔クラブ活動〕の「内容」は，「主として第３学年以上の同好の児童をもって組織するクラブにおいて，『クラブの組織づくりとクラブ活動の計画や運営』，『クラブを楽しむ活動』，『クラブの成果の発表』の各活動を通して，それぞれの活動の意義及び活動を行う上で必要となることについて理解し，主体的に考えて実践できるよう指導する。」と示されている。

【6】 次の文は,「小学校学習指導要領（平成 29 年３月告示)」の「第１章　第４　(3) 不登校児童への配慮」である。(1)，(2) の各問いに答えなさい。〔熊本市〕

ア　不登校児童については，（　a　）や関係機関と連携を図り，心理や福祉の専門家の助言又は援助を得ながら，社会的自立を目指す観点から，個々の児童の実態に応じた情報の提供その他の必要な支援を行うものとする。

イ　相当の期間小学校を欠席し引き続き欠席すると認められる児童を対象として，文部科学大臣が認める特別の教育課程を編成する場合には，児童の実態に配慮した教育課程を編成するとともに，個別学習や（　b　）など指導方法や指導体制の工夫改善に努めるものとする。

(1)　a に当てはまる語句を，①～⑤から一つ選び，番号で答えなさい。

①保護者　②教育委員会　③地域　④教育相談担当教師　⑤民間の団体

(2)　b に当てはまる語句を，①～⑤から一つ選び，番号で答えなさい。

①グループ別学習　②プログラム学習　③少人数学習　④習熟度別学習
⑤オンライン学習

【7】 次の文は，「小学校学習指導要領」(平成 29 年告示）の「第５章　総合的な学習の時間　第１　目標」の一部である。文中の（　　　）に当てはまる語句を，下の選択肢から１つ選び，番号で答えなさい。〔宮崎県〕

(3)　探究的な学習に主体的･協働的に取り組むとともに，(　　　）を生かしながら，積極的に社会に参画しようとする態度を養う。

1　個性　2　自分のよさや可能性　3　互いのよさ　4　多様性
5　学びの成果

【8】 次の文は，「小学校学習指導要領」(平成 29 年告示）の「第６章　特別活動　第２　各活動・学校行事の目標及び内容」の一部である。文中の記号に当てはまる語句の組合せを，下の選択肢から１つ選び，番号で答えなさい。〔宮崎県〕

1　目標

（　ア　）をよりよくするための課題を見いだし，解決するために話し合い，合意形成し，（ イ ）して実践したり，学級での話合いを生かして自己の課題の解決及び（ ウ ）を描くために意思決定して実践したりすることに，自主的，実践的に取り組むことを通して，第１の目標に掲げる資質・能力を育成することを目指す。

1	ア	学級や学校での生活	イ	役割を分担して協力	ウ	将来の生き方
2	ア	学級内の組織	イ	役割を分担して協力	ウ	生活様式
3	ア	学級や学校での生活	イ	男女相互に理解	ウ	将来の生き方
4	ア	学級内の組織	イ	役割を分担して協力	ウ	将来の生き方
5	ア	学級や学校での生活	イ	男女相互に理解	ウ	生活様式

P.24～P.28 解答

▶小学校学習指導要領 総則以外

【1】 3，**【2】** ア－L　イ－O　ウ－D　エ－N　オ－M，**【3】** 4，**【4】** 3，
【5】 2，**【6】** (1)－①　(2)－①，**【7】** 3，**【8】** 1

中学校学習指導要領 総則

文部科学省　平成 29 年 3 月告示

中学校学習指導要領総則の概要

学習指導要領総則では，教育課程全般にわたる配慮事項や授業時数の取扱いなどを定め，各教科等の目標，内容，内容の取扱いについて規定している。

ココが大事！ 出題のポイント

1．中学校教育の基本と教育課程の役割：何ができるようになるか

「社会に開かれた教育課程」の実現を基盤とし，主体的・対話的で深い学びの視点からの授業改善，教育活動の質を向上させ学習効果の最大化を図るためのカリキュラム・マネジメントを通して，育成を目指す資質・能力（「知識及び技能」「思考力，判断力，表現力等」「学びに向かう力，人間力等」）を育む。

2．教育課程の編成：何を学ぶか

○各教科，特別の教科 道徳，総合的な学習の時間，特別活動の４領域で構成

○教科横断的な視点に立った資質・能力（学習の基礎となる資質・能力／現代的な諸課題に対応して求められる資質・能力）の育成

○生徒会活動や学校行事は内容に応じて適切な時数を特別活動にカウント，総合的な学習の時間で特別活動（学校行事）を実施可能

○小中，中高の円滑な接続が図れるように工夫

3．教育課程の実施と学習評価：どのように学ぶか，何が身に付いたか

○主体的・対話的で深い学びの実現に向けた授業改善（各教科等の見方・考え方／体験活動の重視／生徒の自主的・自発的な学習／地域施設の活用）

○学習評価の充実（学力の３要素で目標の実現に向けた学習状況を把握するためのパフォーマンス評価，ポートフォリオ評価など評価の場面や方法を工夫）

4．生徒の発達の支援

生徒の発達を支える指導（ガイダンスとカウンセリング／生徒指導の充実／進路指導（キャリア教育）の充実／特別な配慮を必要とする生徒への指導）

5．学校運営上の留意事項

○教育課程の改善（カリキュラム・マネジメントの実施，学校評価の充実）

○部活動と教育課程との関連，部活動における持続可能な運営体制の整備

6．道徳教育に関する配慮事項

道徳教育の目標に基づき全体計画を作成，校長の方針の下，道徳教育推進教師を中心に全教師が協力して展開。家庭や地域社会との連携を図る。

本文（抜粋）

第1　中学校教育の基本と教育課程の役割

1　各学校においては，教育基本法及び学校教育法その他の法令並びにこの章以下に示すところに従い，生徒の人間として調和のとれた育成を目指し，生徒の心身の発達の段階や特性及び学校や地域の実態を十分考慮して，適切な教育課程を編成する…（略）。

4　各学校においては，生徒や学校，地域の実態を適切に把握し，教育の目的や目標の実現に必要な教育の内容等を教科等横断的な視点で組み立てていくこと，教育課程の実施状況を評価してその改善を図っていくこと，教育課程の実施に必要な人的又は物的な体制を確保するとともにその改善を図っていくことなどを通して，教育課程に基づき組織的かつ計画的に各学校の教育活動の質の向上を図っていくこと（カリキュラム・マネジメント）に努めるものとする。

第2　教育課程の編成

2　教科等横断的な視点に立った資質・能力の育成

⑴　各学校においては，生徒の発達の段階を考慮し，言語能力，情報活用能力（情報モラルを含む。），問題発見・解決能力等の学習の基盤となる資質・能力を育成していくことができるよう，各教科等の特質を生かし，教科等横断的な視点から教育課程の編成を図るものとする。

⑵　各学校においては，生徒や学校，地域の実態及び生徒の発達の段階を考慮し，豊かな人生の実現や災害等を乗り越えて次代の社会を形成することに向けた現代的な諸課題に対応して求められる資質・能力を，教科等横断的な視点で育成していくことができるよう，各学校の特色を生かした教育課程の編成を図るものとする。

第3　教育課程の実施と学習評価

1　主体的・対話的で深い学びの実現に向けた授業改善

⑴　（略）単元や題材など内容や時間のまとまりを見通しながら，生徒の主体的・対話的で深い学びの実現に向けた授業改善を行うこと。

2　学習評価の充実

⑴　生徒のよい点や進歩の状況などを積極的に評価し，学習したことの意義や価値を実感できるようにすること。（略）単元や題材など内容や時間のまとまりを見通しながら評価の場面や方法を工夫して，学習の過程や成果を評価し，指導の改善

や学習意欲の向上を図り，資質・能力の育成に生かすようにすること。

第4　生徒の発達の支援

1　生徒の発達を支える指導の充実

(1)　(略)学級経営の充実を図ること。(略)集団の場面で必要な指導や援助を行うガイダンスと，個々の生徒の多様な実態を踏まえ，一人一人が抱える課題に個別に対応した指導を行うカウンセリングの双方により，生徒の発達を支援すること。

(3)　生徒が，学ぶことと自己の将来とのつながりを見通しながら，社会的・職業的自立に向けて必要な基盤となる資質・能力を身に付けていくことができるよう，特別活動を要としつつ各教科等の特質に応じて，キャリア教育の充実を図ること。その中で，生徒が自らの生き方を考え主体的に進路を選択することができるよう，学校の教育活動全体を通じ，組織的かつ計画的な進路指導を行うこと。

2　特別な配慮を必要とする生徒への指導

(1)　障害のある生徒などへの指導

イ(イ)　生徒の障害の程度や学級の実態等を考慮の上，各教科の目標や内容を下学年の教科の目標や内容に替えたり，各教科を，知的障害者である生徒に対する教育を行う特別支援学校の各教科に替えたりするなどして，実態に応じた教育課程を編成すること。

(3)　不登校生徒への配慮

ア　不登校生徒については，保護者や関係機関と連携を図り，心理や福祉の専門家の助言又は援助を得ながら，社会的自立を目指す観点から，個々の生徒の実態に応じた情報の提供その他の必要な支援を行うものとする。

第5　学校運営上の留意事項

1　教育課程の改善と学校評価，教育課程外の活動との連携等

ウ　教育課程外の学校教育活動と教育課程の関連が図られるように留意するものとする。特に，生徒の自主的，自発的な参加により行われる部活動については，スポーツや文化，科学等に親しませ，学習意欲の向上や責任感，連帯感の涵養等，学校教育が目指す資質・能力の育成に資するものであり，学校教育の一環として，教育課程との関連が図られるよう留意すること。その際，学校や地域の実態に応じ，地域の人々の協力，社会教育施設や社会教育関係団体等の各種団体との連携などの運営上の工夫を行い，持続可能な運営体制が整えられるようにするものとする。

演習問題

【1】 次の文は，「中学校学習指導要領」（平成 29 年告示）の「第１章　総則　第３ 教育課程の実施と学習評価」の一部である。文中の記号に当てはまる語句を，それぞれ下の選択肢から１つ選び，番号で答えなさい。〔宮崎県〕

(4) 生徒が（　**ア**　）活動を，計画的に取り入れるように工夫すること。

(5) 生徒が生命の有限性や自然の大切さ，主体的に挑戦してみることや多様な他者と（　**イ**　）ことの重要性などを実感しながら理解することができるよう，各教科等の特質に応じた体験活動を重視し，家庭や地域社会と連携しつつ体系的・継続的に実施できるよう工夫すること。

（　ア　）

1　学習の計画を立てたり学習したことを振り返ったりする
2　学習の見通しを立てたり学習したことを表現したりする
3　探究の見通しを立てたり探究したことを表現したりする
4　学習の見通しを立てたり学習したことを振り返ったりする
5　探究の計画を立てたり探究したことを発表したりする

（　イ　）

1　学び合う　　2　協働する　　3　協力する　　4　対話する
5　合意形成を図る

【2】 次の文は，学習指導要領の「第１章　総則　第４　生徒の発達の支援　２　特別な配慮を必要とする生徒への指導」の一部を示そうとしたものである。文中の（　　）内にあてはまる語句は何か。あとの１～４から一つ選べ。〔香川県〕

海外から帰国した生徒などについては，学校生活への適応を図るとともに，（　　）などの適切な指導を行うものとする。

1　習熟の程度に応じた学習計画を立てる
2　生徒の興味・関心に応じた学習課題を設ける
3　生徒の実態に配慮した教育課程を編成する
4　外国における生活経験を生かす

【3】 中学校学習指導要領（平成 29 年告示）に関する次の⑴～⑷の問いに答えよ。〔香川県〕

⑴ 学習指導要領の「第１章　総則　第１　中学校教育の基本と教育課程の役割」の内容について述べた次の①～④のうち，誤っているものはどれか。一つ選べ。

① 学校の教育活動を進めるに当たっては，各学校において，主体的・対話的で深い学びの実現に向けた授業改善を通して，創意工夫を生かした特色ある教育活動を展開する中で，生徒に生きる力を育むことを目指すものとする。

② 道徳教育や体験活動，多様な表現や鑑賞の活動等を通して，豊かな心や創造性の涵養を目指した教育の充実に努める。

③ 道徳教育は，教育基本法及び児童憲章に定められた教育の根本精神に基づき，人間としての生き方を考え，主体的な判断の下に行動し，自立した人間として他者と共によりよく生きるための基盤となる道徳性を養うことを目標とする。

④ 生きる力を育むことを目指すに当たっては，学校教育全体並びに各教科等の指導を通してどのような資質・能力の育成を目指すのかを明確にしながら，教育活動の充実を図るものとする。

⑵ 次の文は，学習指導要領の「第１章　総則　第４　生徒の発達の支援」の一部を示そうとしたものである。文中のＸ，Ｙの（　　　）内にあてはまる語句は何か。あとの①～⑥からそれぞれ一つずつ選べ。

生徒が，学ぶことと自己の将来とのつながりを見通しながら，（　X　）に向けて必要な基盤となる資質・能力を身に付けていくことができるよう，（　Y　）を要としつつ各教科等の特質に応じて，キャリア教育の充実を図ること。

①社会的・職業的自立	②計画的・継続的学び	③探究的な課題の解決
④総合的な学習の時間	⑤特別活動	⑥道徳教育

⑶ 次の文は，学習指導要領の「第１章　総則　第５　学校運営上の留意事項」の一部を示そうとしたものである。文中の（　　　）内にあてはまる語句は何か。あとの①～④から一つ選べ。

教育課程の編成及び実施に当たっては，学校保健計画，学校安全計画，（　　　）の全体計画，いじめの防止等のための対策に関する基本的な方針など，各分野における学校の全体計画等と関連付けながら，効果的な指導が行われるように留意するものとする。

①地域格差解消	②災害発生防止	③環境保護に関する指導
④食に関する指導		

⑷ 次の文は，学習指導要領の「第４章　総合的な学習の時間　第１　目標」の一部

を示そうとしたものである。文中の（　　　）内にあてはまる語句は何か。あとの①～④から一つ選べ。

探究的な学習に（　　　）に取り組むとともに，互いのよさを生かしながら，積極的に社会に参画しようとする態度を養う。

①能動的・協働的　②主体的・協働的　③主体的・発展的　④能動的・発展的

【4】 次の文は，小〈中〉学校学習指導要領（平成29年３月告示）「第１章　総則　第２　教育課程の編成」の一部である。文中の（　ア　）～（　エ　）に当てはまることばを下記のａ～ｊから選び，その記号を書きなさい。※中学校は〈　〉内で読み取る。〔福島県〕

2　教科等横断的な視点に立った資質・能力の育成

(1)　各学校においては，児童〈生徒〉の発達の段階を考慮し，言語能力，（　**ア**　）能力（情報モラルを含む。），（　**イ**　）・解決能力等の学習の基盤となる資質・能力を育成していくことができるよう，各教科等の特質を生かし，教科等横断的な視点から教育課程の編成を図るものとする。

(2)　各学校においては，児童〈生徒〉や学校，地域の実態及び児童〈生徒〉の発達の段階を考慮し，豊かな人生の実現や（　**ウ**　）等を乗り越えて次代の社会を形成することに向けた現代的な諸課題に対応して求められる資質・能力を，教科等横断的な視点で育成していくことができるよう，各学校の（　**エ**　）を生かした教育課程の編成を図るものとする。

a　創意工夫	b　問題発見	c　課題把握	d　情報処理
e　情報活用	f　マネジメント	g　特色	h　社会的変化
i　困難	j　災害		

【5】 次の記述は，「中学校学習指導要領解説　総則編」（平成29年７月告示）の「第３章　教育課程の編成及び実施　第２節　教育課程の編成　2　教科等横断的な視点に立った資質・能力　(1)学習の基盤となる資質・能力」の一部である。空欄（　ア　）～（　ウ　）に当てはまるものの組合せとして最も適切なものを，後の①～⑤のうちから選びなさい。〔神奈川県・横浜市・川崎市・相模原市〕

ウ　問題発見・解決能力

各教科等において，物事の中から問題を見いだし，その問題を定義し解決の方向性を決定し，解決方法を探して計画を立て，結果を予測しながら実行し，振り返って次の問題発見・解決につなげていく過程を重視した（　ア　）を教科等の特質に応じて図ることを通じて，各教科等のそれぞれの分野における問題の発見・解決に必要な力を身に付けられるようにするとともに，総合的な学習の時間における（　イ　）な探究課題や，特別活動における（　ウ　）の生活上の課題に取り組むことなどを通じて，各教科等で身に付けた力が統合的に活用できるようにすることが重要である。

①	ア	学びの連続性	イ	創造的・発展的	ウ	地域社会や学校
②	ア	深い学びの実現	イ	横断的・総合的	ウ	地域社会や学校
③	ア	学びの連続性	イ	創造的・発展的	ウ	集団や自己
④	ア	深い学びの実現	イ	創造的・発展的	ウ	集団や自己
⑤	ア	深い学びの実現	イ	横断的・総合的	ウ	集団や自己

【6】 次の文は，小〈中〉学校学習指導要領（平成29年３月告示）「第１章　総則　第３　教育課程の実施と学習評価」の一部である。文中の（　ア　）～（　エ　）に当てはまることばを書きなさい。ただし，同じ記号には同じことばが入るものとする。※中学校は〈　〉内で読み取る。〔福島県〕

1　主体的・（　ア　）で深い学びの実現に向けた授業改善

各教科等の指導に当たっては，次の事項に配慮するものとする。

⑴　第１の３の⑴から⑶までに示すことが偏りなく実現されるよう，単元や題材など内容や時間のまとまりを見通しながら，児童〈生徒〉の主体的・（　ア　）で深い学びの実現に向けた授業改善を行うこと。

特に，各教科等において身に付けた（　イ　）及び技能を活用したり，思考力，判断力，表現力等や学びに向かう力，（　ウ　）等を発揮させたりして，学習の対象となる物事を捉え思考することにより，各教科等の特質に応じた物事を捉える視点や考え方（以下「（　エ　）・考え方」という。）が鍛えられていくことに留意し，児童〈生徒〉が各教科等の特質に応じた（　エ　）・考え方を働かせながら，（　イ　）を相互に関連付けてより深く理解したり，情報を精査して考えを形成したり，問題を見いだして解決策を考えたり，思いや考えを基に創造したりすることに向かう過程を重視した学習の充実を図ること。

【7】 次の文は，「中学校学習指導要領」（平成 29 年告示）の「第１章　総則　第３　教育課程の実施と学習評価」の一部である。文中の記号に当てはまる語句の組合せを，下の選択肢から１つ選び，番号で答えなさい。〔宮崎県〕

生徒の（　ア　）などを積極的に評価し，学習したことの意義や価値を実感できるようにすること。また，各教科等の目標の実現に向けた学習状況を把握する観点から，単元や題材など内容や時間のまとまりを見通しながら評価の場面や方法を工夫して，（　イ　）を評価し，指導の改善や学習意欲の向上を図り，（　ウ　）に生かすようにすること。

1	ア	学習の過程や成果	イ	よい点や進歩の状況	ウ	個別の教育支援
2	ア	よい点や進歩の状況	イ	学習の過程や成果	ウ	資質・能力の育成
3	ア	よい点や進歩の状況	イ	学習の過程や成果	ウ	個別の教育支援
4	ア	学習の過程や成果	イ	よい点や進歩の状況	ウ	資質・能力の育成
5	ア	よい点や進歩の状況	イ	学習の過程や成果	ウ	思考力，判断力，表現力等の育成

【8】 次の文章は，小学校学習指導要領および中学校学習指導要領（平成 29 年告示）からの抜粋である。（　a　）～（　d　）に当てはまる語句について，正しい組合せはどれか，①～⑤から一つ選んで番号で答えなさい。なお，中学校学習指導要領は児童を生徒に置き換えるものとする。〔京都市〕

第１章　総則　第４　児童（生徒）の発達の支援

2　特別な配慮を必要とする児童（生徒）への指導

(1)　障害のある児童（生徒）などへの指導

ア　障害のある児童（生徒）などについては，（　a　）等の助言又は援助を活用しつつ，個々の児童（生徒）の障害の状態等に応じた指導内容や指導方法の工夫を（　b　）かつ計画的に行うものとする。

イ　特別支援学級において実施する特別の教育課程については，次のとおり編成するものとする。

(ア)　障害による学習上又は生活上の困難を克服し自立を図るため，特別支援学校小学部・中学部学習指導要領第７章に示す（　c　）を取り入れること。

(イ)　児童（生徒）の障害の程度や学級の実態等を考慮の上，各教科の目標や内容を下学年の教科の目標や内容に替えたり，各教科を，知的障害者である児童（生徒）に対する教育を行う特別支援学校の各教科に替えたりするなどして，

（　d　）教育課程を編成すること。

①	a	特別支援学校	b	組織的	c	自立活動	d	実態に応じた
②	a	管理職	b	総合的	c	自立訓練	d	必要に応じて
③	a	専門家	b	組織的	c	自立学習	d	総合的に判断して
④	a	特別支援学校	b	総合的	c	自立活動	d	必要に応じて
⑤	a	専門家	b	組織的	c	自立訓練	d	実態に応じた

【9】 中学校学習指導要領総則の「生徒の発達の支援」の「特別な配慮を必要とする生徒への指導」に関する次の記述ア～エのうち，正しいものを選んだ組合せとして適切なものは，下の①～⑤のうちのどれか。〔東京都〕

ア 特別支援学級において実施する特別の教育課程については，生徒の障害の程度や学級の実態等を考慮の上，各教科の目標や内容を下学年の教科の目標や内容に替えることで，実態に応じた教育課程を編成すること。ただし，各教科を，知的障害者である生徒に対する教育を行う特別支援学校の各教科に替えることはできない。

イ 日本語の習得に困難のある生徒については，個々の生徒の実態に応じた指導内容や指導方法の工夫を組織的かつ計画的に行うものとする。特に，通級による日本語指導については，教師間の連携に努め，指導についての計画を個別に作成することなどにより，効果的な指導に努めるものとする。

ウ 相当の期間中学校を欠席し引き続き欠席すると認められる生徒を対象として，文部科学大臣が認める特別の教育課程を編成する場合には，生徒の実態に配慮した教育課程を編成するとともに，個別学習やグループ別学習など指導方法や指導体制の工夫改善に努めるものとする。

エ 夜間その他の特別の時間に授業を行う課程において学齢を経過した者を対象として特別の教育課程を編成する場合には，学齢を経過した者の年齢，経験又は勤労状況その他の実情を踏まえることなく，中学校教育の目的及び目標並びに各教科等の目標に照らして，中学校教育を通じて育成を目指す資質・能力を身に付けることができるようにするものとする。

① ア・イ　② ア・ウ　③ イ・ウ　④ イ・エ　⑤ ウ・エ

P.32～P.37 解答

▶中学校学習指導要領 総則

【1】ア－4　イ－2，【2】4，【3】(1)－③　(2)X－①　Y－⑤　(3)－④　(4)－②，【4】ア－e　イ－b　ウ－j　エ－g，【5】⑤，【6】ア－対話的　イ－知識　ウ－人間性　エ－見方，【7】2，【8】①，【9】③

中学校学習指導要領 総則以外

文部科学省　平成 29 年 3 月告示

中学校学習指導要領の概要

▶教育基本法，学校教育法などを踏まえ，これまでの我が国の学校教育の実績や蓄積を活かし，子供たちが未来社会を切り拓くための資質・能力の一層確実な育成を目指す。その際，子供たちに求められる資質・能力とは何かを社会と共有し，連携する「社会に開かれた教育課程」を重視する。

▶知識及び技能の習得と思考力，判断力，表現力等の育成のバランスを重視する現行学習指導要領の枠組みや教育内容を維持した上で，知識の理解の質をさらに高め，確かな学力を育成する。

▶先行する特別教科化など道徳教育の充実や体験活動の重視，体育・健康に関する指導の充実により，豊かな心や健やかな体を育成する。

ココが大事! 出題のポイント

▶前文は出題頻度が高い。キーワードを中心に全文をおさえておく。

▶各教科の目標，各学年の目標及び内容は資質・能力の三つの柱で明示。

▶各教科の「指導計画の作成と内容の取扱い」には，単元など内容や時間のまとまりを見通して，生徒の「主体的・対話的で深い学び」の実現を図ることが明記されており，その際，各教科における「見方・考え方」を働かせて，追究・解決する活動の充実を図ることとしている。

▶その他，小学校との違いを中心としたポイントとして次の点が挙げられる。

1. 義務教育段階の終わりまでに育成が目指される資質・能力の定着

小学校までの学習の成果が中学校に円滑に接続され，義務教育段階の終わりまでに育成が目指される資質・能力を生徒が確実に身に付けられるよう工夫する。

2. 学齢を経過した者への配慮（夜間中学等）

夜間等の時間に学齢を経過した者を対象とした特別の教育課程を編制する場合，年齢，経験又は勤労状況その他の実情を踏まえ，育成を目指す資質・能力を身に付けることができるようにする。

3. 特別の教科 道徳

（目標）よりよく生きるための基盤となる道徳性を養うため，道徳的諸価値についての理解を基に，自己を見つめ，物事を広い視野から多面的・多角的に考え，人間としての生き方についての考えを深める学習を通して，道徳的な判断力，心情，実践意欲と態度を育てる。

本文（抜粋）

【前文】 教育は，教育基本法第１条に定めるとおり，人格の完成を目指し，平和で民主的な国家及び社会の形成者として必要な資質を備えた心身ともに健康な国民の育成を期すという目的のもと，同法第２条に掲げる次の目標を達成するよう行われなければならない。 ①幅広い知識と教養を身に付け，真理を求める態度を養い，豊かな情操と道徳心を培うとともに，健やかな身体を養うこと。②個人の価値を尊重して，その能力を伸ばし，創造性を培い，自主及び自律の精神を養うとともに，職業及び生活との関連を重視し，勤労を重んずる態度を養うこと。③正義と責任，男女の平等，自他の敬愛と協力を重んずるとともに，公共の精神に基づき，主体的に社会の形成に参画し，その発展に寄与する態度を養うこと。④生命を尊び，自然を大切にし，環境の保全に寄与する態度を養うこと。⑤伝統と文化を尊重し，それらをはぐくんできた我が国と郷土を愛するとともに，他国を尊重し，国際社会の平和と発展に寄与する態度を養うこと。

これからの学校には，こうした教育の目的及び目標の達成を目指しつつ，一人一人の生徒が，自分のよさや可能性を認識するとともに，あらゆる他者を価値のある存在として尊重し，多様な人々と協働しながら様々な社会的変化を乗り越え，豊かな人生を切り拓き，持続可能な社会の創り手となることができるようにすることが求められる。このために必要な教育の在り方を具体化するのが，各学校において教育の内容等を組織的かつ計画的に組み立てた教育課程である。

教育課程を通して，これからの時代に求められる教育を実現していくためには，よりよい学校教育を通してよりよい社会を創るという理念を学校と社会とが共有し，それぞれの学校において，必要な学習内容をどのように学び，どのような資質・能力を身に付けられるようにするのかを教育課程において明確にしながら，社会との連携及び協働によりその実現を図っていくという，社会に開かれた教育課程の実現が重要となる。

学習指導要領とは，こうした理念の実現に向けて必要となる教育課程の基準を大綱的に定めるものである。学習指導要領が果たす役割の一つは，公の性質を有する学校における教育水準を全国的に確保することである。また，各学校がその特色を生かして創意工夫を重ね，長年にわたり積み重ねられてきた教育実践や学術研究の蓄積を生かしながら，生徒や地域の現状や課題を捉え，家庭や地域社会と協力して，学習指導要領を踏まえた教育活動の更なる充実を図っていくことも重要である。

生徒が学ぶことの意義を実感できる環境を整え，一人一人の資質・能力を伸ばせるようにしていくことは，教職員をはじめとする学校関係者はもとより，家庭や地域の人々も含め，様々な立場から生徒や学校に関わる全ての大人に期待される役割である。幼児期の教育及び小学校教育の基礎の上に，高等学校以降の教育や生涯にわたる学習とのつながりを見通しながら，生徒の学習の在り方を展望していくために広く活用されるものとなることを期待して，ここに中学校学習指導要領を定める。

【総合的な学習の時間】

（第１ 目標） 探究的な見方・考え方を働かせ，横断的・総合的な学習を行うことを通して，よりよく課題を解決し，自己の生き方を考えていくための資質・能力を次のとおり育成することを目指す。

⑴ 探究的な学習の過程において，課題の解決に必要な知識及び技能を身に付け，課題に関わる概念を形成し，探究的な学習のよさを理解するようにする。

⑵ 実社会や実生活の中から問いを見いだし，自分で課題を立て，情報を集め，整理・分析して，まとめ・表現することができるようにする。

⑶ 探究的な学習に主体的・協働的に取り組むとともに，互いのよさを生かしながら，積極的に社会に参画しようとする態度を養う。

（第３ 指導計画の作成と内容の取扱い）

１ 指導計画の作成に当たっては，次の事項に配慮するものとする。

⑴ 年間や，単元など内容や時間のまとまりを見通して，その中で育む資質・能力の育成に向けて，生徒の主体的・対話的で深い学びの実現を図るようにすること。その際，生徒や学校，地域の実態等に応じて，生徒が探究的な見方・考え方を働かせ，教科等の枠を超えた横断的・総合的な学習や生徒の興味・関心等に基づく学習を行うなど創意工夫を生かした教育活動の充実を図ること。

【特別の教科 道徳／第２ 内容】

学校の教育活動全体を通じて行う道徳教育の要である道徳科においては，以下に示す項目について扱う。

A 主として自分自身に関すること

B 主として人との関わりに関すること

C 主として集団や社会との関わりに関すること

D 主として生命や自然，崇高なものとの関わりに関すること

演習問題

【1】 下線部に関して，「中学校学習指導要領解説　総則編」（平成29年　文部科学省）第1章に示されている内容として，適切なものの組合せを選びなさい。〔北海道・札幌市〕

① 教育課程の編成に当たっては，育成を目指す資質・能力を指導のねらいとして明確に設定していくことが求められていることに留意が必要である。
② カリキュラム・マネジメントを効果的に進めるためには，何を目標として教育活動の質の向上を図っていくのかを明確にすることが重要である。
③ 教育課程の実施に当たっては，各学校の実態を考慮することなく，人的又は物的な体制を一律に確保することが必要である。
④ 各学校の教育課程は，校長，副校長や教頭が，教育課程に関する研究を重ね，創意工夫を加えて編成や改善を図っていくことが重要である。
⑤ 各学校においては，教育の目的や目標の実現に必要な教育の内容等を選択し，生徒の生活時間と教育の内容との効果的な組合せを考えながら，年間や学期，月，週ごとの授業時数を適切に定めることが求められる。

ア ①②④　イ ①②⑤　ウ ①③⑤　エ ②③④　オ ③④⑤

【2】 「中学校学習指導要領解説　特別活動編（平成29年7月）」からの抜粋である。〔福井県〕

(1) 次の文は，第2章「特別活動の目標」第1節「特別活動の目標」について述べたものである。文の空欄に入る語句の組み合わせとして適切なものを，①～⑥の中から1つ選んで番号で答えなさい。

集団や社会の形成者としての見方・考え方を働かせ，様々な集団活動に（　ア　）に取り組み，互いのよさや可能性を発揮しながら集団や自己の生活上の課題を解決することを通して，次のとおり資質・能力を育成することを目指す。

(1) 多様な他者と協働する様々な集団活動の意義や活動を行う上で必要となることについて理解し，行動の仕方を身に付けるようにする。
(2) 集団や自己の生活，人間関係の課題を見いだし，解決するために話し合い，（　イ　）を図ったり，（　ウ　）したりすることができるようにする。
(3) （　ア　）な集団活動を通して身に付けたことを生かして，集団や社会における生活及び人間関係をよりよく形成するとともに，人間としての生き方についての考えを深め，（　エ　）を図ろうとする態度を養う。

①	ア	自発的，自治的	イ	同意形成	ウ	行動選択	エ	自己啓発
②	ア	自発的，自治的	イ	合意形成	ウ	意思決定	エ	自己啓発
③	ア	自発的，自治的	イ	同意形成	ウ	意思決定	エ	自己実現
④	ア	自主的，実践的	イ	合意形成	ウ	意思決定	エ	自己実現
⑤	ア	自主的，実践的	イ	同意形成	ウ	行動選択	エ	自己実現
⑥	ア	自主的，実践的	イ	合意形成	ウ	行動選択	エ	自己啓発

⑵ 次の文は，第１章「総説」2「特別活動改訂の趣旨及び要点」について述べたものである。誤っているものを，①～④の中から１つ選んで番号で答えなさい。

① 自然体験やボランティア活動などの社会体験，ものづくり，生産活動などの体験活動，観察・実験，見学や調査，発表や討論などの学習活動を積極的に取り入れることとした。

② 小学校・中学校ともに，学級活動における児童生徒の自発的，自治的な活動を中心として，各活動と学校行事を相互に関連付けながら，学級経営の充実を図ることとした。

③ いじめの未然防止等を含めた生徒指導との関連を図ること，学校生活への適応や人間関係の形成などについて，主に集団の場面で必要な指導や援助を行うガイダンスと，個々の児童生徒の多様な実態を踏まえ一人一人が抱える課題に個別に対応した指導を行うカウンセリングの双方の趣旨を踏まえて指導を行うことを示した。

④ 異年齢集団による交流を重視するとともに，障害のある幼児児童生徒との交流及び共同学習など多様な他者との交流や対話について充実することを示した。

【3】 次の各文のうち，平成 29 年３月に文部科学省から示された中学校学習指導要領「特別活動」の指導計画の作成と内容の取扱いに関する記述の内容として正しいものを○，誤っているものを×とした場合，正しい組合せはどれか。①～⑤から一つ選べ。〔大阪府・豊能地区・大阪市・堺市〕

A よりよい人間関係の形成，よりよい集団生活の構築や社会への参画及び自己実現に資するよう，生徒が集団や社会の形成者としての見方・考え方を働かせ，様々な集団活動に自主的，実践的に取り組む中で，互いのよさや個性，多様な考えを認め合い，等しく合意形成に関わり役割を担うようにすることを重視すること。

B 異年齢集団による交流を重視するとともに，幼児，高齢者，障害のある人々などとの交流や対話，障害のある幼児児童生徒との交流及び共同学習の機会を通して，協働することや，他者の役に立ったり社会に貢献したりすることの喜びを得られる活動を充実すること。

C　障害のある生徒などについては，学習活動を行う場合に生じる困難さに応じた指導内容や指導方法の工夫を計画的，組織的に行うこと。

D　学級活動における学級担任の主体的な活動を中心として，各活動と学校行事を相互に関連付けながら，個々の生徒についての理解を深め，教師と生徒，生徒相互の信頼関係を育み，学級経営の充実を図ること。

	A	B	C	D
①	○	○	○	○
②	○	×	×	○
③	×	×	○	○
④	×	○	×	×
⑤	○	○	○	×

【4】　次の文は，それぞれ小〈中〉学校学習指導要領（平成29年３月告示）「第３章　特別の教科　道徳　第２　内容」と「第３　指導計画の作成と内容の取扱い」の一部である。文中の（　ア　）～（　カ　）に当てはまることばを書きなさい。※中学校は〈　〉内で読み取る。〔福島県〕

第２　内容

学校の（　**ア**　）全体を通じて行う道徳教育の要である道徳科においては，以下に示す項目について扱う。

A　主として（　**イ**　）に関すること

B　主として（　**ウ**　）との関わりに関すること

C　主として集団や（　**エ**　）との関わりに関すること

D　主として生命や自然，崇高なものとの関わりに関すること

第３　指導計画の作成と内容の取扱い

1　各学校においては，道徳教育の（　**オ**　）に基づき，各教科，外国語活動〈記載無し〉，総合的な学習の時間及び（　**カ**　）との関連を考慮しながら，道徳科の年間指導計画を作成するものとする。（省略）

P.42～P.44 解答

▶中学校学習指導要領 総則以外

【1】イ，**【2】**⑴−④　⑵−①，**【3】**⑤，**【4】**ア−教育活動　イ−自分自身　ウ−人　エ−社会　オ−全体計画　カ−特別活動

高等学校学習指導要領

文部科学省　平成 30 年 3 月告示

高等学校学習指導要領の概要

高大接続改革という高等学校教育を含む初等中等教育改革と，大学教育改革，両者をつなぐ大学入学者選抜改革の一体的改革のなかでの改訂である。

ココが大事！ 出題のポイント

▶前文は出題頻度が高い。キーワードを中心に全文をおさえておく。

▶第１　高等学校教育の基本と教育課程の役割：各教科・科目等の指導を通して育成する資質・能力を明確にした教育活動の充実を図る。就業やボランティアに関わる体験的な学習を通して勤労の尊さや創造の喜びを体得させ，望ましい勤労観や職業観，社会奉仕の精神の育成や涵養を促す。カリキュラム・マネジメントにより組織的・計画的に教育活動の質の向上を図る。

▶第２　教育課程の編成：理数「理数探究基礎」「理数探求」／地理歴史「歴史総合」「地理総合」／公民「公共」／外国語「英語コミュニケーションⅠ・Ⅱ・Ⅲ」「論理・表現Ⅰ・Ⅱ・Ⅲ」／数学「数学Ｃ」／情報「情報Ⅰ」を新設する。教科等横断的に①言語能力，情報活用能力，問題発見・解決能力等の学習の基盤となる資質・能力②現代的な諸課題に対応して求められる資質・能力を育成。

▶第３　教育課程の実施と学習評価：各教科・科目，総合的な探究の時間，特別活動の３領域で構成。主体的・対話的で深い学びの実現に向けた授業改善（生徒が各教科・科目等の特質に応じた見方・考え方を働かせながら，知識を相互に関連付けてより深く理解する，情報を精査して考えを形成する，問題を見いだして解決策を考える，思いや考えを基に創造することに向かう過程を重視）。

学習評価の充実（学習の過程や成果を評価し，指導の改善や学習意欲の向上を図り，資質・能力の育成に生かす。学習評価の妥当性や信頼性を高める）。

▶第４　単位の修得及び卒業の認定：卒業までの履修単位 74 単位，週当たりの標準授業時数 30 単位，年間授業週数 35 週，１単位時間は各学校が定める。各教科・科目等の特質に応じて 10 ～ 15 分程度単位で時数に含めてよい。

▶第５　生徒の発達の支援：ガイダンスとカウンセリング／生徒指導／進路指導・キャリア教育／特別な配慮を必要とする生徒への指導

▶第６　学校運営上の留意事項：カリキュラム・マネジメント／学校評価／部活動と教育課程との関連／家庭や地域社会との連携及び協働と学校間の連携

▶第７　道徳教育に関する配慮事項：公民の「公共」「倫理」，特別活動を中心とした道徳教育を推進。道徳教育推進教師を中心に道徳教育の充実を図る

本文（抜粋）

【前文】（略）これからの学校には，こうした教育の目的及び目標の達成を目指しつつ，一人一人の生徒が，自分のよさや可能性を認識するとともに，あらゆる他者を価値のある存在として尊重し，多様な人々と協働しながら様々な社会的変化を乗り越え，豊かな人生を切り拓き，持続可能な社会の創り手となることができるようにすることが求められる。このために必要な教育の在り方を具体化するのが，各学校において教育の内容等を組織的かつ計画的に組み立てた教育課程である。教育課程を通して，これからの時代に求められる教育を実現していくためには，よりよい学校教育を通してよりよい社会を創るという理念を学校と社会とが共有し，それぞれの学校において，必要な学習内容をどのように学び，どのような資質・能力を身に付けられるようにするのかを教育課程において明確にしながら，社会との連携及び協働によりその実現を図っていくという，社会に開かれた教育課程の実現が重要となる。

【総則】

（第２款 教育課程の編成）

２　教科等横断的な視点に立った資質・能力の育成

⑴　各学校においては，生徒の発達の段階を考慮し，言語能力，情報活用能力（情報モラルを含む。），問題発見・解決能力等の学習の基盤となる資質・能力を育成していくことができるよう，各教科・科目等の特質を生かし，教科等横断的な視点から教育課程の編成を図るものとする。

⑵　各学校においては，生徒や学校，地域の実態及び生徒の発達の段階を考慮し，豊かな人生の実現や災害等を乗り越えて次代の社会を形成することに向けた現代的な諸課題に対応して求められる資質・能力を，教科等横断的な視点で育成していくことができるよう，各学校の特色を生かした教育課程の編成を図るものとする。

（第３款 教育課程の実施と学習評価）

１　主体的・対話的で深い学びの実現に向けた授業改善

⑴　（略）単元や題材など内容や時間のまとまりを見通しながら，生徒の主体的・対話的で深い学びの実現に向けた授業改善を行うこと。特に，各教科・科目等において身に付けた知識及び技能を活用したり，思考力，判断力，表現力等や学びに向かう力，人間性等を発揮させたりして，学習の対象となる物事を捉え思考する

ことにより，各教科・科目等の特質に応じた物事を捉える視点や考え方（「見方・考え方」）が鍛えられていくことに留意し，生徒が各教科・科目等の特質に応じた見方・考え方を働かせながら，知識を相互に関連付けてより深く理解したり，情報を精査して考えを形成したり，問題を見いだして解決策を考えたり，思いや考えを基に創造したりすることに向かう過程を重視した学習の充実を図ること。

（第５款 生徒の発達の支援）

1　生徒の発達を支える指導の充実

⑴　学習や生活の基盤として，教師と生徒との信頼関係及び生徒相互のよりよい人間関係を育てるため，日頃からホームルーム経営の充実を図ること。また，主に集団の場面で必要な指導や援助を行うガイダンスと，個々の生徒の多様な実態を踏まえ，一人一人が抱える課題に個別に対応した指導を行うカウンセリングの双方により，生徒の発達を支援すること。

⑶　生徒が，学ぶことと自己の将来とのつながりを見通しながら，社会的・職業的自立に向けて必要な基盤となる資質・能力を身に付けていくことができるよう，特別活動を要としつつ各教科・科目等の特質に応じて，キャリア教育の充実を図ること。その中で，生徒が自己の在り方生き方を考え主体的に進路を選択することができるよう，学校の教育活動全体を通じ，組織的かつ計画的な進路指導を行うこと。

（総合的な探究の時間／第１ 目標）

探究の見方・考え方を働かせ，横断的・総合的な学習を行うことを通して，自己の在り方生き方を考えながら，よりよく課題を発見し解決していくための資質・能力を次のとおり育成することを目指す。

⑴　探究の過程において，課題の発見と解決に必要な知識及び技能を身に付け，課題に関わる概念を形成し，探究の意義や価値を理解するようにする。

⑵　実社会や実生活と自己との関わりから問いを見いだし，自分で課題を立て，情報を集め，整理・分析して，まとめ・表現することができるようにする。

⑶　探究に主体的・協働的に取り組むとともに，互いのよさを生かしながら，新たな価値を創造し，よりよい社会を実現しようとする態度を養う。

演習問題

【1】 高等学校学習指導要領総則の「教育課程の編成」に関する記述として適切なものは，次の１～５のうちのどれか。〔東京都〕

1　卒業までに履修させる単位数の計は，各教科・科目の単位数並びに総合的な探究の時間の単位数を含めて74単位以上とし，単位については，１単位時間を50分とし，30単位時間の授業を１単位として計算することを標準とする。

2　各教科・科目等の授業時数等については，定時制の課程において，特別の事情がある場合には，ホームルーム活動の授業時数の一部を減じ，又はホームルーム活動及び生徒会活動の内容の一部を行わないものとすることができる。

3　各教科・科目等の内容等の取扱いのうち内容の範囲や程度等を示す事項は，当該科目を履修する全ての生徒に対して指導するものとする内容の範囲や程度等を示したものではないので，学校において必要がある場合には，この事項にかかわらず指導することができる。

4　学校においては，道徳教育を推進するために，生徒の特性や進路，学校や地域の実態等を考慮し，地域や産業界等との連携を図り，産業現場等における長期間の実習を取り入れるなどの就業体験活動の機会を積極的に設けるとともに，地域や産業界等の人々の協力を積極的に得るよう配慮するものとする。

5　生徒や学校の実態等に応じ，必要がある場合には，必履修教科・科目を履修させた後に，義務教育段階での学習内容の確実な定着を図ることを目標とした学校設定科目等を履修させるようにすること。

【2】 後の各問いに答えなさい。〔宮崎県〕

(1) 「高等学校学習指導要領」(平成30年告示) の「第５章　特別活動〔生徒会活動〕」で示されている目標や内容について，誤っているものを，次の選択肢から１つ選び，番号で答えなさい。

1　生徒が主体的に組織をつくり，役割を分担し，計画を立て，学校生活の課題を見いだし解決するために話し合い，合意形成を図り実践すること。

2　勤労の尊さや創造することの喜びを体得し，就業体験活動などの勤労観・職業観の形成や進路の選択決定などに資する体験が得られるようにするとともに，共に助け合って生きることの喜びを体得し，ボランティア活動などの社会奉仕の精神を養う体験が得られるようにすること。

3　異年齢の生徒同士で協力し，学校生活の充実と向上を図るための諸問題の解決に向けて，計画を立て役割を分担し，協力して運営することに自主的，実践的に取り組むこと。

4　学校行事の特質に応じて，生徒会の組織を活用して，計画の一部を担当したり，運営に主体的に協力したりすること。

5　地域や社会の課題を見いだし具体的な対策を考え，実践し，地域や社会に参画できるようにすること。

(2)　次の文は，「高等学校学習指導要領」（平成30年告示）の「第4章　総合的な探究の時間　第2　各学校において定める目標及び内容」の一部である。文中の（　　　）に当てはまる語句を，下の選択肢から1つ選び，番号で答えなさい。

(1)　各学校において定める目標については，各学校における（　　　）を踏まえ，総合的な探究の時間を通して育成を目指す資質・能力を示すこと。

1　教育目標	2　日常生活や社会との関わり	3　他教科等の目標
4　生徒や学校，地域の実態等	5　生徒の興味・関心	

【3】 次の文は，高等学校学習指導要領（平成30年3月告示）「第1章　総則」の「第5款　生徒の発達の支援」の一部である。文中の（　ア　）～（　オ　）に当てはまることばを下記のa～nから選び，その記号を書きなさい。〔福島県〕

障害のある生徒などについては，（　ア　），地域及び医療や福祉，保健，（　イ　）等の業務を行う関係機関との連携を図り，（　ウ　）的な視点で生徒への教育的（　エ　）を行うために，個別の教育（　エ　）計画を作成し活用することに努めるとともに，各教科・科目等の指導に当たって，個々の生徒の実態を的確に把握し，個別の指導計画を作成し活用することに努めるものとする。特に，（　オ　）による指導を受ける生徒については，個々の生徒の障害の状態等の実態を的確に把握し，個別の教育（　エ　）計画や個別の指導計画を作成し，効果的に活用するものとする。

a　長期	b　中学校	c　家庭	d　労働	e　支援
f　衛生	g　環境	h　援助	i　行政	j　自立
k　通級	l　保健室	m　教育委員会	n　総合	

【4】 次の文章は，新しい『高等学校学習指導要領』（平成30年3月告示）の「前文」の一部抜粋である。①～③に入る語句として正しいものを，次のア～クからそれぞれ一つずつ選び，記号で答えよ。〔鹿児島県〕

これからの学校には，こうした教育の目的及び目標の達成を目指しつつ，一人一人の生徒が，（　①　）や可能性を認識するとともに，あらゆる他者を価値のある存在として尊重し，多様な人々と協働しながら様々な社会的変化を乗り越え，（　②　）を切り拓き，持続可能な社会の創り手となることができるようにすることが求められる。このために必要な教育の在り方を具体化するのが，各学校において教育の内容等を組織的かつ計画的に組み立てた教育課程である。

教育課程を通して，これからの時代に求められる教育を実現していくためには，よりよい学校教育を通してよりよい社会を創るという理念を（　③　）とが共有し，それぞれの学校において，必要な学習内容をどのように学び，どのような資質・能力を身に付けられるようにするのかを教育課程において明確にしながら，社会との連携及び協働によりその実現を図っていくという，社会に開かれた教育課程の実現が重要となる。

ア　持続可能な未来	**イ**　家庭と地域	**ウ**　豊かな人生	**エ**　自分のよさ
オ　学校と社会	**カ**　学びの面白さ	**キ**　自己の在り方	**ク**　学びに向かう力

【5】　高等学校学習指導要領総則の「教育課程の編成」に関する次の記述ア～エのうち，正しいものを選んだ組合せとして適切なものは，下の①～⑤のうちのどれか。〔東京都〕

ア　教育課程の編成に当たっては，生徒の特性，進路等に応じた適切な各教科・科目の履修ができるようにし，このため，多様な各教科・科目を設け生徒が自由に選択履修することのできるよう配慮するものとする。

イ　全日制の課程における各教科・科目及びホームルーム活動の授業は，年間35週行うことを標準とし，必要がある場合には，ホームルーム活動の授業を特定の学期又は特定の期間に行うことができる。

ウ　指導計画の作成に当たっては，各学校においては，各教科・科目等について相互の関連を図り，系統的，発展的な指導ができるようにすることに配慮しながら，学校の創意工夫を生かし，全体として，調和のとれた具体的な指導計画を作成するものとする。

エ　職業に関する各教科・科目については，職業資格の取得をもって実習に替えることができる。この場合，職業資格の取得に関する学習活動は，その各教科・科目の内容に直接関係があり，かつ，その一部としてあらかじめ計画し，評価されるものであることを要することに配慮するものとする。

① ア・イ　② ア・ウ　③ ア・エ　④ イ・ウ　⑤ ウ・エ

【6】 次の(1)～(3)は，「高等学校学習指導要領」（平成 30 年告示）の「第 1 章　総則」の一部を基にしたものである。（　a　）～（　c　）内に当てはまるものを語群から選ぶとき，正しい組合せとなるものを解答群から一つ選び，番号で答えよ。〔愛知県〕

(1) 生徒が，自己の存在感を実感しながら，よりよい人間関係を形成し，有意義で充実した学校生活を送る中で，現在及び将来における（　a　）を図っていくことができるよう，生徒理解を深め，学習指導と関連付けながら，生徒指導の充実を図ること。

(2) 生徒が，学ぶことと自己の将来とのつながりを見通しながら，社会的・職業的自立に向けて必要な基盤となる資質・能力を身に付けていくことができるよう，特別活動を要としつつ各教科・科目等の特質に応じて，（　b　）教育の充実を図ること。

(3) 障害のある生徒などについては，家庭，地域及び医療や福祉，保健，労働等の業務を行う関係機関との連携を図り，長期的な視点で生徒への教育的支援を行うために，個別の教育支援計画を作成し活用することに努めるとともに，各教科・科目等の指導に当たって，個々の生徒の実態を的確に把握し，個別の（　c　）を作成し活用することに努めるものとする。

［語　群］ **ア** 自己実現　**イ** 自己管理　**ウ** キャリア　**エ** オンライン
オ 成長記録　**カ** 指導計画

［解答群］
① a—ア　b—ウ　c—オ　② a—ア　b—ウ　c—カ
③ a—ア　b—エ　c—オ　④ a—ア　b—エ　c—カ
⑤ a—イ　b—ウ　c—オ　⑥ a—イ　b—ウ　c—カ
⑦ a—イ　b—エ　c—オ　⑧ a—イ　b—エ　c—カ

【7】「高等学校学習指導要領（平成 30 年 3 月告示）」の第 1 章「総則」の第 7「道徳教育に関する配慮事項」について述べた内容として誤っているものを，1～5の中から 1 つ選んで番号で答えなさい。〔福井県〕

1　道徳教育の全体計画の作成に当たっては，生徒や学校の実態に応じ，指導の方針や重点を明らかにして，各教科・科目等との関係を明らかにすること。

2　公民科の「公共」及び「倫理」並びに特別活動が，人間としての在り方生き方に関する中核的な指導の場面であることに配慮すること。

3　道徳教育の指導が，生徒の日常生活に生かされるようにし，いじめの防止や安全の確保等にも資することとなるよう留意すること。

4　学校の道徳教育の全体計画や道徳教育に関する諸活動などの情報を積極的に公表したり，道徳教育の充実のために家庭や地域の人々の積極的な参加や協力を得たりするなど，家庭や地域社会との共通理解を深めること。

5　各学校においては，道徳教育の全体計画を作成し，道徳教育推進教師の方針の下に，全教師が協力して道徳教育を展開すること。

【8】　次は，「高等学校学習指導要領」（平成30年告示）の「第1章　総則」の一部を基にしたものである。（　a　）～（　c　）内に当てはまるものを語群から選ぶとき，正しい組合せとなるものを解答群から一つ選び，番号で答えよ。〔愛知県〕

各学校においては，生徒や学校，地域の実態及び生徒の（　a　）の段階を考慮し，豊かな人生の実現や災害等を乗り越えて次代の社会を形成することに向けた現代的な諸課題に対応して求められる資質・能力を，（　b　）な視点で育成していくことができるよう，各学校の特色を生かした（　c　）の編成を図るものとする。

［語　群］**ア**　学力　**イ**　発達　**ウ**　教科等横断的　**エ**　総合的・全人的
オ　教育課程　**カ**　年間計画

［解答群］
1　a—ア　b—ウ　c—オ　　2　a—ア　b—ウ　c—カ
3　a—ア　b—エ　c—オ　　4　a—ア　b—エ　c—カ
5　a—イ　b—ウ　c—オ　　6　a—イ　b—ウ　c—カ
7　a—イ　b—エ　c—オ　　8　a—イ　b—エ　c—カ

P.48〜P.52 解答

▶高等学校学習指導要領

【1】2，【2】(1)—2　(2)—1，【3】ア—c　イ—d　ウ—a　エ—e　オ—k，【4】①—エ　②—ウ　③—オ，【5】②，【6】②，【7】5，【8】5

学習指導要領の趣旨の実現に向けた個別最適な学びと協働的な学びの一体的な充実に関する参考資料

文部科学省初等中等教育局教育課程課　令和３年３月

本資料の概要

学校教育の情報化の推進に関する法律（令和元年６月），GIGAスクール構想により，１人１台端末及び学校におけるICT環境整備の取組が進められた。感染症の感染拡大，社会全体の加速度的なデジタル化に伴い，ICT環境を最大限に活用した学びの保障や，学校教育の本質的な意義を踏まえたカリキュラム・マネジメントの推進が各学校に求められた。中央教育審議会「教育課程部会における審議のまとめ」（令和３年１月）及び「『令和の日本型学校教育』の構築を目指して～全ての子供たちの可能性を引き出す，個別最適な学びと，協働的な学びの実現～（答申）」（令和３年１月）では，学習指導要領において示された資質・能力の着実な育成のために，基盤的なツールとなるICTを最大限活用しながら，多様な子供たちを誰一人取り残すことなく育成する「個別最適な学び」と，子供たちの多様な個性を最大限に生かす「協働的な学び」の一体的な充実を図り，主体的･対話的で深い学びの実現に向けた授業改善ならびにカリキュラム・マネジメントの取組を一層進め，学習指導要領を着実に実施することが求められた。本資料はそのための具体的な方策を示したものである。

ココが大事！出題のポイント

▶ ICTをツールとして効果的に活用することで，知識及び技能の習得のみならず，児童生徒の思考･判断･表現，他の児童生徒との学習状況の共有，学びの振り返りなどを行い教育の質の向上を図る。児童生徒自身が自由な発想でICTを日常的に学びのツールとして活用できるよう環境を整え，授業をデザインすることが求められている。

▶ ICTの活用の教育効果として，情報活用能力の育成，特性等により従来の学習方法では困難を抱えていた児童生徒の効果的な学び，他の学校・地域や海外との交流等の学習活動，家庭など学校外での学びの充実が期待される。

▶本資料の概要

○育成を目指す資質・能力と個別最適な学び・協働的な学び

○カリキュラム･マネジメントの充実（教育課程編成，教科等横断的な教育活動の推進）

○主体的・対話的で深い学びの実現，言語能力，情報活用能力，問題発見・解決能力の育成，学びに向かう力，人間性等を育成する教育の充実

○「指導と評価の一体化」の考え方に立った学習評価の改善

○児童生徒の発達の支援，発達の段階を踏まえた指導の充実

○キャリア教育，障害のある児童生徒への指導，特異な才能のある児童生徒への指導

○教育課程の改善，家庭や地域社会との連携及び協働と学校間の連携

本文（抜粋）

「個別最適な学び」と「協働的な学び」という観点から学習活動の充実の方向性を改めて捉え直し，(略) ICT の新たな可能性を指導に生かすことで，主体的・対話的で深い学びの実現に向けた授業改善につなげていくことが重要 (略)

①　個別最適な学び

- (略) 基礎的・基本的な知識・技能 (略)，思考力・判断力・表現力等や，自ら学習を調整しながら粘り強く学習に取り組む態度等を育成するためには，教師が支援の必要な子供により重点的な指導を行うことなどで効果的な指導を実現することや，子供一人一人の特性や学習進度，学習到達度等に応じ，指導方法・教材や学習時間等の柔軟な提供・設定を行うことなどの「指導の個別化」が必要 (略) 。
- (略) 知識・技能等や，言語能力，情報活用能力，問題発見・解決能力等の学習の基盤となる資質・能力等を土台として，(略) 子供の興味・関心・キャリア形成の方向性等に応じ，(略) 課題の設定，情報の収集，整理・分析，まとめ・表現を行う等，教師が子供一人一人に応じた学習活動や学習課題に取り組む機会を提供することで，子供自身が学習が最適となるよう調整する「学習の個性化」も必要(略)。

「指導の個別化」は一定の目標を全ての児童生徒が達成することを目指し，個々の児童生徒に応じて異なる方法等で学習を進めることであり，(略) 自らの特徴やどのように学習を進めることが効果的であるかを学んでいくことなども含みます。ICT を活用することで得られる新たなデータも活用し，きめ細かく学習の状況を把握・分析したり，個々の児童生徒に合った多様な方法で学んだりしていくことで，確実な資質・能力の育成につながっていくことが期待されます。また，学習履歴（スタディ・ログ），生活・健康面の記録（ライフログ）等，児童生徒に関する様々なデータを可視化し，学習方法等を提案するツールなど，(略) 新たな情報手段の活用も含め，児童生徒が自らの状態を様々なデータも活用しながら把握し，自らに合った学習の進め方を考えることができるよう，教師による指導を工夫していくことが重要です。(略)「学習の個性化」は個々の児童生徒の興味・関心等に応じた異なる目標に向けて，学習を深め，広げることを意味し，(略) 自らどのような方向性で学習を進めていったら良いかを考えていくことなども含みます。例えば，情報の探索，データの処理や視覚化，レポートの作成や情報発信といった活動に ICT を効果的に使うことで，学びの質が高まり，深い学びにつながっていくことが期待されます。また，児童生徒がこれまでの経験を振り返ったり，これからのキャリアを見通したりしながら，自ら適切に学習課題を設定し，取り組んでいけるよう，教師による指導を工夫していくことが重要です。(略)「指導の個別化」と「学習の個性化」を学習者視点から整理した概念が「個別最適な学び」(略)教師視点から整理した概念が「個に応じた指導」です。(略)「個に応じた指導」に当たっては，「指導の個別化」と「学習の個性化」という二つの側面を踏まえ(略)，ICT の活用も含め，児童生徒が主体的に学習を進められるよう，(略)自分にふさわしい学習方法を模索するような態度を育てることが大切です。

②　協働的な学び

・探究的な学習や体験活動などを通じ，子供同士で，あるいは地域の方々をはじめ多様な他者と協働しながら，あらゆる他者を価値のある存在として尊重し，様々な社会的な変化を乗り越え，持続可能な社会の創り手となることができるよう，必要な資質・能力を育成する「協働的な学び」を充実することも重要(略)

ICT の活用により，児童生徒一人一人が自分のペースを大事にしながら共同で作成・編集等を行う活動や，多様な意見を共有しつつ合意形成を図る活動など，「協働的な学び」もまた発展させることができます。ICT を利用して空間的・時間的制約を緩和することによって，遠隔地の専門家とつないだ授業や他の学校・地域や海外との交流など(略)も可能となります。同時に，日本の学校教育がこれまで非常に大切にしてきた，同じ空間で時間を共にすることで，お互いの感性や考え方等に触れ刺激し合うことの重要性について改めて認識する必要があります。人間同士のリアルな関係づくりは社会を形成していく上で不可欠であり，知・徳・体を一体的に育むためには，教師と児童生徒(略)や児童生徒同士の関わり合い，(略)実習・実験，地域社会での体験活動，専門家との交流など，(略)体験を通じて学ぶことが重要です。

③　個別最適な学びと協働的な学びの一体的な充実

(略)授業の中で「個別最適な学び」の成果を「協働的な学び」に生かし，更にその成果を「個別最適な学び」に還元するなど，「個別最適な学び」と「協働的な学び」を一体的に充実していくことが大切です。(略)児童生徒の資質・能力育成のため，各教科等の特質に応じ，地域・学校や児童生徒の実情を踏まえながら，ICT を活用した新たな教材や学習活動等も積極的に取り入れ(略)実現される新しい学習活動について，「個別最適な学び」や「協働的な学び」の充実に効果を上げているか確認しながら，主体的・対話的で深い学びの実現に向けた授業改善につなげていくことが期待されます。(略)「一人一人の児童（生徒）が，自分のよさや可能性を認識するとともに，あらゆる他者を価値のある存在として尊重し，多様な人々と協働しながら様々な社会的変化を乗り越え，豊かな人生を切り拓き，持続可能な社会の創り手となることができるよう」に育成していくことが求められています。

演習問題

【1】 次の文章は，「学習指導要領の趣旨の実現に向けた個別最適な学びと協働的な学びの一体的な充実に関する参考資料」（令和３年３月版　文部科学省）「４．教育課程の実施と学習評価」「⑴　主体的・対話的で深い学びの実現に向けた授業改善」の抜粋である。（　１　）～（　３　）にあてはまる語句として正しいものを，語群①～⑦の中からそれぞれ一つ選びなさい。〔三重県〕

個別最適な学びを充実していく上では，基礎的・基本的な知識・技能の習得が重要であることは言うまでもありませんが，（　１　）や学びに向かう力等こそ，家庭の経済事情など，子供を取り巻く環境を背景とした差が生まれやすい能力であるとの指摘もあることに留意が必要です。主体的・対話的で深い学びを実現し，（　２　）や幅広い資質・能力の育成に向けた効果的な取組を展開していくことによって，学校教育が個々の家庭の経済事情等に左右されることなく，子供たちに必要な力を育んでいくことが求められます。例えば，児童生徒の学習意欲を向上する観点からは，（　３　）や一人一人の学習状況を児童生徒に伝えること等が重要となります。

［語群］
①情報活用能力　②学びの動機付け　③思考力，判断力，表現力等
④自己肯定感　⑤協働的な学び　⑥教科等を学ぶ本質的な意義
⑦学級経営

【2】 次の文は，「学習指導要領の趣旨の実現に向けた個別最適な学びと協働的な学びの一体的な充実に関する参考資料」（文部科学省，令和３年３月）の一部である。下のア～ウの各問いに答えよ。〔山口県〕

学習指導要領では「何を学ぶか」という教育の内容を重視しつつ，児童生徒がその内容を既得の知識及び技能と関連付けながら深く理解し，他の学習や生活の場面でも活用できる，生きて働く知識となることを含め，その内容を学ぶことで児童生徒が「（　①　）」を併せて重視しています。このため，各教科等の指導を通して育成する資質・能力を明確にすることの重要性を上記のとおり示すとともに，各教科等の目標や内容も，②資質・能力の三つの柱　で再整理して示しています。これにより，経験年数の短い教師であっても，各教科等の指導を通して育成を目指す資質・能力を確実に捉えられるようにするとともに，教科等横断的な視点で教育課程を編成・実施できるようにすること，さらには，学校教育を通してどのような力を育むのかということを社会と共有することを目指しています。（中略）

（　③　）は，「社会に開かれた教育課程」の理念の下，産業界等と連携し，各教科

等での学習を実社会での問題発見・解決に生かしていく高度な内容となるものであることから，高等学校における教科等横断的な学習の中で重点的に取り組むべきものですが，その土台として，幼児期からのものづくり体験や科学的な体験の充実，小学校，中学校での各教科等や総合的な学習の時間における教科等横断的な学習や探究的な学習，プログラミング教育などの充実に努めることも重要です。さらに，小学校，中学校においても，児童生徒の学習の状況によっては，例えば総合的な学習の時間における児童生徒の課題解決の姿をイメージしながら，教科等横断的な学習の中で（　③　）に取り組むことも考えられます。その際，発達の段階に応じて，児童生徒の興味・関心等を生かし，教師が一人一人に応じた学習活動を課すことで，児童生徒自身が主体的に学習テーマや探究方法等を設定することが重要です。

ア　（　①　）に入る適切な語句を次の語群から選び，記号で答えよ。

1　何をするべきか　　2　何ができるのか	3　何ができるようになるか
4　何を習得したか	

イ　下線部②資質・能力の三つの柱について，「知識及び技能」の習得以外の二つの柱の組み合わせとして正しいものを次の語群から選び，記号で答えよ。

1 「思考力，判断力，表現力等」の育成，「学びに向かう力，人間性等」の涵養

2 「思考力，判断力，表現力等」の育成，「学ぼうとする意思，人間性等」の涵養

3 「思考力，判断力，実行力等」の育成，「学ぼうとする意思，人間性等」の涵養

4 「思考力，判断力，実行力等」の育成，「学びに向かう力，人間性等」の涵養

ウ　（　③　）に入る適切な語句を次の語群から選び，記号で答えよ。

1　カリキュラム・マネジメント	2　GIGA スクール構想
3　ICT 活用教育	4　STEAM 教育

【3】 学習指導要領に基づいた児童生徒の資質・能力の育成に向けてまとめられた「学習指導要領の趣旨の実現に向けた個別最適な学びと協働的な学びの一体的な充実に関する参考資料」（令和３年３月　文部科学省初等中等教育局教育課程課）に示されている内容として，適切なものの組合せを選びなさい。〔北海道・札幌市〕

① 「指導の個別化」は一定の目標を全ての児童生徒が達成することを目指し，個々の児童生徒に応じて異なる方法等で学習を進めることである。

② 補充的・発展的な学習を行う際には，各学校の判断により，個々の児童生徒

の実態等に応じて学習指導要領に示していない内容を加えて指導してはならない。

③　児童生徒自身がICTを「文房具」として自由な発想で活用できるよう環境を整え，授業をデザインすることが求められる。

④　学校と家庭や地域，企業等とが育成を図る資質・能力やその重要性などについて認識の共有を図ることが重要である。

⑤　「協働的な学び」は，安心して学べる居場所としての同一学年・学級の児童生徒同士の中だけで行われる学び合いのことである。

ア　①②③　　イ　①②⑤　　ウ　①③④　　エ　②④⑤　　オ　③④⑤

P.56～P.58 解答

▶学習指導要領の趣旨の実現に向けた個別最適な学びと協働的な学びの一体的な充実に関する参考資料

【1】1－③　2－②　3－⑥，【2】ア－3　イ－1　ウ－4，【3】ウ

第2章

答申・通知・報告等

「令和の日本型学校教育」の構築を目指して～全ての子供たちの可能性を引き出す，個別最適な学びと，協働的な学びの実現～（答申）

中央教育審議会　令和３年１月

本答申の概要

本答申は，2020 年代を通じて実現を目指す新しい時代を見据えた学校教育の姿として，多様な子供たちを誰一人取り残すことのない個別最適な学びの実現や，その学びを支えるための質の高い教育活動の実施を可能とする環境の整備の必要性を示し，この実現のために必要な方向性と，今後検討を行うべき論点を取りまとめたものである。本答申では，2020 年代を通じて実現を目指す学校教育を「令和の日本型学校教育」と称し，その具体的な姿を「全ての子供たちの可能性を引き出す，個別最適な学びと，協働的な学び」としている。

ココが大事！ 出題のポイント

本答申の出題率は圧倒的に高い。本答申が出された背景を理解しておくことと，答申が言う「令和の日本型学校教育」がどのような姿を指すのかを，「子供の学び」の姿（キーワード：「個別最適な学び」）「教職員の姿」「子供の学びや教職員を支える環境」の３つの側面からおさえておく必要がある。

〈社会背景〉
○社会の在り方が劇的に変わる「Society5.0 時代」
○新型コロナウイルス感染症の感染拡大など先行き不透明な「予測困難な時代」
○社会全体のデジタル化・オンライン化，DX 加速の必要性

⇩

［「令和の日本型学校教育」の姿］
全ての子供たちの可能性を引き出す，個別最適な学びと，協働的な学びの実現

子供の学び	●「個別最適な学び」と「協働的な学び」が一体的に充実されている ●各学校段階において，それぞれ目指す学びの姿が実現されている ＊個別最適な学び　＊協働的な学び　＊主体的・対話的で深い学び　＊ICT の活用
教職員の姿	●環境の変化を前向きに受け止め，教職生涯を通じて学び続けている ●子供一人一人の学びを最大限に引き出す教師としての役割を果たしている ●子供の主体的な学びを支援する伴走者としての能力も備えている ＊教師の資質・能力の向上　＊多様な人材の確保　＊家庭や地域社会との連携 ＊学校における働き方改革　＊教職の魅力発信　＊教職志望者の増加
子供の学びや教職員を支える環境	●ICT 環境の整備により全国の学校で指導・支援の充実，校務の効率化等がなされている ●新しい時代の学びを支える学校教育の環境が整備されている ●人口減少地域においても魅力的な教育環境が実現されている ＊ICT 環境の整備　＊学校施設の整備　＊少人数によるきめ細かな指導体制

本文（抜粋）

はじめに

本答申は，第Ⅰ部総論と第Ⅱ部各論から成っている。総論においては，まず，社会の変化が加速度を増し，複雑で予測困難となってきている中，子供たちの資質・能力を確実に育成する必要があり，そのためには，新学習指導要領の着実な実施が重要であるとした。その上で，我が国の学校教育がこれまで果たしてきた役割やその成果を振り返りつつ，新型コロナウイルス感染症の感染拡大をはじめとする社会の急激な変化の中で再認識された学校の役割や課題を踏まえ，2020年代を通じて実現を目指す学校教育を「令和の日本型学校教育」とし，その姿を「全ての子供たちの可能性を引き出す，個別最適な学びと，協働的な学び」とした。ここでは，ICT の活用と少人数によるきめ細かな指導体制の整備により，「個に応じた指導」を学習者視点から整理した概念である「個別最適な学び」と，これまでも「日本型学校教育」において重視されてきた，「協働的な学び」とを一体的に充実することを目指している。さらに，これを踏まえ，各学校段階における子供の学びの姿や教職員の姿，それを支える環境について，「こうあってほしい」という願いを込め，新学習指導要領に基づいて，一人一人の子供を主語にする学校教育の目指すべき姿を具体的に描いている。

1．急激に変化する時代の中で育むべき資質・能力

○ 「予測困難な時代」であり，新型コロナウイルス感染症により一層先行き不透明となる中，私たち一人一人，そして社会全体が，答えのない問いにどう立ち向かうのかが問われている。目の前の事象から解決すべき課題を見いだし，主体的に考え，多様な立場の者が協働的に議論し，納得解を生み出すことなど，正に新学習指導要領で育成を目指す資質・能力が一層強く求められていると言えよう。

3．2020年代を通じて実現すべき「令和の日本型学校教育」の姿

○ 全ての子供に基礎的・基本的な知識・技能を確実に習得させ，思考力・判断力・表現力等や，自ら学習を調整しながら粘り強く学習に取り組む態度等を育成するためには，教師が支援の必要な子供により重点的な指導を行うことなどで効果的な指導を実現することや，子供一人一人の特性や学習進度，学習到達度等に応じ，指導方法・教材や学習時間等の柔軟な提供・設定を行うことなどの「指導の個別化」が必要である。

○　基礎的・基本的な知識・技能等や，言語能力，情報活用能力，問題発見・解決能力等の学習の基盤となる資質・能力等を土台として，幼児期からの様々な場を通じての体験活動から得た子供の興味・関心・キャリア形成の方向性等に応じ，探究において課題の設定，情報の収集，整理・分析，まとめ・表現を行う等，教師が子供一人一人に応じた学習活動や学習課題に取り組む機会を提供することで，子供自身が学習が最適となるよう調整する「学習の個性化」も必要である。

○　これからの学校においては，子供が「個別最適な学び」を進められるよう，教師が専門職としての知見を活用し，子供の実態に応じて，学習内容の確実な定着を図る観点や，その理解を深め，広げる学習を充実させる観点から，カリキュラム・マネジメントの充実・強化を図るとともに，これまで以上に子供の成長やつまずき，悩みなどの理解に努め，個々の興味・関心・意欲等を踏まえてきめ細かく指導・支援することや，子供が自らの学習の状況を把握し，主体的に学習を調整することができるよう促していくことが求められる。

○　子供がICTを日常的に活用することにより，自ら見通しを立てたり，学習の状況を把握し，新たな学習方法を見いだしたり，自ら学び直しや発展的な学習を行いやすくなったりする等の効果が生まれることが期待される。

○　教師が技術の発達や新たなニーズなど学校教育を取り巻く環境の変化を前向きに受け止め，教職生涯を通じて探究心を持ちつつ自律的かつ継続的に新しい知識・技能を学び続け，子供一人一人の学びを最大限に引き出す教師としての役割を果たしている。その際，子供の主体的な学びを支援する伴走者としての能力も備えている。

○　教員養成，採用，免許制度も含めた方策を通じ，多様な人材の教育界内外からの確保や教師の資質・能力の向上により，質の高い教職員集団が実現されるとともに，教師と，総務・財務等に通じる専門職である事務職員，それぞれの分野や組織運営等に専門性を有する多様な外部人材や専門スタッフ等とがチームとなり，個々の教職員がチームの一員として組織的・協働的に取り組む力を発揮しつつ，校長のリーダーシップの下，家庭や地域社会と連携しながら，共通の学校教育目標に向かって学校が運営されている。

○　さらに，学校における働き方改革の実現や教職の魅力発信，新時代の学びを支える環境整備により，教師が創造的で魅力ある仕事であることが再認識され，教師を目指そうとする者が増加し，教師自身も志気を高め，誇りを持って働くことができている。

演習問題

【1】 次の文章は，「『令和の日本型学校教育』の構築を目指して（答申）」（令和３年１月26日　中央教育審議会）からの抜粋である。文章中の空欄（　①　）～（　⑤　）に当てはまる語句を正しく組み合わせているものはどれか，下のア～オから１つ選びなさい。〔京都府〕

○　「協働的な学び」においては，集団の中で個が埋没してしまうことがないよう，「主体的・対話的で深い学び」の実現に向けた（　①　）につなげ，子供一人一人のよい点や可能性を生かすことで，異なる考え方が組み合わさり，よりよい学びを生み出していくようにすることが大切である。「協働的な学び」において，同じ空間で時間を共にすることで，お互いの感性や考え方等に触れ刺激し合うことの重要性について改めて認識する必要がある。人間同士の（　②　）は社会を形成していく上で不可欠であり，（　③　）を一体的に育むためには，教師と子供の関わり合いや子供同士の関わり合い，（　④　）を通して理解する実習・実験，地域社会での体験活動，専門家との交流など，様々な場面でリアルな体験を通じて学ぶことの重要性が，AI技術が高度に発達するSociety5.0時代にこそ一層高まるものである。

○　また，「協働的な学び」は，同一学年・学級はもとより，異学年間の学びや他の学校の子供との学び合いなども含むものである。（　③　）を一体で育む「日本型学校教育」のよさを生かし，学校行事や児童会（生徒会）活動等を含め学校における様々な活動の中で異学年間の交流の機会を充実することで，子供が自らのこれまでの成長を振り返り，将来への展望を培うとともに，（　⑤　）を育むなどの取組も大切である。

	①	②	③	④	⑤
ア	授業改善	リアルな関係づくり	思考力・判断力・表現力	自己認識	職業観・勤労観
イ	授業改善	リアルな関係づくり	知・徳・体	自分の感覚や行為	自己肯定感
ウ	授業改善	積極的な意見交流	知・徳・体	自己認識	職業観・勤労観
エ	生徒理解	リアルな関係づくり	思考力・判断力・表現力	自己認識	自己肯定感
オ	生徒理解	積極的な意見交流	思考力・判断力・表現力	自分の感覚や行為	自己肯定感

【2】 次の文は，「『令和の日本型学校教育』の構築を目指して　～全ての子供たちの可能性を引き出す，個別最適な学びと，協働的な学びの実現～（答申）（令和３年１月26日　中央教育審議会）」において示された「2020年代を通じて実現すべき『令

和の日本型教育』の姿」について述べたものである。文の空欄に入る語句の組み合わせとして適切なものを，下の①～⑥の中から１つ選んで番号で答えなさい。〔福井県〕

- 全ての子供に基礎的・基本的な知識・技能を確実に習得させ，思考力・判断力・表現力等や，自ら学習を調整しながら粘り強く学習に取り組む態度等を育成するためには，教師が支援の必要な子供により重点的な指導を行うことなどで効果的な指導を実現することや，子供一人一人の特性や学習進度，学習到達度等に応じ，指導方法・教材や学習時間等の柔軟な提供・設定を行うことなどの（　ア　）が必要である。
- 基礎的・基本的な知識・技能等や，言語能力，情報活用能力，問題発見・解決能力等の学習の基盤となる資質・能力等を土台として，幼児期からの様々な場を通じての体験活動から得た子供の興味・関心・キャリア形成の方向性等に応じ，探究において課題の設定，情報の収集，整理・分析，まとめ・表現を行う等，教師が子供一人一人に応じた学習活動や学習課題に取り組む機会を提供することで，子供自身が学習が最適となるよう調整する（　イ　）も必要である。
- （　ア　）と（　イ　）を教師視点から整理した概念が「個に応じた指導」であり，この「個に応じた指導」を学習者視点から整理した概念が（　ウ　）である。

①	ア	指導の個別化	イ	学習の個性化	ウ	個別最適な学び
②	ア	指導の個別化	イ	学習の最適化	ウ	個別最適な学び
③	ア	指導の個別化	イ	学習の個性化	ウ	協働的な学び
④	ア	指導の一体化	イ	学習の最適化	ウ	協働的な学び
⑤	ア	指導の一体化	イ	学習の個性化	ウ	協働的な学び
⑥	ア	指導の一体化	イ	学習の最適化	ウ	個別最適な学び

【3】 次の⑴～⑶は，『「令和の日本型学校教育」の構築を目指して　～全ての子供たちの可能性を引き出す，個別最適な学びと，協働的な学びの実現～（答申）』（令和３年１月，中央教育審議会）において示された『5．「令和の日本型学校教育」の構築に向けたICTの活用に関する基本的な考え方』の「⑴学校教育の質の向上に向けたICTの活用」の一部である。空欄（　１　）～（　３　）にあてはまることばを，下のア～エからそれぞれ一つ選べ。〔山梨県〕

⑴　ICTの活用により新学習指導要領を着実に実施し，学校教育の質の向上につなげるためには，（　１　）を充実させつつ，各教科等において育成を目指す資質・

能力等を把握した上で，特に「主体的・対話的で深い学び」の実現に向けた授業改善に生かしていくことが重要である。また，従来はなかなか伸ばせなかった資質・能力の育成や，他の学校・地域や海外との交流など今までできなかった学習活動の実施，家庭など学校外での学びの充実などにもICTの活用は有効である。

ア 授業評価　**イ** 教科指導　**ウ** 教育課程　**エ** カリキュラム・マネジメント

(2)　1人1台の端末環境を生かし，端末を日常的に活用することで，ICTの活用が特別なことではなく「当たり前」のこととなるようにするとともに，ICTにより現実の社会で行われているような方法で児童生徒も学ぶなど，学校教育を現代化することが必要である。児童生徒自身がICTを「（　2　）」として自由な発想で活用できるよう環境を整え，授業をデザインすることが重要である。

ア 文房具　**イ** デジタル教材　**ウ** 学習支援ツール　**エ** 通信機器

(3)　不登校，病気療養，障害，あるいは日本語指導を要するなどにより（　3　）が必要な児童生徒に対するきめ細かな支援，さらには個々の才能を伸ばすための高度な学びの機会の提供等に，ICTの持つ特性を最大限活用していくことが重要である。

ア 特別な指導　**イ** 特別な支援　**ウ** 専門的な支援　**エ** 補助的な支援

【4】　次の文章は，「『令和の日本型学校教育』の構築を目指して　～全ての子供たちの可能性を引き出す，個別最適な学びと，協働的な学びの実現～（答申）」（令和３年1月26日　中央教育審議会）の「第Ⅱ部　各論」「4．新時代の特別支援教育の在り方について」「(3)特別支援教育を担う教師の専門性向上」「①全ての教師に求められる特別支援教育に関する専門性」の抜粋である。

（　a　）～（　c　）にあてはまる語句の組み合わせとして正しいものを，①～⑥の中から一つ選びなさい。〔三重県〕

○　全ての教師には，障害の（　a　）等に関する理解と指導方法を工夫できる力や，個別の教育支援計画・個別の指導計画などの特別支援教育に関する基礎的な知識，（　b　）に対する理解等が必要である。加えて，障害のある人や子供との触れ合いを通して，障害者が日常生活又は社会生活において受ける制限は障害により起因するものだけでなく，社会における様々な障壁と相対することによって生ずるものという考え方，いわゆる「（　c　）」の考え方を踏まえ，障害による学習上又は生活上の困難について本人の立場に立って捉え，それに対する必要な支援の内容を一緒に考えていくような経験や態度の育成が求められる。また，こうした経験や態度を，多様な教育的ニーズのある子供がいることを前提とした学級経営・授業づくりに生かしていくことが必要である。

	a	b	c
①	特性	合理的配慮	社会モデル
②	種類	児童生徒	社会モデル
③	種類	合理的配慮	医学モデル
④	特性	児童生徒	社会モデル
⑤	特性	合理的配慮	医学モデル
⑥	種類	児童生徒	医学モデル

【5】 次の文は，「「令和の日本型学校教育」の構築を目指して　～全ての子供たちの可能性を引き出す，個別最適な学びと，協働的な学びの実現～（答申）」（令和３年１月　中央教育審議会）の一部である。a～eに最も適する語句を下の①～④から１つずつ選びなさい。〔青森県〕

○　特別支援教育は，障害のある子供の自立や（　a　）に向けた主体的な取組を支援するという視点に立ち，子供一人一人の（　b　）を把握し，その持てる力を高め，生活や学習上の困難を改善又は克服するため，適切な指導及び必要な支援を行うものである。また，特別支援教育は，発達障害のある子供も含めて，障害により特別な支援を必要とする子供が在籍する全ての学校において実施されるものである。（中略）

○　また，（　c　）に関する条約に基づくインクルーシブ教育システムの理念を構築し，特別支援教育を進展させていくために，引き続き，障害のある子供と障害のない子供が可能な限り共に教育を受けられる条件整備，障害のある子供の自立と（　a　）を見据え，一人一人の（　b　）に最も的確に応える指導を提供できるよう，通常の学級，通級による指導，特別支援学級，特別支援学校といった，連続性のある（　d　）の場の一層の充実・整備を着実に進めていく必要がある。（中略）

○　特別な支援が必要な子供やその保護者については，乳幼児期から学齢期，（　a　）に至るまで，地域で（　e　）支援を受けられるような支援体制の整備を行うことが重要である。

a	①適応	②成長	③学習参加	④社会参加
b	①教育的ニーズ	②社会的ニーズ	③心理的ニーズ	④潜在的ニーズ
c	①障害者の権利	②人権	③障害者差別撤廃	④児童の権利

d　①適切な学び　②効果的な学び　③多様な学び　④効率的な学び
e　①切れ目のない　②包括的な　③質の高い　④長期的な

【6】　次の各文のうち，「『令和の日本型学校教育』の構築を目指して　～全ての子供たちの可能性を引き出す，個別最適な学びと，協働的な学びの実現～（答申）」（令和3年1月　中央教育審議会）の中の，関係機関の連携強化による切れ目ない支援の充実に関する記述の内容として誤っているものはどれか。1～5から一つ選べ。〔大阪府・豊能地区・大阪市・堺市〕

1　特別支援教育を受けてきた子供の指導や合理的配慮の状況等を，個別の教育支援計画等を活用し，学校間で適切に引き継ぎ，各学校における障害に配慮した適切な指導につなげることが重要である。その際，個別の指導計画との趣旨の違いに留意しながら，共通して引き継がれるべき事項をより明確にするとともに，統合型校務支援システムの活用を図るなど教育のデジタル化の動向も踏まえた環境整備を行うことが必要である。

2　早期からのキャリア教育では，保護者や身近な教師以外の大人とのコミュニケーションの機会や，自己肯定感を高める経験，産業構造や進路を巡る環境の変化等の現代社会に即した情報等について理解を促すような活動が自己のキャリア発達を促す上で重要であることから，その実施に当たっては，地域の就労関係機関との連携等による機会の確保の充実が必要である。

3　特別な支援が必要な子供に対して，幼児教育段階からの一貫した支援を充実する観点からも保健・医療・福祉・教育部局と家庭との一層の連携や，保護者も含めた情報共有や保護者支援のための具体的な連携体制の整備を進める必要がある。その際，提供される合理的配慮がそれぞれ異なる点に留意し，障害のある子供に対する支援に係る情報や相談窓口の情報については，その子供の保護者にのみ情報提供を行うことが重要である。

4　就職後の定着を図るため，関係機関・関係者間で必要な配慮等の確実な引継ぎがなされるよう，教育における個別の教育支援計画と，福祉におけるサービスの利用計画や事業所の個別支援計画，労働における移行支援計画とが一体的に情報提供や情報共有ができるような仕組みの検討や，就職時及び就職後のアフターケアなどの就労支援の充実が必要である。

5　医療的ケアが必要な子供への対応については，安心して学校で学ぶことができるよう，また，その保護者にも安全・安心への理解が得られるよう，学校長の管理下において，一丸となって学校における医療的ケアの実施体制を構築していくことが重要である。その際，新型コロナウイルス感染症をはじめとする感染症への対応についても留意するとともに，災害発生時にも必要な医療的ケアを継続できるよう，平時から準備を整えることが重要である。

【7】 次の文は，「「令和の日本型学校教育」の構築を目指して～（略）～（答申）」（令和３年１月26日　中央教育審議会）の「総論」の一部を抜粋したものである。下の問いに答えなさい。〔茨城県〕

（前略）我が国の学校教育には，一人一人の児童生徒が，自分のよさや可能性を認識するとともに，あらゆる他者を価値のある存在として尊重し，多様な人々と協働しながら様々な社会的変化を乗り越え，豊かな人生を切り拓き，（　①　）の創り手となることができるよう，その資質・能力を育成することが求められている。（中略）

特別支援学校や小･中学校の特別支援学級に在籍する児童生徒は増加し続けており，小・中・高等学校の通常の学級においても，通級による指導を受けている児童生徒が増加するとともに，さらに小・中学校の通常の学級に（　②　）程度の割合で発達障害の可能性のある特別な教育的支援を必要とする児童生徒（知的発達に遅れはないものの学習面又は行動面での著しい困難を示す児童生徒）が在籍しているという推計もなされている。（中略）

社会の変化が加速度を増し，複雑で予測困難となってきているといった時代背景を踏まえた上で，新しい学習指導要領では資質・能力を（　③　）の３つの柱に整理した上で，よりよい学校教育を通してよりよい社会を創るという理念を学校と社会とが共有し，どのような資質・能力を身に付けられるようにするのかを明確にしながら，学校教育を学校内に閉じず，地域の人的・物的資源も活用し，社会との連携及び協働によりその実現を図る「（　④　）」を重視するとともに，学校全体で児童生徒や学校，地域の実態を適切に把握し，教育の目的・目標の実現に必要な教育内容等の教科等横断的な視点での組立て，実施状況の評価と改善，必要な人的・物的体制の確保などを通して，教育課程に基づく教育活動の質を向上させ，学習の効果の最大化を図る「（　⑤　）」の確立を図ることとしている。また，各教科等の指導に当たっては，資質・能力が偏りなく育成されるよう，児童生徒の「主体的・対話的で深い学び」の実現に向けた授業改善を行うこととしている。（中略）

現在，GIGA スクール構想により学校の ICT 環境が急速に整備されており，今後はこの新たな ICT 環境を活用するとともに，少人数によるきめ細かな指導体制の整備を進め，「個に応じた指導」を充実していくことが重要である。（中略）

人間同士のリアルな関係づくりは社会を形成していく上で不可欠であり，知・徳・体を一体的に育むためには，教師と子供の関わり合いや子供同士の関わり合い，自分の感覚や行為を通して理解する実習・実験，地域社会での体験活動，専門家との交流など，様々な場面でリアルな体験を通じて学ぶことの重要性が，AI技術が高度に発達する（　⑥　）にこそ一層高まるものである。

文中の（　①　）～（　⑥　）に当てはまる語句を，それぞれ下のａ～ｅの中から一つずつ選びなさい。

① a　知識基盤社会　　b　Society5.0　　c　多文化共生社会
　 d　高度情報通信社会　　e　持続可能な社会

② a　0.65％　　b　2.5％　　c　6.5％　　d　12.5％　　e　16.5％

③ a　「知識及び理解」,「思考力，判断力，表現力等」,「学びに向かう力，人間性等」
　 b　「知識及び理解」,「思考力，判断力，表現力等」,「学びを深める力，人間性等」
　 c　「知識及び技能」,「思考力，判断力，対話力等」,「学びに向かう力，人間性等」
　 d　「知識及び技能」,「思考力，判断力，表現力等」,「学びに向かう力，人間性等」
　 e　「知識及び技能」,「思考力，判断力，対話力等」,「学びを深める力，人間性等」

④ a　社会に開かれた教育課程　　b　カリキュラム・マネジメント
　 c　教科等横断的な教育課程　　d　コミュニティ・スクール
　 e　カリキュラム・アセスメント

⑤ a　社会に開かれた教育課程　　b　カリキュラム・ポリシー
　 c　カリキュラム・マネジメント　　d　教科等横断的な教育課程
　 e　カリキュラム・アセスメント

⑥ a　Society5.0時代　　b　新しい時代　　c　知識基盤社会
　 d　高度情報通信ネットワーク社会　　e　予測困難な社会

P.64～P.70 解答

▶「令和の日本型学校教育」の構築を目指して（答申）

【1】イ，【2】①，【3】1－エ　2－ア　3－イ，【4】①，【5】a－④　b－①　c－①　d－③　e－①，【6】3，【7】①－e　②－c　③－d　④－a　⑤－c　⑥－a

9 Ⅰ 中央教育審議会答申

「令和の日本型学校教育」を担う教師の養成・採用・研修等の在り方について～「新たな教師の学びの姿」の実現と，多様な専門性を有する質の高い教職員集団の形成～（答申）

中央教育審議会　令和４年12月

本答申の概要

本答申は，令和３年１月の中教審答申「『令和の日本型学校教育』の構築を目指して～全ての子供たちの可能性を引き出す，個別最適な学びと，協働的な学びの実現～」で示された「令和の日本型学校教育」を担う教職員の養成・採用・研修等の在り方を示したものである。「総論」に示された３つの方向性（①「新たな教師の学びの姿」の実現，②多様な専門性を有する質の高い教職員集団の形成，③教職志望者の多様化等を踏まえた育成・安定的確保）を踏まえ，各論で「令和の日本型学校教育」を担う教師に求められる資質能力や，教師を支える環境整備等について論じられている。

ココが大事！出題のポイント

第Ⅰ部「総論」に示された「『令和の日本型学校教育』を担う教師及び教職員集団の姿」や，今後の改革の方向性としての「新たな教師の学びの姿」の実現に関する出題頻度が高い。この２点のポイントをしっかりと押さえておきたい。

1．「令和の日本型学校教育」を担う教師及び教職員集団の姿

○①環境の変化を前向きに受け止め，教職生涯を通じて学び続けている，②子供一人一人の学びを最大限に引き出す教師としての役割を果たしている，③子供の主体的な学びを支援する伴走者としての能力も備えている。
○多様な人材の確保や教師の資質・能力の向上により質の高い教職員集団が実現し，多様なスタッフ等とチームとなり，校長のリーダーシップの下，家庭や地域と連携しつつ学校が運営されている。
○教師が創造的で魅力ある仕事であることが再認識され，志望者が増加し，教師自身も志気を高め，誇りを持って働くことができている。

2．「新たな教師の学びの姿」

○変化を前向きに受け止め，探究心を持ちつつ自律的に学ぶという「主体的な姿勢」
○求められる知識技能が変わっていくことを意識した「継続的な学び」
○新たな領域の専門性を身に付けるなど強みを伸ばすための，一人一人の教師の個性に即した「個別最適な学び」
○他者との対話や振り返りの機会を確保した「協働的な学び」

⇒教師自身の学び（研修観）の転換により「新たな教師の学びの姿」を実現

本文（抜粋）

第Ⅰ部

1．令和３年答申で示された，「令和の日本型学校教育」を担う教師及び教職員集団の姿

令和３年答申では，2020年代を通じて実現を目指す「令和の日本型学校教育」の在り方と，それを担う教師及び教職員集団のあるべき姿を示している。

具体的には，2020年代を通じて実現を目指す学校教育を「令和の日本型学校教育」とし，その姿を，「全ての子供たちの可能性を引き出す，個別最適な学びと，協働的な学び」と定義した。

その際，教師及び教職員集団の理想的な姿として，以下の３点を示している。

○　教師が技術の発達や新たなニーズなど学校教育を取り巻く環境の変化を前向きに受け止め，教職生涯を通じて探究心を持ちつつ自律的かつ継続的に新しい知識・技能を学び続け，子供一人一人の学びを最大限に引き出す教師としての役割を果たしている。その際，子供の主体的な学びを支援する伴走者としての能力も備えている。

○　教員養成，採用，免許制度も含めた方策を通じ，多様な人材の教育界内外からの確保や教師の資質能力の向上により，質の高い教職員集団が実現されるとともに，教師と，総務・財務等に通じる専門職である事務職員，それぞれの分野や組織運営等に専門性を有する多様な外部人材や専門スタッフ等とがチームとなり，個々の教職員がチームの一員として組織的・協働的に取り組む力を発揮しつつ，校長のリーダーシップの下，家庭や地域社会と連携しながら，共通の学校教育目標に向かって学校が運営されている。

○　さらに，学校における働き方改革の実現や教職の魅力発信，新時代の学びを支える環境整備により，教師が創造的で魅力ある仕事であることが再認識され，教師を目指そうとする者が増加し，教師自身も志気を高め，誇りを持って働くことができている。

４．今後の改革の方向性

⑴　「新たな教師の学びの姿」の実現

①　教職生活を通じた「新たな学びの姿」の実現

高度な専門職である教師は，自己の崇高な使命を深く自覚し，絶えず研究と修養に励み，その職責の遂行に努める義務を負っており，学び続ける存在であることが社会からも期待されている。

既に，審議まとめでは，「新たな教師の学びの姿」として，

○　変化を前向きに受け止め，探究心を持ちつつ自律的に学ぶという「主体的な姿勢」

○　求められる知識技能が変わっていくことを意識した「継続的な学び」

○　新たな領域の専門性を身に付けるなど強みを伸ばすための，一人一人の教師の個性に即した「個別最適な学び」

○　他者との対話や振り返りの機会を確保した「協働的な学び」

を示した。（略）

令和３年答申では，「一人一人の子供を主語」にし，「全ての子供たちの可能性を引き出す，個別最適な学びと，協働的な学び」の充実を通じて，「主体的・対話的で深い学び」を実現するという学校教育の目指すべき姿を示しており，子供たちの学び（授業観・学習観）の転換を目指している。

個別最適な学び，協働的な学びの充実を通じて，「主体的・対話的で深い学び」を実現することは，児童生徒の学びのみならず，教師の学びにも求められる命題である。つまり，教師の学びの姿も，子供たちの学びの相似形であるといえる。

主体的に学び続ける教師の姿は，児童生徒にとっても重要なロールモデルである。「令和の日本型学校教育」を実現するためには，子供たちの学びの転換とともに，教師自身の学び（研修観）の転換を図る必要がある。

⑵　多様な専門性を有する質の高い教職員集団の形成

②　多様化した教職員集団のマネジメント

教職員集団を多様にしただけでレジリエンスが強化されるわけではなく，学校管理職のリーダーシップの下で，目標の明確化，心理的安全性の確保，教職員の経歴・背景の多様性を考慮したマネジメントなども不可欠である。

特に「心理的安全性」の確保は，様々な課題に対応できる質の高い教職員集団を形成するために不可欠である。働き方改革を通じて学校全体が抱える業務量を見直し，安全・安心な勤務環境を実現するのみならず，萎縮せずに意見を述べたり，前例や実績のない試みに挑戦する教師を支援できる環境を醸成したりすることで，学校内外で発生した問題を教職員が一人で抱え込むことなく，組織としてより最適な解を導き出すことが可能になる。

演習問題

【1】 次の文は，「『令和の日本型学校教育』を担う教師の養成・採用・研修等の在り方について　～「新たな教師の学びの姿」の実現と，多様な専門性を有する質の高い教職員集団の形成～（答申）」（令和４年 12 月　中央教育審議会）の一部である。文中の（　①　）～（　④　）に該当する語句の組み合わせとして正しいものを，下の１～５から一つ選びなさい。〔高知県〕

令和３年答申では，2020 年代を通じて実現を目指す「令和の日本型学校教育」の在り方と，それを担う教師及び教職員集団のあるべき姿を示している。

具体的には，2020 年代を通じて実現を目指す学校教育を「令和の日本型学校教育」とし，その姿を，「全ての子供たちの（　①　）を引き出す，個別最適な学びと，協働的な学び」と定義した。

その際，教師及び教職員集団の理想的な姿として，以下の３点を示している。

○　教師が技術の発達や新たなニーズなど学校教育を取り巻く環境の変化を前向きに受け止め，教職生涯を通じて探究心を持ちつつ自律的かつ継続的に新しい知識・技能を（　②　），子供一人一人の学びを最大限に引き出す教師としての役割を果たしている。その際，子供の主体的な学びを支援する伴走者としての能力も備えている。

○　教員養成，採用，免許制度も含めた方策を通じ，多様な人材の教育界内外からの確保や教師の資質能力の向上により，質の高い教職員集団が実現されるとともに，教師と，総務・財務等に通じる専門職である事務職員，それぞれの分野や組織運営等に専門性を有する多様な外部人材や専門スタッフ等とがチームとなり，個々の教職員がチームの一員として組織的・協働的に取り組む力を発揮しつつ，校長のリーダーシップの下，家庭や地域社会と連携しながら，共通の（　③　）に向かって学校が運営されている。

○　さらに，学校における働き方改革の実現や教職の魅力発信，新時代の学びを支える環境整備により，教師が（　④　）的で魅力ある仕事であることが再認識され，教師を目指そうとする者が増加し，教師自身も志気を高め，誇りを持って働くことができている。

1	①　意欲	②　学び続け	③　教育理念	④　理想
2	①　可能性	②　習得し	③　教育理念	④　創造
3	①　可能性	②　習得し	③　教育理念	④　理想
4	①　意欲	②　習得し	③　学校教育目標	④　創造
5	①　可能性	②　学び続け	③　学校教育目標	④　創造

【2】 次の文は，「『令和の日本型学校教育』を担う教師の養成・採用・研修等の在り方について　～「新たな教師の学びの姿」の実現と，多様な専門性を有する質の高い教職員集団の形成～(答申)」(令和４年 12 月　中央教育審議会)「第１部　総論」「4．今後の改革の方向性」『⑴「新たな教師の学びの姿」の実現』の一部を抜粋したものである。文中の下線部ア～オについて，正しいものを○，誤っているものを×としたとき，正しい組合せを選びなさい。〔福岡県・福岡市・北九州市〕

①．教職生活を通じた「新たな学びの姿」の実現

高度な専門職である教師は，自己の崇高な使命を深く自覚し，絶えずア研究と修養に励み，その職責の遂行に努める義務を負っており，学び続ける存在であることが社会からも期待されている。

既に，審議まとめでは，「新たな教師の学びの姿」として，

○　変化を前向きに受け止め，イ向上心を持ちつつ自律的に学ぶという「主体的な姿勢」

○　求められる知識技能が変わっていくことを意識した「ウ柔軟な学び」

○　新たな領域のエ専門性を身に付けるなど強みを伸ばすための，一人一人の教師の個性に即した「個別最適な学び」

○　他者との対話やオ振り返りの機会を確保した「協働的な学び」　を示した。

	ア	イ	ウ	エ	オ
①	×	×	○	×	○
②	○	×	×	×	×
③	○	○	○	○	×
④	×	○	×	×	×
⑤	○	×	×	○	○

【3】 次の文章は，中央教育審議会「『令和の日本型学校教育』を担う教師の養成･採用･研修等の在り方について　～「新たな教師の学びの姿」の実現と，多様な専門性を有する質の高い教職員集団の形成～（答申）（令和４年 12 月）」の一部である。空欄（　ア　）～（　オ　）に当てはまる最も適当な語句を，下の語群の①～⑤からそれぞれ１つずつ選び，番号で答えなさい。〔熊本県〕

令和３年答申では，「一人一人の子供を（　ア　）」にし，「全ての子供たちの可能性を引き出す，（　イ　）な学びと，協働的な学び」の充実を通じて，「主体的・対話的で深い学び」を実現するという学校教育の目指すべき姿を示しており，子供たちの

学び（授業観・学習観）の転換を目指している。

（　イ　）な学び，協働的な学びの充実を通じて，「主体的・対話的で深い学び」を実現することは，児童生徒の学びのみならず，教師の学びにも求められる命題である。つまり，教師の学びの姿も，子供たちの学びの（　ウ　）であるといえる。

（　エ　）に学び続ける教師の姿は，児童生徒にとっても重要な（　オ　）である。「令和の日本型学校教育」を実現するためには，子供たちの学びの転換とともに，教師自身の学び（研修観）の転換を図る必要がある。

ア	①中心	②主語	③大切	④主役	⑤対象
イ	①探究的	②能動的	③多様	④個別最適	⑤豊か
ウ	①相似形	②活用形	③発展形	④未来形	⑤進化形
エ	①専門的	②積極的	③主体的	④計画的	⑤継続的
オ	①心の支え	②道標	③存在	④手本	⑤ロールモデル

【4】　中央教育審議会答申「『令和の日本型学校教育』を担う教師の養成・採用・研修等の在り方について　～「新たな教師の学びの姿」の実現と，多様な専門性を有する質の高い教職員集団の形成～」（令和４年12月）の「第Ⅰ部　総論　4．今後の改革の方向性」では，「高度な専門職である教師は，自己の崇高な使命を深く自覚し，絶えず研究と修養に励み，その職責の遂行に努める義務を負っており，学び続ける存在であることが社会からも期待されている。」とした上で，「新たな教師の学びの姿」が示されている。そこで示されている「学びの姿」の内容として誤っているものを，次の１～５の中から１つ選べ。〔和歌山県〕

1　変化を前向きに受け止め，探究心を持ちつつ自律的に学ぶという「主体的な姿勢」
2　子供の主体的な学びを支援する「伴走者としての姿勢」
3　求められる知識技能が変わっていくことを意識した「継続的な学び」
4　新たな領域の専門性を身に付けるなど強みを伸ばすための，一人一人の教師の個性に即した「個別最適な学び」
5　他者との対話や振り返りの機会を確保した「協働的な学び」

P.74～P.76 解答

▶「令和の日本型学校教育」を担う教師の養成・採用・研修等の在り方について（答申）

【1】5，**【2】**⑤，**【3】**ア－②　イ－④　ウ－①　エ－③　オ－⑤，**【4】**2

新しい時代の教育に向けた持続可能な学校指導・運営体制の構築のための学校における働き方改革に関する総合的な方策について（答申）

中央教育審議会　平成 31 年1月

本答申の概要

教師の勤務実態は，直ちに改善が必要な差し迫った状況にある。本答申は，これまで高い成果を挙げてきた我が国の学校教育を維持・向上させ，持続可能なものとするために，教師の勤務実態の改革に向けた突破口を示したものと位置づけられる。

具体的には，①勤務時間管理の徹底と勤務時間・健康管理を意識した働き方改革の促進，②学校及び教師が担う業務の明確化･適正化，③学校の組織運営体制の在り方，④教師の勤務の在り方を踏まえた勤務時間制度の改革，⑤学校における働き方改革の実現に向けた環境整備，の観点から「学校における働き方改革」の検討が行われた。

ココが大事！ 出題のポイント

本答申のポイントは，第一に学校における働き方改革の目的の理解，第二に学校・教師が担うべき業務の明確化・適正化の観点から，本来担うべき業務の範囲に対する基本的考え方の理解にある。

1．学校における働き方改革の目的

教師が，我が国の学校教育の蓄積と向かい合って自らの授業を磨くとともに，日々の生活の質や教職人生を豊かにすることで，自らの人間性や創造性を高め，子供たちに対して効果的な教育活動を行うことができるようになること。

2．学校・教師が担うべき業務に関する基本的考え方（業務の分類）

①　学習指導要領等を基準として編成された教育課程に基づく「学習指導」

②　児童生徒の人格の形成を助けるために必要不可欠な「生徒指導・進路指導」

③　保護者・地域等と連携を進めながら，これら教育課程の実施や生徒指導の実施に必要な「学級経営や学校運営業務」

基本的には学校以外が担うべき業務	学校の業務だが，必ずしも教師が担う必要のない業務	教師の業務だが，負担軽減が可能な業務
①登下校に関する対応 ②放課後から夜間などにおける見回り，児童生徒が補導された時の対応 ③学校徴収金の徴収・管理 ④地域ボランティアとの連絡調整 ※その業務の内容に応じて，地方公共団体や教育委員会，保護者，地域学校協働活動推進員や地域ボランティア等が担うべき。	⑤調査・統計等への回答等 （事務職員等） ⑥児童生徒の休み時間における対応 （輪番，地域ボランティア等） ⑦校内清掃 （輪番，地域ボランティア等） ⑧部活動（部活動指導員等） ※部活動の設置・運営は法令上の義務ではないが，ほとんどの中学・高校で設置。多くの教師が顧問を担わざるを得ない実態。	⑨給食時の対応 （学級担任と栄養教諭等との連携等） ⑩授業準備（補助的業務へのサポートスタッフの参画等） ⑪学習評価や成績処理（補助的業務へのサポートスタッフの参画等） ⑫学校行事の準備・運営 （事務職員等との連携，一部外部委託等） ⑬進路指導 （事務職員や外部人材との連携・協力等） ⑭支援が必要な児童生徒・家庭への対応（専門スタッフとの連携・協力等）

本文（抜粋）

第１章　学校における働き方改革の目的

２．学校における働き方改革の目的

○　(略)「はじめに」で触れたとおり，‘子供のためであればどんな長時間勤務も良しとする’という働き方は，教師という職の崇高な使命感から生まれるものであるが，その中で教師が疲弊していくのであれば，それは‘子供のため’にはならない。教師のこれまでの働き方を見直し，教師が我が国の学校教育の蓄積と向かい合って自らの授業を磨くとともに日々の生活の質や教職人生を豊かにすることで，自らの人間性や創造性を高め，子供たちに対して効果的な教育活動を行うことができるようになることが学校における働き方改革の目的であり，そのことを常に原点としながら改革を進めていく必要がある。

○　具体的には，教師の長時間勤務の要因についての分析結果を踏まえ，今回の働き方改革の目的のもと，膨大になってしまった学校及び教師の業務の範囲を明確にし，限られた時間の中で，教師の専門性を生かしつつ，授業改善のための時間や児童生徒に接する時間を確保できる勤務環境を整備することが必要である。

　このように学校における働き方改革は，教師が疲労や心理的負担を過度に蓄積して心身の健康を損なうことがないようにすることを通じて，自らの教職としての専門性を高め，より分かりやすい授業を展開するなど教育活動を充実することにより，より短い勤務でこれまで我が国の義務教育があげてきた高い成果を維持・向上することを目的とするものである。そして，この点において我が国の様々な職場における働き方改革のリーディングケースになり得るものである。

第４章　学校及び教師が担う業務の明確化・適正化

１．基本的考え方

○　学校が担うべき業務を大きく分類すると，以下のように考えられる。

ｉ）学習指導要領等を基準として編成された教育課程に基づく学習指導

ⅱ）児童生徒の人格の形成を助けるために必要不可欠な生徒指導・進路指導

ⅲ）保護者・地域等と連携を進めながら，これら教育課程の実施や生徒指導の実施に必要な学級経営や学校運営業務

○　教師は，こうした業務に加え，その関連業務についても，範囲が曖昧なまま行っている実態がある。一方，教師以外が担った方が児童生徒に対してより効果的な教育活動を展開できる業務や，教師が業務の主たる担い手であっても，その一部を教師以外が担うことが可能な業務は少なからず存在している。

我が国の学校・教師が担う業務の範囲は，諸外国と比べて多岐にわたり，これらの中には，法令で明確に位置付けられた業務もあれば，半ば慣習的に行われてきた業務もある。

○　このため，これまで学校・教師が担ってきた業務のうち，役割分担等について特に議論すべき代表的な業務について，法令上の位置付けや従事している割合，負担感，地方公共団体での実践事例等を踏まえつつ，

・これは，本来は誰が担うべき業務であるか

・それぞれの業務について，負担軽減のためにどのように適正化を図るべきか

の２点から，必要な環境整備を行いつつ，中心となって担うべき主体を学校・教師以外に積極的に移行していくという視点に立って，個別具体的に検討を進めた。

○　なお，学校及び教師が担う業務の明確化・適正化は，社会に対して学校を閉ざしたり，内容を問わず一律にこれまでの業務を削減したりするものではない。むしろ逆であり，１．で述べた学校における働き方改革の目的を踏まえ，教師や子供たちにとって重要なリソースである時間を最も効果的に配分する中で，社会との連携を重視・強化するものである。また，これまで慣習的に行われてきた業務を思い切って廃止するに当たっては，(略) 文部科学省を連携の起点・つなぎ役として活用しながら，学校として子供たちの成長のために何を重視し，どのように時間を配分するかという考え方を明確にし，地域や保護者に伝え，理解を得ることが求められる。

３．これまで学校・教師が担ってきた代表的な業務の在り方に関する考え方

○　(略) こうした各業務の役割分担を進める上で共通して，文部科学省は，自ら学校現場に課している業務負担を見直すとともに，(略)「基本的には学校以外が担うべき業務」と整理した業務については基本的な責任は家庭や地方公共団体等にあることや，「学校の業務だが，必ずしも教師が担う必要のない業務」や「教師の業務だが，負担軽減が可能な業務」と整理した業務であっても，過去の裁判例等を見ても法的にその全ての責任を学校・教師が負うというわけではなく，保護者や地域から学校への過剰要求は認められないことについて，関係省庁をはじめとした国の各機関に対して，また PTA 等の団体と連携して保護者に対して，あるいは政府広報等を活用して社会全体に対して明確にメッセージを出すこと (略) を行う。これにより，文部科学省が社会と学校の連携の起点・つなぎ役として，前面に立って学校に課されている過度な負担を軽減することに尽力する。

演習問題

【1】 次の文は，「新しい時代の教育に向けた持続可能な学校指導・運営体制の構築のための学校における働き方改革に関する総合的な方策について（答申）」（平成 31 年　中央教育審議会）の一部である。これを読んで，問 1，問 2 に答えなさい。〔北海道・札幌市〕

（前略）教師のこれまでの働き方を見直し，教師が我が国の学校教育の蓄積と向かい合って自らの（　1　）とともに日々の生活の質や教職人生を豊かにすることで，自らの人間性や創造性を高め，子供たちに対して（　2　）を行うことができるようになることが学校における働き方改革の目的であり，そのことを常に原点としながら改革を進めていく必要がある。

問 1　空欄 1，空欄 2 に当てはまる適切な語句の組合せを選びなさい。

ア　1—健康を保持する　　2—効果的な教育活動
イ　1—健康を保持する　　2—計画的な進路指導
ウ　1—授業を磨く　　2—効果的な教育活動
エ　1—授業を磨く　　2—計画的な進路指導
オ　1—士気を高める　　2—効果的な教育活動

問 2　下線部に関して，「新しい時代の教育に向けた持続可能な学校指導・運営体制の構築のための学校における働き方改革に関する総合的な方策について（答申）」（平成 31 年　中央教育審議会）に示されている内容として，適切なものの組合せを選びなさい。

① 休み時間における対応は，教師に児童生徒の事故等を防止する措置を講ずる注意義務等が生じるため，教師以外の学校職員がその業務を担うことは適切ではない。

② 登下校時の見守り活動の日常的・直接的な実施は必ずしも教師が担わなければならないものではない。

③ 給食指導については，学習指導要領の特別活動として位置付けられ，その解説においても，学級担任の教師による指導が原則であると記載されている。

④ 定期テストの問題作成・採点，通知表・調査書・指導要録の作成等の学習評価，それに伴う成績処理については，スクール・サポート・スタッフ等を参画させるべきである。

⑤ 校内清掃は校内で行われるものではあるが，児童生徒が行う清掃の見守りは，教員免許を必ずしも必要とする業務ではない。

ア　①②③　　イ　①②④　　ウ　①④⑤　　エ　②③⑤　　オ　③④⑤

P.80 解答

▶新しい時代の教育に向けた持続可能な学校指導・運営体制の構築のための学校における働き方改革に関する総合的な方策について（答申）

【1】問1ーウ　問2ーエ

公立の小学校等の校長及び教員としての資質の向上に関する指標の策定に関する指針

文部科学大臣　令和４年８月

本指針の概要

平成 29 年４月に教育公務員特例法が一部改正され，教員等の職責，経験及び適性に応じて資質向上を図ることを目的として，「校長及び教員の資質向上に関する指標」の策定が各教育委員会に義務付けられた。さらに，令和４年５月の教育公務員特例法の一部改正により，同指針が改正され本指針が策定された。また，本指針に基づき，「教師に共通的に求められる資質の具体的内容」が示されている。

ココが大事！ 出題のポイント

出題傾向から見ると，①本指針の改正の背景及び趣旨，②教員等の資質の向上に関する基本的考え方，③本指針に基づき再整理された「教師に共通に求められる資質能力」がポイントとなる。

１．教師に共通的に求められる資質能力の５つの柱

①教職に必要な素養，②学習指導，③生徒指導，④特別な配慮や支援を必要とする子供への対応，⑤ ICT や情報・教育データの利活用。

２．新たな教師の学びを実現していくための仕組み

研修等に関する記録を活用した資質の向上に関する校長等による指導助言等の重視。

３．校長に求められる資質能力

研修等に関する記録を活用した資質の向上に関する指導助言等を通じた所属教師の資質向上など，所属教師の人材育成に大きな責任と役割を担っている校長に求められる資質能力を明確化。

４．校内研修の活性化

各学校の課題に対応した協働的な学びを学校組織全体で行い，その成果を教職員間で共有することにより，効果的な学校教育活動に繋げるよう，お互いの授業を参観し合い，批評し合うことも含め，校内研修を活性化させることを重視。

５．研修後の成果確認方法の明確化

特にオンデマンド型については，知識・技能の習得状況を確認するテストも含め，研修企画段階から成果の確認方法を設定することを新たに規定。また，教科指導については，指導主事による定期的な授業観察・指導助言に関し，オンラインの活用も考慮した効果的・効率的な実施体制を整備することを明記。

本文（抜粋）

一　背景及び趣旨

およそ全ての教員は，教育を受ける子供たちの人格の完成を目指し，その成長を促すという非常に重要な職責を担っている高度専門職であり，学校教育の成否は，教員の資質によるところが極めて大きい。教育基本法（平成 18 年法律第120 号）第９条第１項において，教員は，絶えず研究と修養に励むこと，同条第２項において，教員の養成と研修の充実が図られなければならないことが規定されているように，これまでも常にその資質の向上が図られるよう，法令上，特別な配慮がなされているところである。子供たちの成長を担う教員に求められるのは，いかに時代が変化しようとも，その時代の背景や要請を踏まえつつ，自らが子供たちの道しるべとなるべく，常に学び続け，その資質の向上を図り続けることである。（略）

グローバル化，情報化の進展等，社会が急速に変化するとともに，先行き不透明で予測困難な時代が到来する中，「「令和の日本型学校教育」の構築を目指して～全ての子供たちの可能性を引き出す，個別最適な学びと，協働的な学びの実現～」（令和３年１月中央教育審議会答申）においては，2020 年代を通じて実現を目指す「令和の日本型学校教育」において実現すべき教員の理想的な姿が示された。具体的には，技術の発達や新たなニーズなど学校教育を取り巻く環境の変化を前向きに受け止め，教職生涯を通じて探究心を持ちつつ自律的かつ継続的に新しい知識・技能を学び続け，子供一人一人の学びを最大限に引き出し，子供の主体的な学びを支援する伴走者としての役割を果たすことである。（略）

審議まとめでも指摘されているように，新たな教員の学びの姿として求められているのは，一人一人の教員等が，自らの専門職性を高めていく営みであると自覚しながら，誇りを持って主体的に研修に打ち込むことである。 教員等の資質の向上を図ることは，児童生徒等の教育を充実することに他ならない。児童生徒等の学びと教員等の学びは相似形となることが重要であり，個別最適な学び，協働的な学びの充実を通じて，「主体的・対話的で深い学び」を実現することは，児童生徒等の学びのみならず，教員等の学びにもまた求められており，児童生徒等の学びのロールモデルとなることが期待される。

二　公立の小学校等の教員等としての資質の向上に関する基本的な事項

１　教員等の資質の向上に関する基本的考え方

⑴　研修等に関する記録を活用した資質の向上に関する指導助言等

変化の激しい時代においては，教員等一人一人の置かれた状況に照らして，適切な現状把握と目標設定の下で，教員等の個別最適な学び，協働的な学びが行われることが重要である。このため，指導助言者と教員等が研修等に関する記録を活用しつつ，資質の向上に関する指導助言等として対話を重ねる中で，今後能力を伸ばす必要がある分野の研修受講などの資質の向上方策について，教員等からの相談に応じ，情報を提供し，又は指導及び助言を行うことが必要である。この際，教員等が可視化された学習履歴を自ら振り返り，指導助言者と対話する中で，自らの強みや弱み，今後伸ばすべき能力，学校で果たすべき役割など踏まえ，必要な学びを俯瞰（ふかん）的かつ客観的に理解することが重要である。これらは，指導助言者と教員等との対話の中で行われることが基本であるが，期待される水準の研修を受けているとは到底認められない場合などやむを得ない場合については，職務命令として研修を受講させることも想定される。なお，法令及び本指針に定めるもののほか，これらの研修等に関する記録を活用した資質の向上に関する指導助言等に関しては，別にガイドラインで定める。

⑵　多様な内容・方法による資質の向上

教員等の資質の向上を図るに当たっては，校内研修や授業研究・保育研究などの「現場の経験」を重視した学びと法第20条第1項の研修実施者（以下「研修実施者」という。）や様々な主体が行う校外研修とが最適な組合せにより実施されることが重要である。とりわけ，校内研修等は，それぞれの学校の教育課題に対応した協働的な学びを学校組織全体で行い，その成果を教職員間で共有することにより，学校の組織力を高め，効果的な学校教育活動の実施にも資するものであり，校長のリーダーシップの下，より活性化させていくことが求められる。（略）

⑶　研修の成果の確認方法の明確化

（略）また，日々の授業・保育（以下「授業等」という。）の改善など「現場の経験」を重視した学びでは，校長等の学校管理職が，自校における学校教育課題や教員のニーズ等を踏まえて研修・研究テーマを適切に設定するとともに，定期的な授業等の観察や指導助言を実施するなど，適切な関与を行うことにより，組織的に状況を確認し，学校組織全体で教員の資質の向上を支えることが重要である。特に教科指導に関しては，教育委員会において，教科等に関する専門性を有する指導主事の定期的な授業観察や指導助言について，オンラインの活用なども考慮しつつ，効果的・効率的な実施体制を整備する必要がある。

演習問題

【1】 次の文は，「公立の小学校等の校長及び教員としての資質の向上に関する指標の策定に関する指針」（令和４年８月　文部科学省）の一部を抜粋したものである。下の⑴～⑶の問いに答えなさい。〔茨城県〕

およそ全ての教員は，教育を受ける子供たちの（　①　）を目指し，その成長を促すという非常に重要な職責を担っている高度専門職であり，学校教育の成否は，教員の資質によるところが極めて大きい。（　②　）（平成18年法律第120号）第９条第１項において，教員は，絶えず研究と修養に励むこと，同条第２項において，教員の養成と研修の充実が図られなければならないことが規定されているように，これまでも常にその資質の向上が図られるよう，法令上，特別な配慮がなされているところである。子供たちの成長を担う教員に求められるのは，いかに時代が変化しようとも，その時代の背景や要請を踏まえつつ，自らが子供たちの道しるべとなるべく，常に学び続け，その資質の向上を図り続けることである。（中略）

グローバル化，情報化の進展等，社会が急速に変化するとともに，先行き不透明で予測困難な時代が到来する中，「「令和の日本型学校教育」の構築を目指して～全ての子供たちの可能性を引き出す，個別最適な学びと，協働的な学びの実現～」（令和３年１月　中央教育審議会答申）においては，2020年代を通じて実現を目指す「令和の日本型学校教育」において実現すべき教員の理想的な姿が示された。具体的には，技術の発達や新たなニーズなど学校教育を取り巻く環境の変化を前向きに受け止め，教職生涯を通じて（　③　）を持ちつつ自律的かつ継続的に新しい知識・技能を学び続け，子供一人一人の学びを最大限に引き出し，子供の主体的な学びを支援する（　④　）者としての役割を果たすことである。

⑴ 文中の（　①　）～（　④　）に当てはまる語句を，それぞれ下のａ～ｅの中から一つずつ選びなさい。

① a　学力の向上　b　生きる力を育むこと　c　資質・能力の育成
d　人格の完成　e　持続可能な社会の創り手となること
② a　教育基本法　b　学校教育法　c　学校教育法施行令
d　地方公務員法　e　教育職員免許法
③ a　コミュニケーション能力　b　探究心　c　豊かな心
d　高い使命感　e　協働性
④ a　援助　b　協働　c　指導　d　助言　e　伴走

⑵ この「指針」では，教員等の資質の向上に関する基本的な考え方が述べられている。それに関して誤っているものを，次のａ～ｅの中から一つ選びなさい。

a　教員等の資質の向上を図るに当たっては，校内研修や授業研究・保育研究などの「現場の経験」を重視した学びと研修実施者や様々な主体が行う校外研修とが最適な組合せにより実施されることが重要である。

b　指導助言者と教員等が研修等に関する記録を活用しつつ，資質の向上に関する指導助言等として対話を重ねる中で，今後能力を伸ばす必要がある分野の研修受講などの資質の向上方策について，教員等からの相談に応じ，情報を提供し，又は指導及び助言を行うことが必要である。

c　教員等が可視化された学習履歴を自ら振り返り，指導助言者と対話する中で，自らの強みや弱み，今後伸ばすべき能力，学校で果たすべき役割など踏まえ，必要な学びを俯瞰（ふかん）的かつ客観的に理解することが重要である。

d　研修の実施に当たっては，対面・集合型で行われるもの，同時双方向型のオンラインで行われるもの，オンデマンド型のオンラインで行われるものなど，様々な実施方法が想定される。しかし，可能な限り，対面・集合型で実施すべきである。

e　期待される水準の研修を受けているとは到底認められない場合などやむを得ない場合については，職務命令として研修を受講させることも想定される。

(3)　この「指針」では，指標の内容を定める際の観点として，「教員の指標」について５つの事項が掲げられている。その組み合わせとして最も適切なものを，次のａ～ｅの中から一つ選びなさい。

	①	②	③	④	⑤
a	学習指導	生徒指導	特別な配慮や支援を必要とする子供への対応	ICT や情報・教育データの利活用	学級経営
b	教職に必要な素養	生徒指導	特別な配慮や支援を必要とする子供への対応	ICT や情報・教育データの利活用	地域との協働
c	教職に必要な素養	学習指導	生徒指導	特別な配慮や支援を必要とする子供への対応	ICT や情報・教育データの利活用
d	教職に必要な素養	学習指導	特別な配慮や支援を必要とする子供への対応	学級経営	地域との協働
e	教職に必要な素養	学習指導	生徒指導	ICT や情報・教育データの利活用	学級経営

【２】　次の(1)～(2)の各問いに答えなさい。〔名古屋市〕

(1)　次の文は「公立の小学校等の校長及び教員としての資質の向上に関する指標の策

定に関する指針」（令和４年８月31日　文部科学省告示）において，改正への背景及び趣旨について書かれているものから一部を抜粋したものである。文中の（　ア　）～（　エ　）に当てはまる語句として正しいものを，下の１～８からそれぞれ１つずつ選び，番号で書きなさい。

【背景及び趣旨】

グローバル化，（　ア　）の進展等，社会が急速に変化するとともに，先行き不透明で予測困難な時代が到来する中，「「令和の日本型学校教育」の構築を目指して～全ての子供たちの可能性を引き出す，個別最適な学びと，協働的な学びの実現～」（令和３年１月　中央教育審議会答申）においては，2020年代を通じて実現を目指す「令和の日本型学校教育」において実現すべき教員の理想的な姿が示された。具体的には，技術の発達や新たなニーズなど学校教育を取り巻く環境の変化を前向きに受け止め，教職生涯を通じて（　イ　）を持ちつつ自律的かつ（　ウ　）に新しい知識・技能を学び続け，子供一人一人の学びを最大限に引き出し，子供の（　エ　）な学びを支援する伴走者としての役割を果たすことである。

１　探究心　２　主体的　３　過疎化　４　継続的　５　受動的
６　間欠的　７　好奇心　８　情報化

⑵ 「公立の小学校等の校長及び教員としての資質の向上に関する指標の策定に関する指針」（令和４年８月31日　文部科学省告示）では，５つの事項について，教員の資質向上に関する指標の内容を定めるとしている。５つの事項として正しくないものを，次の１～６から１つ選び，番号で書きなさい。

１　学習指導　２　ICTや情報・教育データの利活用
３　教職に必要な素養　４　生徒指導
５　特別な配慮や支援を必要とする子供への対応　６　仕事と生活の調和

【3】 次の文章は，「公立の小学校等の校長及び教員としての資質の向上に関する指標の策定に関する指針」（令和４年８月改正　文部科学省）の「一 背景及び趣旨」の抜粋である。（　a　）～（　c　）にあてはまる語句の組み合わせとして正しいものを，①～⑥の中から一つ選びなさい。〔三重県〕

新たな教員の学びの姿として求められているのは，一人一人の教員等が，自らの専門職性を高めていく営みであると自覚しながら，誇りを持って（　a　）に研修に打ち込むことである。教員等の（　b　）を図ることは，児童生徒等の教育を充実することに他ならない。児童生徒等の学びと教員等の学びは相似形となることが重要であり，個別最適な学び，協働的な学びの充実を通じて，「（　c　）」を実現することは，児童生徒等の学びのみならず，教員等の学びにもまた求められており，児童生徒等の学びのロールモデルとなることが期待される。

	a	b	c
①	計画的	資質の向上	学力の保障
②	組織的	学ぶ意欲の向上	主体的・対話的で深い学び
③	主体的	個性や長所の伸長	学力の保障
④	計画的	個性や長所の伸長	児童生徒の安心・安全
⑤	組織的	学ぶ意欲の向上	児童生徒の安心・安全
⑥	主体的	資質の向上	主体的・対話的で深い学び

【4】「公立の小学校等の校長及び教員としての資質の向上に関する指標の策定に関する指針」（文部科学省告示第115号　令和４年８月31日）の「二　公立の小学校等の教員等としての資質の向上に関する基本的な事項」に示されている内容として，A～Eについて，正しいものを○，誤っているものを×としたとき，その組合せとして正しいものはどれか。〔岡山県〕

A　社会が急激に変化しており，子供たちが職業に就くなど将来的に社会で活躍する時期には，現在より一層大きい状況の変化が起こり得る。また，近年，特に都市部を中心に，地域社会等のつながりや支え合いによるセーフティネット機能の低下が指摘されているとともに，子供の貧困や格差の再生産・固定化が課題として指摘されている。

B　教育の本質が教員と子供たちとの人格的な触れ合いにあり，子供たちの人格の完成を目指し，その成長を促す教員には，時代が変化しても，倫理観，使命感，責任感，教育的愛情，総合的な人間性，コミュニケーション力，想像力，自ら学び続ける意欲や研究能力などが，普遍的な資質として求められる。

C　高度専門職業人である教員は，日々の経験や他者との対話から，自らの教育実践を振り返り，捉え直すことを基本としているが，新たな目標の設定，実践，振り返りを繰り返す中で，自ら必要な学びを主体的にマネジメントしていく姿勢は重要でない。

D　常に社会状況が変化する中で，現状に満足することなく，自ら学び続ける教員像の理念の下，常に教員等が成長し続けることが重要であり，教員等の資質向上は研修実施者が行う研修によってのみ図られることが重要である。

E　教員等一人一人が学校現場で生じる様々な課題に対応できる力量を高めていくこ

とは重要であるが，全ての課題を教員等が一人で解決することは困難である。多様な専門性を有する質の高い教職員集団を構築し，他の教員等や様々な支援スタッフ等と協働しながら，チームとして校務を分担しつつ，組織的に諸課題に対応することが求められている。

	A	B	C	D	E
1	×	○	○	○	×
2	○	○	×	×	○
3	×	○	○	×	○
4	○	×	×	×	○
5	○	○	×	○	×

【5】 次の１～５から，「公立の小学校等の校長及び教員としての資質の向上に関する指標の策定に関する指針」（令和４年　文部科学省告示第 115 号）に記載されている内容として正しいものをすべて選べ。〔島根県〕

1　教員等の資質の向上を図るに当たっては，校内研修や授業研究・保育研究などの「現場の経験」を重視した学びを中心として，教育公務員特例法第 20 条第 1 項の研修実施者や様々な主体が行う校外研修によって最適に補完される組合せにより実施されることが重要である。

2　校内研修等は，それぞれの学校の教育課題に対応した協働的な学びを学校組織全体で行い，その成果を教職員間で共有することにより，学校の組織力を高め，効果的な学校教育活動の実施にも資するものであり，校長のリーダーシップの下，より活性化させていくことが求められる。

3　研修の実施に当たっては，対面・集合型で行われるもの，同時双方向型のオンラインで行われるもの，オンデマンド型のオンラインで行われるものなど，様々な実施方法が想定される。特に，近年の情報化の進展等により，オンラインによる研修が急速に広まっており，その利点を最大限に生かすとともに，主として知識伝達型の学びであるかどうか，協議やグループワーク形式により学びを深めるものであるかどうかなど，研修の内容・態様に応じて，これらの方法を適切に組み合わせる必要がある。

4　研修を実施する際には，受講そのものを目的化するのではなく，その成果がどのように職務に生かされるかという視点を常に持ちながら行われなければならない。このため，成果の確認方法を，研修の性質に応じて明確化することが重要であり，特に研修実施者が実施する体系的かつ計画的に行われる研修については，成果の確認方法をあらかじめ明確化した上で実施することが極めて重要である。

5　日々の授業・保育（以下「授業等」という。）の改善など「現場の経験」を重視した学びでは，設置自治体の教育委員会の指導主事等が，当該校における学校教育課題や教員のニーズ等を踏まえて研修・研究テーマを適切に設定するとともに，定期的な授業等の観察や指導助言を訪問して実施するなど，適切な関与を行うことにより，組織的に状況を確認し，教員の資質の向上を支えることが重要である。

P.86～P.91 解答

▶公立の小学校等の校長及び教員としての資質の向上に関する指標の策定に関する指針

【1】⑴①－d　②－a　③－b　④－e　⑵d　⑶c，**【2】**⑴アー8　イー1　ウー4　エー2　⑵6，**【3】**⑥，**【4】**2，**【5】**2・3・4

学校の「危機管理マニュアル」等の評価・見直しガイドライン

文部科学省　令和３年６月

本ガイドラインの概要

学校保健安全法第 29 条に基づき，各学校には「危険等発生時対処要領」（危機管理マニュアル）の作成が義務付けられている。危機管理マニュアルは，一度作成すればよいというものではなく，学校で実施した訓練等の検証結果や，学校を取り巻く様々な状況の変化，国内外で発生した事故・災害事例の教訓，先進校の取組事例などを基に，常に見直し・改善を行うことが重要である。本ガイドラインは，各学校で危機管理マニュアルの見直し・改善を行う際の評価の観点（チェックリストや考え方），その他参考となる情報などの提供を目的として取りまとめられたものである。

ココが大事！ 出題のポイント

本ガイドラインは，「チェックリスト編」「解説編」「サンプル編」から構成される。特に「解説編」に示されている危機管理の考え方，事前の危機管理のうちの「危機の未然防止」については熟読しておきたい。

◆　危機管理の基本方針

実際の事故・災害等は，必ずしも想定どおりに起こるわけではない。マニュアルの想定を超えた事態が発生した場合には，その場で臨機応変に判断し対応することが必要となる。各学校においては，その学校の危機管理で何を最重要視するのか，どのような姿勢で危機管理に当たるのか等を検討し，これを基本方針として危機管理マニュアルに明記しておくことが重要である。

◆　危機管理の区分

事前の危機管理	①事故・災害等が起こらないようにする未然防止対策，②事故・災害等が発生した場合に備える対策。
発生時（初動）の危機管理	一刻を争う時間切迫の中で判断・行動を求められる場合も多いので，危機管理マニュアルの中では，フロー図などの簡潔な形式で示すことが有効。
事後の危機管理	①発生直後から生じる様々な事態への対応，②教育活動の継続・再開，児童生徒等の心のケアなど学校としての復旧・復興への対応，③事故等の調査・検証を通じた再発防止対策の取組など。

◆　危機の未然防止

傷病者発生防止対策	熱中症の防止，食物アレルギー・アナフィラキシーの防止
犯罪被害防止対策	不審者侵入の防止，インターネット上の犯罪
教育活動の様々な局面における未然防止対策	各教科の学習時間・休み時間・クラブ活動等における対策，校外活動に際しての対策，校内行事に際しての対策

本文（抜粋）

[解説編]

1　マニュアルの基本事項

1-2 危機管理の考え方　1-2-1 危機管理の基本方針

危機管理マニュアルは，様々な事態の発生を想定してその対応等を定めるものですが，実際の事故・災害等は，必ずしも想定どおりに起こるわけではありません。マニュアルの想定を超えた事態が発生した場合には，その場で臨機応変に判断し対応することが必要となります。そのような場合に，判断の“よすが”となるのが,「基本方針」「基本理念」などと呼ばれるような基本的な価値観・考え方です。マニュアルに定めのない事態が発生し，複数の選択肢の中から何を選ぶべきか迷うときなどには，この基本的な考え方に立ち返って判断することとなります。このため，各学校においては，その学校の危機管理で何を最重要視するのか，どのような姿勢で危機管理に当たるのか，などを検討し，これを基本方針として危機管理マニュアルに明記しておくことが必要です。また，こうした基本方針は，平時から教職員等が共通の認識とするとともに,保護者や関係機関などと共有しておくことも重要です。

1-3 危機管理マニュアルの運用方法　1-3-1 教職員・関係者等への周知徹底

危機管理マニュアルの内容は，あらかじめ教職員（臨時的任用・非常勤の教職員を含む）等に周知徹底することが不可欠です。特に，発災直後の緊急対応手順については，危機管理マニュアルに頼らなくても遂行できるよう，十分に習熟しておく必要があります。毎年度当初に，人事異動で新たに赴任した教職員を含めた全員で危機管理マニュアルの内容と役割を理解するための研修機会を設けましょう。(略)

加えて，児童生徒等，保護者，その他地域住民や関係機関などにも，危機管理マニュアルに定める事項のうち特に必要な事項をあらかじめ周知しておくことも必要です。例えば，児童生徒等に対しては学校で想定される危機の内容，危機が発生した際に取るべき行動などを，保護者に対しては引渡しの方法や臨時休業の判断基準などを，地域の関係者や関係機関には事故災害等の発生時における役割分担・協力要請事項などを，というように，対象により周知すべき内容は異なります。このため危機管理マニュアルには，周知の対象別に，周知すべき内容・周知方法などを具体的に定めておきましょう。なおその際には，防犯上の観点から，防犯対策に関する情報は，学外関係者への開示範囲を限定することにも留意します。

2　事前の危機管理

2-2 危機の未然防止対策　2-2-3　傷病者発生防止対策　2-2-3-3　熱中症の防止

危機管理マニュアルには，熱中症防止のため各種活動を中止することを想定し，その判断基準と判断者を具体的に定めておきます。熱中症の危険性を判断する基準としては，暑さ指数（WBGT（湿球黒球温度）：Wet Bulb Globe Temperature）を用いるとよいでしょう。暑さ指数はWBGT計を使って測定するものですが，WBGT計が手元にない場合でも，環境省の「熱中症予防情報サイト」で，地域ごとの実況値・予測値を確認することができます（夏季期間中のみ）。また令和３年４月からは，暑さ指数が33を超えると予測された場合に，気象庁より「熱中症警戒アラート」が発表されます。こうした情報源を活用することも，危機管理マニュアルに記載しておきましょう。

2-2-4 犯罪被害防止対策　2-2-4-1 不審者侵入の防止

学校への不審者侵入を防止する上では，①校門，②校門から校舎入口まで，③校舎への入口，という３段階の観点を持つことが重要です。このうち，特に「②校門から校舎入口まで」は盲点となりがちですので，注意しましょう。

この３段階のチェック体制を具体化する対策としては，学校内外の施設設備・器具の安全点検と，校門・校舎入口の施錠管理，来訪者等の管理，校内巡回などがあります。(略) 校門等の施錠管理については，時間帯別・利用者別に利用箇所を限定するとともに，校門等の解錠・施錠時刻やその担当者などを定めておき，児童生徒等や保護者に対し，これをしっかりと周知して遵守を呼び掛けることが大切です。

また，来訪者・保護者について，受付場所を明確化するとともに案内の掲示等を行うことや，名簿や受付票への記載などいわゆる入退管理の手順・方法，さらには来訪者・保護者であることが明確となるよう名札（胸章，保護者カード）などの識別方法も定めておきます。また，教職員は常に「ここは学校であり，自分たちがその管理を担っている」という心構えを持って，校内で部外者を見かけた場合等は躊躇することなく確実に確認・声掛けすることなども，共通認識としておきましょう。

さらに，教職員による校内の定期的な巡視や，教職員・保護者やボランティア等による校外の巡視・巡回など，学校への不審者侵入を防止するための取組についても，明記します。学校の状況によっては，警備員による警備や，防犯カメラの設置・運用を行っている例もあるでしょう。そのような場合には，警備員と教職員との役割分担や連携体制，防犯カメラの映像確認手順や役割分担などについても，事前に定めて，危機管理マニュアルに記載しておくことが必要です。

演習問題

【1】「学校の『危機管理マニュアル』等の評価・見直しガイドライン」（令和３年６月文部科学省）に示されている不審者侵入防止の観点からの安全管理として誤りを含むものを，次の１～４のうちから１つ選びなさい。〔宮城県・仙台市〕

1　学校への不審者侵入を防止する上では，①校門，②校舎への入口，という２段階のチェック体制を強化することが重要である。

2　不審者侵入防止のチェック体制としては，学校内外の施設設備・器具の安全点検と，校門・校舎入口の施錠管理，来訪者等の管理，校内巡回などがある。

3　校門等の施錠管理については，時間帯別・利用者別に利用箇所を限定するとともに，校門等の解錠・施錠時刻やその担当者などを定めておくことが大切である。

4　来訪者・保護者について，受付場所を明確化するとともに案内の掲示等を行うことや，名簿や受付票への記載などいわゆる入退管理の手順・方法を定めておくことが大切である。

P.96 解答

▶学校の「危機管理マニュアル」等の評価・見直しガイドライン

【1】1

義務教育９年間を見通した教科担任制の在り方について（報告）

義務教育９年間を見通した指導体制の在り方等に関する検討会議　令和３年７月

本報告の概要

中央教育審議会「『令和の日本型学校教育』の構築を目指して～全ての子供たちの可能性を引き出す，個別最適な学びと，協働的な学びの実現～（答申）」（令和３年１月）において，「小学校高学年からの教科担任制を（令和４年度を目途に）本格的に導入する必要がある」とされたことを踏まえ，本報告は義務教育９年間を見通した教科担任制の在り方に係る論点ごとの考え方について，一定の整理を行ったものである。

ココが大事！ 出題のポイント

本報告は，同上の中教審答申の提言を踏まえて，小学校高学年からの教科担任制の推進等に向けた教職員定数の確保の在り方について，専門的・技術的な検討を行った検討会議による議論のまとめであることから，まずは同上の中教審答申による提言内容を理解しておく必要がある。その上で，①教科担任制導入の趣旨・目的，②対象教科，③専科指導の専門性の担保，についてポイントをおさえておくこと。

１．教科担任制導入の趣旨・目的

○　教材研究の深化等により，高度な学習を含め，教科指導の専門性を持った教師が多様な教材を活用してより熟練した指導を行うことが可能となり，授業の質が向上。児童の学習内容の理解度・定着度の向上と学びの高度化を図る。

○　小・中学校間の連携による小学校から中学校への円滑な接続（中１ギャップの解消等）を図る。

○　複数教師（学級担任・専科教員）による多面的な児童理解を通じた児童の心の安定に資する。

○　教師の持ちコマ数の軽減や授業準備の効率化により，学校の教育活動の充実や教師の負担軽減に資する。等

２．対象教科

教科指導の専門性を持った教師によるきめ細かな指導と中学校の学びに繋がる系統的な指導の充実を図る観点から，外国語，理科，算数及び体育について優先的に専科指導の対象とすべき教科とすることが適当。

３．専科指導の専門性の担保

①当該教科の中学校又は高等学校の免許状の保有，②専門性向上のための免許法認定講習の受講・活用，③教科研究会等の活動実績等の要件を組み合わせて適用する。

本文（抜粋）

3．小学校高学年における教科担任制の推進方策について

⑴　小学校高学年における教科担任制推進の考え方

中央教育審議会での整理を踏まえ，国として小学校高学年における教科担任制の推進を図るため，各地域・学校の実情に応じた取組が可能となるような定数措置により，特定教科における教科担任制の推進（専科指導の充実）を図ることを中心に考えるべきである。

○　中央教育審議会での整理を踏まえ，教師の負担軽減を図りつつ，新学習指導要領に示された資質・能力の育成に向けて義務教育９年間を見通した指導体制を構築するため，小学校高学年からの教科担任制を推進する必要がある。

○　その推進方策を講ずるに当たっては，従来，学級担任制が基本とされてきた小学校の良さを活かしつつ，高学年段階における教科担任制を推進することで，中学校への円滑な接続を図る必要がある。

○　その際，教科指導の専門性を持った教師による，深い教材研究に根ざしたきめ細かな指導と中学校の学びに繋がる系統的な指導の充実を図るとともに，教師の持ちコマ数の軽減，授業準備の効率化等による教師の負担軽減を図る観点にも留意しつつ検討することが求められる。

○　また，中央教育審議会答申でも「地域の実情に応じて多様な実践が行われている現状も考慮」するよう示されており，各地域・学校の実情に応じた取組が可能となるような措置とする必要がある。

○　これらのことを踏まえれば，全ての子供たちが質の高い授業を受けることができるよう，国としての新たな定数措置により，特定教科における教科担任制の推進（専科指導の充実）を図ることを中心に考えるべきである。

⑵　優先的に専科指導の対象とすべき教科について

教科指導の専門性を持った教師によるきめ細かな指導と中学校の学びに繋がる系統的な指導の充実を図る観点から，外国語，理科，算数及び体育について優先的に専科指導の対象とすべき教科とすることが適当と考えられる。

○　上述のとおり，各地域・学校の実情に応じた取組を可能とすることに留意しつつ，教科指導の専門性を持った教師による，深い教材研究に根ざしたきめ細かな

指導と中学校の学びに繋がる系統的な指導の充実を図る観点から，優先的に専科指導の対象とすべき教科（以下「対象教科」という。）について検討する必要がある。

○　中央教育審議会答申では，既存の教職員定数において一定の専科指導を実施することが考慮されていることや地域の実情に応じて多様な実践が行われていることに引き続き配慮するとした上で，グローバル化の進展や STEAM 教育の充実・強化に向けた社会的要請の高まりを踏まえ，外国語・理科・算数を例示している。

(3)　専科指導の専門性を担保する方策について

> 国として定数措置を講じ，(2)の対象教科について専科指導の充実を図る上で，当該教科の専科教員に対し，教科毎の実態・特性を考慮しつつ，例えば，①当該教科の中学校又は高等学校の免許状の保有，②専門性向上のための免許法認定講習の受講・活用，③教科研究会等の活動実績，といった要件を組み合わせるなどして適用することが考えられる。

○　国として教科担任制を推進する上で定数を措置していくに当たっては，専科指導の専門性を客観性のある形で担保することが望ましいと考えられる一方，教師がキャリアを積む中で OJT を通じて専門性が培われる側面も考慮すれば，専科教員に対し，例えば，①当該教科の中学校又は高等学校の免許状の保有，②専門性向上のための免許法認定講習の受講・活用，③教科研究会等の活動実績，といった要件を組み合わせるなどして適用することが考えられる。その際，教科毎の実態・特性を考慮して要件に差異を設けることが適当と考えられる。

○　このうち，①の中学校免許状の保有を要件とすることについては，小・中学校の校種を跨ぐ人事異動の状況とも相まって小・中学校免許状の併有状況には都道府県間でばらつきがみられること，小・中学校免許状の併有促進に向けた制度改正が予定されていることなどを踏まえて検討する必要がある。

○　併せて，教科の特性を踏まえつつ，専門性を有する人材や多様な知識・経験を有する人材の確保の観点から，特別免許状の更なる活用や，中学校教員が小学校と兼務していわゆる乗り入れ授業を行うなど小・中学校の連携等を進めることも有効と考えられる。

演習問題

【1】「義務教育９年間を見通した教科担任制の在り方について（報告）」（令和３年７月　義務教育９年間を見通した指導体制の在り方等に関する検討会議）に示されている教科担任制導入の趣旨・目的として誤っているものを，次の１～５から一つ選びなさい。〔高知県〕

1　教材研究の深化等により，高度な学習を含め，教科指導の専門性を持った教師が多様な教材を活用してより熟練した指導を行うことが可能となり，授業の質が向上する。

2　小・中学校間の連携による小学校から中学校への円滑な接続（中１ギャップの解消等）を図る。

3　複数教師（学級担任・専科教員）による多面的な児童理解を通じた児童の心の安定に資する。

4　小学校１年生から専門的な教科指導を行うことで，児童の興味関心を高め，学習成果の向上を図る。

5　教師の持ちコマ数の軽減や授業準備の効率化により，学校の教育活動の充実や教師の負担軽減に資する。

P.100
解答

▶義務教育９年間を見通した教科担任制の在り方について（報告）

【1】4

学校部活動及び新たな地域クラブ活動の在り方等に関する総合的なガイドライン

スポーツ庁・文化庁　令和４年12月

本ガイドラインの概要

学校の部活動については，「運動部活動での指導のガイドライン」の策定（平成25年），部活動指導員制度の導入（平成29年），「運動部活動の在り方に関する総合的なガイドライン」及び「文化部活動の在り方に関する総合的なガイドライン」の策定（平成30年）が行われ，平成31年（令和元年）には中央教育審議会や国会において，学校における働き方改革の観点を含めて，部活動を学校単位から地域単位の取組とするべきことが指摘された。これらをふまえ，令和２年に休日の部活動の段階的な地域移行を図る旨の方針が示されるなど，部活動改革が段階的に取り組まれてきた。こうした流れの中で本ガイドラインは，スポーツ庁及び文化庁が「運動部活動の地域移行に関する検討会議提言」（令和４年６月）を踏まえ，「運動部活動の在り方に関する総合的なガイドライン」及び「文化部活動の在り方に関する総合的なガイドライン」（平成30年）を統合した上で全面的に改定したものである。

ココが大事！ 出題のポイント

本ガイドラインは，Ⅰ学校部活動，Ⅱ新たな地域クラブ活動，Ⅲ学校部活動の地域連携や地域クラブ活動への移行に向けた環境整備，Ⅳ大会等の在り方の見直し，の４部構成となっている。ポイントは以下の通りである。

Ⅰ学校部活動
○教師の部活動への関与について，法令等に基づき業務改善や勤務管理 ○部活動指導員や外部指導者を確保 ○週当たり２日以上の休養日の設定
Ⅱ新たな地域クラブ活動
○地域スポーツ・文化振興担当部署や学校担当部署，関係団体，学校等の関係者を集めた協議会などの体制の整備 ○指導者資格等による質の高い指導者の確保と，都道府県等による人材バンクの整備，意欲ある教師等の円滑な兼職兼業
Ⅲ学校部活動の地域連携や地域クラブ活動への移行に向けた環境整備
○まずは休日における地域の環境の整備を着実に推進。平日の環境整備はできるところから。 ○①市区町村が運営団体となる体制や，②地域の多様な運営団体が取り組む体制など，段階的な体制の整備を進める（※地域クラブ活動が困難な場合，合同部活動の導入や，部活動指導員等により機会を確保）

本文（抜粋）

本ガイドライン策定の趣旨等

○ 学校部活動の地域移行は，「地域の子供たちは，学校を含めた地域で育てる。」という意識の下で，生徒の望ましい成長を保障できるよう，地域の持続可能で多様な環境の一体的な整備により，地域の実情に応じスポーツ・文化芸術活動の最適化を図り，体験格差を解消することを目指すものである。

その際，前述した学校部活動の教育的意義や役割については，地域クラブ活動においても継承・発展させ，さらに，地域での多様な体験や様々な世代との豊かな交流等を通じた学びなどの新しい価値が創出されるよう，学校教育関係者等と必要な連携を図りつつ，発達段階やニーズに応じた多様な活動ができる環境を整えることが必要である。

I　学校部活動

1 適切な運営のための体制整備

⑵　指導・運営に係る体制の構築

ア　校長は，教師だけでなく，部活動指導員や外部指導者など適切な指導者を確保していくことを基本とし，生徒や教師の数，部活動指導員の配置状況を踏まえ，指導内容の充実，生徒の安全の確保，教師の長時間勤務の解消等の観点から円滑に学校部活動を実施できるよう，適正な数の学校部活動を設置する。

イ　校長は，教師を部活動顧問に決定する際は，校務全体の効率的・効果的な実施に鑑み，教師の他の校務分掌や本人の抱える事情，部活動指導員の配置状況等を勘案した上で行うなど，適切な校務分掌となるよう留意するとともに，学校全体としての適切な指導，運営及び管理に係る体制を構築する。

2 合理的でかつ効率的・効果的な活動の推進

⑴　適切な指導の実施

ア　校長，部活動顧問，部活動指導員及び外部指導者は，学校部活動の実施に当たっては，生徒の心身の健康管理（スポーツ障害･外傷の予防や文化部活動中の障害･外傷の予防，バランスのとれた学校生活への配慮等を含む），事故防止（活動場所における施設・設備の点検や活動における安全対策等）を徹底し，体罰・ハラスメントを根絶する。

特に運動部活動においては，文部科学省が平成 25 年 5 月に作成した「運動部活動での指導のガイドライン」に則った指導を行う。都道府県及び学校の設置者は，学校におけるこれらの取組が徹底されるよう，学校保健安全法等も踏まえ，適宜，支援及び指導・是正を行う。

3 適切な休養日等の設定

ア　運動部活動における休養日及び活動時間については，成長期にある生徒が，運動，食事，休養及び睡眠のバランスのとれた生活を送ることができるよう，スポーツ医・科学の観点からのジュニア期におけるスポーツ活動時間に関する研究も踏まえ，以下を基準とする。

○学期中は，週当たり２日以上の休養日を設ける。（平日は少なくとも１日，土曜日及び日曜日（以下「週末」という。）は少なくとも１日以上を休養日とする。週末に大会参加等で活動した場合は，休養日を他の日に振り替える。）

○長期休業中の休養日の設定は，学期中に準じた扱いを行う。また，生徒が十分な休養を取ることができるとともに，学校部活動以外にも多様な活動を行うことができるよう，ある程度長期の休養期間（オフシーズン）を設ける。

○１日の活動時間は，長くとも平日では２時間程度，学校の休業日（学期中の週末を含む）は３時間程度とし，できるだけ短時間に，合理的でかつ効率的・効果的な活動を行う。

文化部活動における休養日及び活動時間についても，成長期にある生徒が，教育課程内の活動，学校部活動，学校外の活動，その他の食事，休養及び睡眠等の生活時間のバランスのとれた生活を送ることができるよう，同様とする。

5 学校部活動の地域連携

ア　都道府県，学校の設置者及び校長は，学校や地域の実態に応じて，地域のスポーツ・文化芸術団体との連携や民間事業者の活用等により，保護者の理解と協力を得て，学校と地域が協働・融合した形での地域におけるスポーツ・文化芸術の環境整備を進める。その際，各地域において，行政，学校，スポーツ・文化芸術団体等の関係者が現状や課題を共有し，今後のスポーツ・文化芸術環境の在り方等を協議する場を設けることも考えられる。

演習問題

【1】「学校部活動及び新たな地域クラブ活動の在り方等に関する総合的なガイドライン（令和4年12月　スポーツ庁　文化庁）」に示された「学校部活動の適切な休養日等の設定」の内容として，適当でないものを次の1～4から全て選べ。〔秋田県〕

1　学期中は，週当たり１日以上の休養日を設ける。

2　１日の活動時間は，長くとも平日では２時間程度とする。

3　土曜日及び日曜日に大会参加等で活動した場合は，休養日を必ず月曜日に振り替える。

4　学校部活動以外にも多様な活動を行うことができるよう，ある程度長期の休養期間（オフシーズン）を設ける。

P.104 解答

▶学校部活動及び新たな地域クラブ活動の在り方等に関する総合的なガイドライン

【1】1・3

教育職員等による児童生徒性暴力等の防止等に関する法律

法律　令和３年６月公布・施行

本法律の概要

教育職員等による児童生徒性暴力等の防止等に関する法律では，児童生徒等の尊厳を保持するため，児童生徒性暴力等の禁止について定められている。同時に，教育職員等による児童生徒性暴力等の防止等に関し，基本理念を定め，国等の責務を明らかにし，基本指針の策定，教育職員等による児童生徒性暴力等の防止，早期発見及び対処に関する措置等について定められている。あわせて，特定免許状失効者等に対する教育職員免許法の特例等について定められている。

総則として目的（第１条），定義（第２条），児童生徒性暴力等の禁止（第３条），基本理念（第４条），国の責務（第５条），地方公共団体の責務（第６条），任命権者等の責務（第７条），学校の設置者の責務（第８条），学校の責務（第９条），教育職員等の責務（第 10 条），法制上の措置等（第 11 条）が定められている。第 12 条には基本指針，第 13 条から第 16 条には教育職員等による児童生徒性暴力等の防止に関する措置，第 17 条から第 21 条には教育職員等による児童生徒性暴力等の早期発見及び児童生徒性暴力等への対処に関する処置等，第 22・23 条には特定免許状失効者等に対する教育職員免許法の特例等が定められている。

ココが大事！ 出題のポイント

▶第１条に定められている本法律の目的は，必ず理解しておくこと。

▶第２条（定義）の第３項に示されている「児童生徒性暴力等」について，特に第４・５号は確認しておくこと。

▶第４条（基本理念）については多くの自治体で出題されている。特に以下の文言をおさえておく必要がある。「心身の健全な発達」，「学校の内外を問わず」，「教育職員等による児童生徒性暴力等を根絶」，「被害を受けた児童生徒等を適切かつ迅速に保護」。

▶第 10 条（教育職員等の責務）では，第４条の基本理念にのっとり，児童生徒性暴力等を行うことがないよう教育職員等としての倫理の保持を図ることと，児童生徒等が教育職員等による児童生徒性暴力等を受けたと思われるときは，適切かつ迅速に対処する責務を有することを理解しておく必要がある。

▶第 20 条（学校に在籍する児童生徒等の保護及び支援等）では，教育職員等による児童生徒性暴力等を受けた当該学校に在籍する児童生徒等の保護及び支援並びにその保護者に対する支援を継続的に行うものとされている。

本文（抜粋）

（目的）第１条

この法律は，教育職員等による児童生徒性暴力等が児童生徒等の権利を著しく侵害し，児童生徒等に対し生涯にわたって回復し難い心理的外傷その他の心身に対する重大な影響を与えるものであることに鑑み，児童生徒等の尊厳を保持するため，児童生徒性暴力等の禁止について定めるとともに，教育職員等による児童生徒性暴力等の防止等に関し，基本理念を定め，国等の責務を明らかにし，基本指針の策定，教育職員等による児童生徒性暴力等の防止に関する措置並びに教育職員等による児童生徒性暴力等の早期発見及び児童生徒性暴力等への対処に関する措置等について定め，あわせて，特定免許状失効者等に対する教育職員免許法（昭和二十四年法律第百四十七号）の特例等について定めることにより，教育職員等による児童生徒性暴力等の防止等に関する施策を推進し，もって児童生徒等の権利利益の擁護に資することを目的とする。

（定義）第２条

３　この法律において「児童生徒性暴力等」とは，次に掲げる行為をいう。

一　児童生徒等に性交等（刑法（明治四十年法律第四十五号）第百七十七条第一項に規定する性交等をいう。以下この号において同じ。）をすること又は児童生徒等をして性交等をさせること（児童生徒等から暴行又は脅迫を受けて当該児童生徒等に性交等をした場合及び児童生徒等の心身に有害な影響を与えるおそれがないと認められる特別の事情がある場合を除く。）。

二　児童生徒等にわいせつな行為をすること又は児童生徒等をしてわいせつな行為をさせること（前号に掲げるものを除く。）。

三　刑法第百八十二条の罪，児童買春，児童ポルノに係る行為等の規制及び処罰並びに児童の保護等に関する法律（平成十一年法律第五十二号。次号において「児童ポルノ法」という。）第五条から第八条までの罪又は性的な姿態を撮影する行為等の処罰及び押収物に記録された性的な姿態の影像に係る電磁的記録の消去等に関する法律（令和五年法律第六十七号）第二条から第六条までの罪（児童生徒等に係るものに限る。）に当たる行為をすること（前二号に掲げるものを除く。）。

四　児童生徒等に次に掲げる行為（児童生徒等の心身に有害な影響を与えるものに限る。）であって児童生徒等を著しく羞恥させ，若しくは児童生徒等に不安を覚えさせるようなものをすること又は児童生徒等をしてそのような行為をさせること（前三号に掲げるものを除く。）。

イ　衣服その他の身に着ける物の上から又は直接に人の性的な部位（児童ポル

ノ法第二条第三項第三号に規定する性的な部位をいう。）その他の身体の一部に触れること。

ロ　通常衣服で隠されている人の下着又は身体を撮影し，又は撮影する目的で写真機その他の機器を差し向け，若しくは設置すること。

五　児童生徒等に対し，性的羞恥心を害する言動であって，児童生徒等の心身に有害な影響を与えるものをすること（前各号に掲げるものを除く。）。

4　この法律において「児童生徒性暴力等の防止等」とは，児童生徒性暴力等の防止及び早期発見並びに児童生徒性暴力等への対処をいう。

5　この法律において「教育職員等」とは，教育職員（教育職員免許法第二条第一項に規定する教育職員をいう。以下同じ。）並びに学校の校長（園長を含む。），副校長（副園長を含む。），教頭，実習助手及び寄宿舎指導員をいう。

6　この法律において「特定免許状失効者等」とは，児童生徒性暴力等を行ったことにより教育職員免許法第十条第一項（第一号又は第二号に係る部分に限る。）の規定により免許状が失効した者及び児童生徒性暴力等を行ったことにより同法第十一条第一項又は第三項の規定により免許状取上げの処分を受けた者をいう。

（基本理念）第４条

教育職員等による児童生徒性暴力等の防止等に関する施策は，教育職員等による児童生徒性暴力等が全ての児童生徒等の心身の健全な発達に関係する重大な問題であるという基本的認識の下に行われなければならない。

2　教育職員等による児童生徒性暴力等の防止等に関する施策は，児童生徒等が安心して学習その他の活動に取り組むことができるよう，学校の内外を問わず教育職員等による児童生徒性暴力等を根絶することを旨として行われなければならない。

3　教育職員等による児童生徒性暴力等の防止等に関する施策は，被害を受けた児童生徒等を適切かつ迅速に保護することを旨として行われなければならない。

（学校に在籍する児童生徒等の保護及び支援等）第20条

学校の設置者及びその設置する学校は，医療，心理，福祉及び法律に関する専門的な知識を有する者の協力を得つつ，教育職員等による児童生徒性暴力等を受けた当該学校に在籍する児童生徒等の保護及び支援並びにその保護者に対する支援を継続的に行うものとする。

2　学校の設置者及びその設置する学校は，前項に規定する児童生徒等と同じ学校に在籍する児童生徒等に対する心理に関する支援その他当該児童生徒等及びその保護者に対する必要な支援を行うものとする。

演習問題

【1】 次は，「教育職員等による児童生徒性暴力等の防止等に関する法律」（令和３年６月公布）の条文の一部を基にしたものである。（　a　）～（　c　）内に当てはまるものを語群から選ぶとき，正しい組合せとなるものを解答群から一つ選び，番号で答えよ。〔愛知県〕

この法律は，教育職員等による児童生徒性暴力等が児童生徒等の権利を著しく侵害し，児童生徒等に対し（　a　）にわたって回復し難い心理的外傷その他の心身に対する重大な影響を与えるものであることに鑑み，児童生徒等の（　b　）するため，児童生徒性暴力等の禁止について定めるとともに，教育職員等による児童生徒性暴力等の防止等に関し，基本理念を定め，国等の責務を明らかにし，基本指針の策定，教育職員等による児童生徒性暴力等の防止に関する措置並びに教育職員等による児童生徒性暴力等の早期発見及び児童生徒性暴力等への対処に関する措置等について定め，あわせて，特定免許状失効者等に対する（　c　）法（昭和24年法律第147号）の特例等について定めることにより，教育職員等による児童生徒性暴力等の防止等に関する施策を推進し，もって児童生徒等の権利利益の擁護に資することを目的とする。

（第１条）

〔語　群〕	ア	学齢期		イ	生涯		ウ	成長を促進
	エ	尊厳を保持		オ	教育職員免許		カ	教育公務員特例
〔解答群〕	1	a―ア	b―ウ	c―オ	2	a―ア	b―ウ	c―カ
	3	a―ア	b―エ	c―オ	4	a―ア	b―エ	c―カ
	5	a―イ	b―ウ	c―オ	6	a―イ	b―ウ	c―カ
	7	a―イ	b―エ	c―オ	8	a―イ	b―エ	c―カ

【2】 次は「教育職員等による児童生徒性暴力等の防止等に関する法律」の条文の一部である。（　ア　）～（　ウ　）に当てはまる語句として適切な組み合わせはどれか。〔長野県〕

第１章　総則

（定義）

第２条

（中略）

３　この法律において「児童生徒性暴力等」とは，次に掲げる行為をいう。（中略）

四　児童生徒等に次に掲げる行為（児童生徒等の心身に有害な影響を与えるものに限る。）であって児童生徒等を著しく羞恥させ，若しくは児童生徒等に不安を覚えさせるようなものをすること又は児童生徒等をしてそのような行為をさせること（中略）。

イ　衣服その他の身に着ける物の上から又は直接に人の性的な部位（児童ポルノ法第２条第３項第三号に規定する性的な部位をいう。）その他の（　ア　）に触れること。

ロ　通常衣服で隠されている人の下着又は身体を撮影し，又は撮影する目的で写真機その他の機器を差し向け，若しくは（　イ　）すること。

五　児童生徒等に対し，性的羞恥心を害する（　ウ　）であって，児童生徒等の心身に有害な影響を与えるものをすること（中略）。

① ア　心の琴線　　イ　操作　　ウ　行動
② ア　心の琴線　　イ　設置　　ウ　態度
③ ア　身体の一部　　イ　操作　　ウ　態度
④ ア　身体の一部　　イ　設置　　ウ　言動
⑤ ア　身体の一部　　イ　操作　　ウ　言動

【3】 次の文は，教育職員等による児童生徒性暴力等の防止等に関する法律の条文である。（　ア　）～（　ウ　）にあてはまる語句の組合せとして正しいものを①～⑤から一つ選べ。〔島根県〕

（基本理念）

第４条　教育職員等による児童生徒性暴力等の防止等に関する施策は，教育職員等による児童生徒性暴力等が全ての児童生徒等の（　ア　）に関係する重大な問題であるという基本的認識の下に行われなければならない。

２　教育職員等による児童生徒性暴力等の防止等に関する施策は，児童生徒等が安心して学習その他の活動に取り組むことができるよう，学校の内外を問わず教育職員等による児童生徒性暴力等を（　イ　）することを旨として行われなければならない。

３　教育職員等による児童生徒性暴力等の防止等に関する施策は，被害を受けた児童生徒等を適切かつ迅速に（　ウ　）することを旨として行われなければならない。

① ア　キャリア発達　　イ　根絶　　ウ　隔離
② ア　キャリア発達　　イ　予防　　ウ　隔離
③ ア　心身の健全な発達　　イ　根絶　　ウ　保護

④	**ア**	キャリア発達	**イ**	根絶	**ウ**	保護
⑤	**ア**	心身の健全な発達	**イ**	予防	**ウ**	隔離

【4】 次の文は，教育職員等による児童生徒性暴力等の防止等に関する法律（令和３年法律第 57 号）の一部である。文中の（　ア　）～（　オ　）に当てはまる言葉を下のＡ～Ｊから一つずつ選び，その記号を書け。〔愛媛県〕

第４条　教育職員等による児童生徒性暴力等の防止等に関する施策は，教育職員等による児童生徒性暴力等が全ての児童生徒等の心身の健全な発達に関係する（　**ア**　）な問題であるという基本的認識の下に行われなければならない。

2　教育職員等による児童生徒性暴力等の防止等に関する施策は，児童生徒等が安心して学習その他の活動に取り組むことができるよう，学校の内外を問わず教育職員等による児童生徒性暴力等を（　**イ**　）することを旨として行われなければならない。

3　教育職員等による児童生徒性暴力等の防止等に関する施策は，被害を受けた児童生徒等を適切かつ（　**ウ**　）に保護することを旨として行われなければならない。

4　教育職員等による児童生徒性暴力等の防止等に関する施策は，教育職員等による児童生徒性暴力等が懲戒免職の事由（解雇の事由として懲戒免職の事由に相当するものを含む。）となり得る行為であるのみならず，児童生徒等及びその保護者からの教育職員等に対する信頼を著しく低下させ，学校教育の信用を傷つけるものであることに鑑み，児童生徒性暴力等をした教育職員等に対する（　**エ**　）等について，適正かつ厳格な実施の徹底を図るための措置がとられることを旨として行われなければならない。

5　教育職員等による児童生徒性暴力等の防止等に関する施策は，国，地方公共団体，学校，医療関係者その他の関係者の（　**オ**　）の下に行われなければならない。

A	根絶	B	安全	C	懲戒処分	D	迅速	E	分限処分
F	合意	G	重大	H	予防	I	明白	J	連携

【5】 次の文章は，教育職員等による児童生徒性暴力等の防止等に関する法律の条文の一部である。文中の（　１　）～（　３　）にあてはまる語を，次の①から⑤まで

の中から一つずつ選び，記号で答えよ。〔沖縄県〕

第４条　教育職員等による児童生徒性暴力等の防止等に関する施策は，教育職員等による児童生徒性暴力等が全ての児童生徒等の心身の健全な発達に関係する（　**1**　）であるという基本的認識の下に行われなければならない。

２　教育職員等による児童生徒性暴力等の防止等に関する施策は，児童生徒等が（　**2**　）学習その他の活動に取り組むことができるよう，（　**3**　）教育職員等による児童生徒性暴力等を根絶することを旨として行われなければならない。

1　①人権侵害　②重大な問題　③教育を受ける権利の侵害　④犯罪　⑤違法行為

2　①安心して　②主体的に　③自律的に　④良好な環境のもと　⑤積極的に

3　①社会全体において　②学校の内外を問わず　③すべての学校において　④教員の勤務時間中において　⑤学校内において

【6】 次の文は，教育職員等による児童生徒性暴力等の防止等に関する法律の一部である。文中の（　ア　），（　イ　）に当てはまることばを書きなさい。〔福島県〕

第10条　教育職員等は，基本理念にのっとり，児童生徒性暴力等を行うことがないよう教育職員等としての（　**ア**　）の保持を図るとともに，その勤務する学校に在籍する児童生徒等が教育職員等による児童生徒性暴力等を受けたと思われるときは，適切かつ（　**イ**　）にこれに対処する責務を有する。

【7】 次は，「教育職員等による児童生徒性暴力等の防止等に関する法律」第20条である。（　　　）にあてはまることばを，下のア～オから一つ選べ。〔山梨県〕

学校の設置者及びその設置する学校は，医療，心理，福祉及び法律に関する専門的な知識を有する者の協力を得つつ，教育職員等による児童生徒性暴力等を受けた当該学校に在籍する児童生徒等の保護及び（　　　）並びにその保護者に対する（　　　）を継続的に行うものとする。

ア　指導　**イ**　面談　**ウ**　相談　**エ**　助言　**オ**　支援

P.108〜P.111 解答

▶教育職員等による児童生徒性暴力等の防止等に関する法律

【1】 7, **【2】** ④, **【3】** ③, **【4】** アーG　イーA　ウーD　エーC　オーJ, **【5】** 1ー②　2ー①　3ー②, **【6】** アー倫理　イー迅速, **【7】** オ

生徒指導提要　第Ⅰ部　第1章　生徒指導の基礎

文部科学省　令和4年12月

本提要の概要

「生徒指導提要」とは，生徒指導に関する学校，教員向けの基本書である。生徒指導提要における「第１章　生徒指導の基礎」は，1.1 生徒指導の意義・1.2 生徒指導の構造・1.3 生徒指導の方法・1.4 生徒指導の基盤・1.5 生徒指導の取組上の留意点という５項目で構成されている。後に続く，第２章・第３章においても，ここで示された生徒指導の基礎的事項がベースとなっている。

ココが大事！出題のポイント

生徒指導提要のまえがきにおいて，「今般の改訂では，課題予防・早期対応といった課題対応の側面のみならず，児童生徒の発達を支えるような生徒指導の側面に着目し，その指導の在り方や考え方について説明を加えています」とある。生徒指導の構造が「２軸３類４層構造」で示されたもののうち，発達支持的生徒指導や課題未然防止教育といった常態的・先行的（プロアクティブ）生徒指導にも着目した点が，改訂の要点と言える。さらに，生徒指導の定義や目的を示したことによって，生徒指導の４層である発達支持的生徒指導，課題予防的生徒指導：課題未然防止教育，課題予防的生徒指導：課題早期発見対応，困難課題対応的生徒指導のそれぞれが対象とする児童生徒の範囲についても明示された点は重要である。

◆　過去問の傾向

「第１章 生徒指導の基礎」において，「1.1 生徒指導の意義」や「1.2 生徒指導の構造」について，高頻度で出題されている。

◆　過去問の傾向から見える要点

「1.1 生徒指導の意義」においては，生徒指導の定義や目的に関する出題が多い。具体的なワードを挙げるならば，「自分らしく」「よさや可能性の伸長」「自己実現」「自己理解」「自己の幸福追求」「個性の発見」といったワードである。これらの児童生徒の発達を支えるという観点や，一人一人の可能性を最大限伸ばしていく教育が求められている現状について，押さえておくことは必須事項と言えよう。

「1.2 生徒指導の構造」においては，生徒指導の分類や生徒指導の重層的支援構造の図を参照しておくことが重要である。その上で，対象生徒の範囲や各層にどのような対応が該当するかセットで押さえておきたい。また，改訂により説明が加わった発達支持的生徒指導や課題未然防止教育については，確実に理解しておくべき部分と言える。

本文（抜粋）

1.1.1　生徒指導の定義と目的

⑴　生徒指導の定義

学校教育の目的は，「人格の完成を目指し，平和で民主的な国家及び社会の形成者として必要な資質を備えた心身ともに健康な国民の育成」（教育基本法第１条）を期することであり，また，「個人の価値を尊重して，その能力を伸ばし，創造性を培い，自主及び自律の精神を養う」（同法第２条第２号）ことが目標の一つとして掲げられています。(略)

生徒指導の定義

生徒指導とは，児童生徒が，社会の中で自分らしく生きることができる存在へと，自発的･主体的に成長や発達する過程を支える教育活動のことである。なお，生徒指導上の課題に対応するために，必要に応じて指導や援助を行う。

生徒指導は，児童生徒が自身を個性的存在として認め，自己に内在しているよさや可能性に自ら気付き，引き出し，伸ばすと同時に，社会生活で必要となる社会的資質・能力を身に付けることを支える働き（機能）です。したがって，生徒指導は学校の教育目標を達成する上で重要な機能を果たすものであり，学習指導と並んで学校教育において重要な意義を持つものと言えます。

⑵　生徒指導の目的

生徒指導の目的は，教育課程の内外を問わず，学校が提供する全ての教育活動の中で児童生徒の人格が尊重され，個性の発見とよさや可能性の伸長を児童生徒自らが図りながら，多様な社会的資質・能力を獲得し，自らの資質・能力を適切に行使して自己実現を果たすべく，自己の幸福と社会の発展を児童生徒自らが追求することを支えるところに求められます。

生徒指導の目的

生徒指導は，児童生徒一人一人の個性の発見とよさや可能性の伸長と社会的資質・能力の発達を支えると同時に，自己の幸福追求と社会に受け入れられる自己実現を支えることを目的とする。

(略) 児童生徒が，深い自己理解に基づき，「何をしたいのか」，「何をするべきか」，主体的に問題や課題を発見し，自己の目標を選択・設定して，この目標の達成のため，(略)「自己指導能力」を獲得することが目指されます。

1.2.1 ２軸３類４層構造

⑶　生徒指導の４層

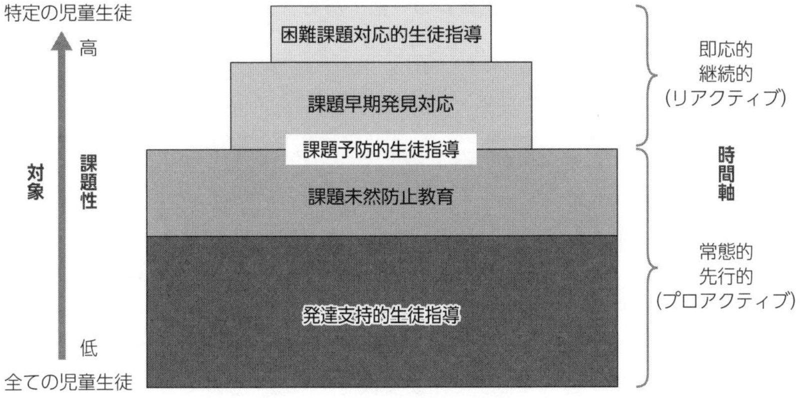

図２　生徒指導の重層的支援構造

1.2.2　発達支持的生徒指導

発達支持的生徒指導は，特定の課題を意識することなく，全ての児童生徒を対象に，学校の教育目標の実現に向けて，教育課程内外の全ての教育活動において進められる生徒指導の基盤となるものです。

1.2.3　課題予防的生徒指導：課題未然防止教育

課題予防的生徒指導は，課題未然防止教育と課題早期発見対応から構成されます。課題未然防止教育は，全ての児童生徒を対象に，生徒指導の諸課題の未然防止をねらいとした，意図的・組織的・系統的な教育プログラムの実施です。

1.2.4　課題予防的生徒指導：課題早期発見対応

課題早期発見対応では，課題の予兆行動が見られたり，問題行動のリスクが高まったりするなど，気になる一部の児童生徒を対象に，深刻な問題に発展しないように，初期の段階で諸課題を発見し，対応します。

1.2.5　困難課題対応的生徒指導

いじめ，不登校，少年非行，児童虐待など特別な指導・援助を必要とする特定の児童生徒を対象に，校内の教職員（教員，SC，SSW 等）だけでなく，校外の教育委員会等（小中高等学校又は特別支援学校を設置する国公立大学法人，学校法人，大学を設置する地方公共団体の長及び学校設置会社を含む。），警察，病院，児童相談所，NPO 等の関係機関との連携・協働による課題対応を行うのが，困難課題対応的生徒指導です。

演習問題

【1】 次の文は，生徒指導提要（令和４年12月　文部科学省）の「第１章　生徒指導の基礎１．１　生徒指導の意義」の一部である。文中の（　ア　）～（　オ　）に当てはまる言葉を下のＡ～Ｊから一つずつ選び，その記号を書け。〔愛媛県〕

【生徒指導の定義】

生徒指導とは，児童生徒が，社会の中で（　**ア**　）生きることができる存在へと，自発的・主体的に成長や発達する過程を支える教育活動のことである。なお，生徒指導上の課題に対応するために，必要に応じて指導や援助を行う。

○　生徒指導は，児童生徒が自身を（　**イ**　）として認め，自己に内在しているよさや可能性に自ら気付き，引き出し，伸ばすと同時に，社会生活で必要となる社会的資質・能力を身に付けることを支える働き（機能）です。したがって，生徒指導は学校の教育目標を達成する上で重要な機能を果たすものであり，（　**ウ**　）と並んで学校教育において重要な意義を持つものと言えます。

【生徒指導の目的】

生徒指導は，児童生徒一人一人の個性の発見とよさや可能性の伸長と社会的資質・能力の発達を支えると同時に，自己の（　**エ**　）と社会に受け入れられる自己実現を支えることを目的とする。

○　生徒指導の目的を達成するためには，児童生徒一人一人が自己指導能力を身に付けることが重要です。児童生徒が，深い（　**オ**　）に基づき，「何をしたいのか」，「何をするべきか」，主体的に問題や課題を発見し，自己の目標を選択・設定して，この目標の達成のため，自発的，自律的，かつ，他者の主体性を尊重しながら，自らの行動を決断し，実行する力，すなわち，「自己指導能力」を獲得することが目指されます。

A	他者とよりよく	B	個性的存在	C	学習指導	D	自己理解
E	存在感	F	社会的存在	G	進路指導	H	幸福追求
I	自分らしく	J	他者理解				

【2】「生徒指導提要（令和４年12月　文部科学省）」について，次の⑴～⑵の各問いに答えなさい。〔静岡県・静岡市・浜松市〕

⑴　第１章では，生徒指導の定義と目的について，次のとおり述べられている。（　Ａ　），（　Ｂ　）に入る語句の組合せとして正しいものを，以下のア～エから一つ選び，記号で答えなさい。

生徒指導の定義

生徒指導とは，児童生徒が，社会の中で自分らしく生きることができる存在へと，自発的・主体的に成長や発達する過程を支える教育活動のことである。なお，生徒指導上の課題に対応するために，必要に応じて指導や（　A　）を行う。

生徒指導の目的

生徒指導は，児童生徒一人一人の個性の発見と（　B　）の伸長と社会的資質・能力の発達を支えると同時に，自己の幸福追求と社会に受け入れられる自己実現を支えることを目的とする。

ア　A：助言　B：向上心や可能性　　**イ**　A：助言　B：よさや自主性
ウ　A：補助　B：向上心や自主性　　**エ**　A：援助　B：よさや可能性

⑵　次の図は，生徒指導の重層的支援構造を示したものである。図の（　①　）～（　③　）に入る語句を，以下のア～カから一つずつ選び，記号で答えなさい。

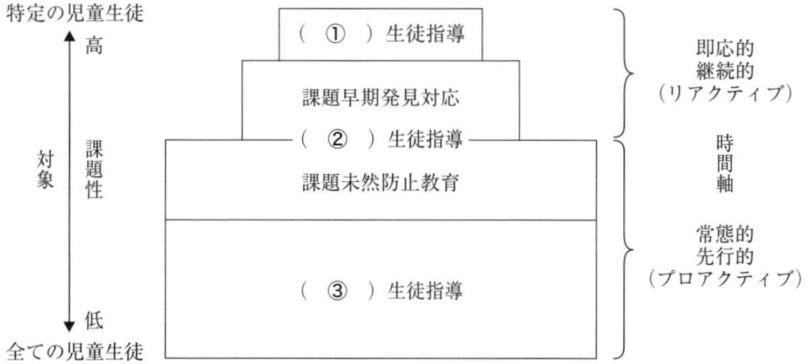

図　生徒指導の重層的支援構造

ア　発達支持的　　**イ**　基礎基本的　　**ウ**　困難課題対応的
エ　重大課題対応的　　**オ**　課題予防的　　**カ**　予測対応的

P.116～P.117 解答

▶生徒指導提要　第Ⅰ部　第1章　生徒指導の基礎

【1】アーI　イーB　ウーC　エーH　オーD,**【2】**⑴ーエ　⑵①ーウ　②ーオ　③ーア

生徒指導提要　第I部　第3章　チーム学校による生徒指導体制

文部科学省　令和4年12月

本提要の概要

生徒指導提要における「第3章　チーム学校による生徒指導体制」は，3.1 チーム学校における学校組織，3.2 生徒指導体制，3.3 教育相談体制，3.4 生徒指導と教育相談が一体となったチーム支援，3.5 危機管理体制，3.6 生徒指導に関する法制度等の運用体制，3.7 学校・家庭・関係機関等との連携・協働の7項目で構成されている。

ココが大事！ 出題のポイント

平成22年3月の生徒指導提要では,「第4章　学校における生徒指導体制」であったものが，令和4年12月の生徒指導提要では，「第3章　チーム学校による生徒指導体制」となっている。これは，平成27年12月の中央教育審議会「チームとしての学校の在り方と今後の改善方策について」（答申）を踏まえた形である。「チームとしての学校」とはどういったものなのか，押さえておくことが重要である。

また，3.6 生徒指導に関する法制度等の運用体制の中に 3.6.1 校則の運用・見直しが位置づいた点も，重要な変更点として押さえておきたい。

◆ 過去問の傾向

「第3章　チーム学校による生徒指導体制」において，「3.1 チーム学校における学校組織」や「3.6 生徒指導に関する法制度等の運用体制」について，過去問では多く出題されている。

◆ 過去問の傾向から見える要点

「3.1 チーム学校における学校組織」においては，特に「3.1.1 チーム学校とは」「3.1.2 チーム学校として機能する学校組織」に関する出題が多い。具体的には，「チームとしての学校」が求められる背景や「チーム学校」を実現するための視点が要チェック事項である。「チーム学校」がなぜ必要とされ，どうすれば実現するのかという部分を現在の学校を取り巻く状況を踏まえて，押さえておきたい。

「3.6 生徒指導に関する法制度等の運用体制」においては，特に「3.6.1 校則の運用・見直し」に関する出題が目立つ。校則の意義では制定に当たっては少数派の意見を尊重する旨，校則の運用では校則の内容を普段から学校のホームページ等に公開しておくことが適切である旨，校則の見直しでは校則を見直す場合にどのような手続きを踏むことになるか示すことが望まれる旨が改訂で加わっている。

本文（抜粋）

3.1.1　チーム学校とは

平成27年12月に中央教育審議会により「チームとしての学校の在り方と今後の改善方策について」が答申されました。本答申は，学校が抱える現代的課題に応えるために「チームとしての学校」が求められる背景として，次の3点を挙げています。（略）

「新しい時代に求められる資質・能力を育む教育課程を実現するための体制整備」では，「社会に開かれた教育課程」として，学校での学びと，実生活や社会生活，つまり現実世界とを接続させ，児童生徒自身が学ぶことに対する意義や意味を見いだすことの重要性が指摘されています。（略）

「複雑化・多様化した課題を解決するための体制整備」は，児童生徒の健全な成長や発達を保障するために解決すべき喫緊の課題です。日本は，諸外国に比して，学校内の専門職として教員が占める割合が高い国です。そのことによる利点も多くありますが，児童生徒の抱える問題や課題が複雑化・多様化しているなかで，（略）専門職という枠組みにとらわれない地域の様々な「思いやりのある大人」が，教員とともに学校内で連携・協働する体制を形作ることが求められています。（略）

「子供と向き合う時間の確保等のための体制整備」は，OECDによる国際教員指導環境調査（TALIS）2018調査結果において，調査参加国中，日本の教員の1週間当たり勤務時間が最長であることが明らかになったことから，その是正が急務となっている課題です。

（略）学校における「働き方改革」を実現し，教員の負担の軽減を図りつつ，生徒指導の充実を図ることは，「令和の日本型学校教育」を支えるための重要な要件と言えます。

3.1.2　チーム学校として機能する学校組織

（略）「チーム学校」を実現するためには，次の四つの視点が必要になります。

第一に，「教員が教育に関する専門性を共通の基盤として持ちつつ，それぞれ独自の得意分野を生かし」チームとして機能すると同時に，「心理や福祉等の専門スタッフを学校の教育活動の中に位置付け」，教員と専門スタッフとの連携・協働の体制を充実させることです。

第二に，「『チームとしての学校』が機能するためには，校長のリーダーシップが必要であり，学校のマネジメント機能をこれまで以上に強化していくこと」が求められています。（略）

第三に，「教職員がそれぞれの力を発揮し，伸ばしていくことができるようにするためには，人材育成の充実や業務改善の取組を進めることが重要」であり，教職員の専門性を高め，それを発揮するための環境を整備することが求められます。

（略）第四の視点として，教職員間に「同僚性」を形成することが挙げられます。

3.6.1　校則の運用・見直し

⑴　校則の意義・位置付け

児童生徒が遵守すべき学習上，生活上の規律として定められる校則は，児童生徒が健全な学校生活を送り，よりよく成長・発達していくために設けられるものです。（略）

校則の在り方は，特に法令上は規定されていないものの，これまでの判例では，社会通念上合理的と認められる範囲において，教育目標の実現という観点から校長が定めるものとされています。（略）

校則の制定に当たっては，少数派の意見も尊重しつつ，児童生徒個人の能力や自主性を伸ばすものとなるように配慮することも必要です。

⑵　校則の運用

校則に基づく指導を行うに当たっては，校則を守らせることばかりにこだわることなく，何のために設けたきまりであるのか，教職員がその背景や理由についても理解しつつ，児童生徒が自分事としてその意味を理解して自主的に校則を守るように指導していくことが重要です。そのため，校則の内容について，普段から学校内外の関係者が参照できるように学校のホームページ等に公開しておくことや，児童生徒がそれぞれのきまりの意義を理解し，主体的に校則を遵守するようになるために，制定した背景等についても示しておくことが適切であると考えられます。

その上で，校則に違反した場合には，行為を正すための指導にとどまるのではなく，違反に至る背景など児童生徒の個別の事情や状況を把握しながら，内省を促すような指導となるよう留意しなければなりません。

⑶　校則の見直し

（略）児童会・生徒会や保護者会といった場において，校則について確認したり議論したりする機会を設けるなど，絶えず積極的に見直しを行っていくことが求められます。そのためには，校則を策定したり，見直したりする場合にどのような手続きを踏むことになるのか，その過程についても示しておくことが望まれます。

演習問題

【1】「生徒指導提要」（令和４年12月　文部科学省）「第３章　3.1　チーム学校における学校組織」で示されている内容について，誤っているものを，次の選択肢から１つ選び，番号で答えなさい。〔宮崎県〕

1　OECDによる国際教員指導環境調査（TALIS）2018調査結果において，調査参加国中，日本の教員の１週間当たり勤務時間が最長であることが明らかになった。

2　学校における「働き方改革」を実現し，教員の負担の軽減を図りつつ，生徒指導の充実を図ることは，「令和の日本型学校教育」を支えるための重要な要件となっている。

3　教職員がそれぞれの力を発揮し，伸ばしていくことができるようにするために，人材育成の充実や業務改善の取組を進めることが重要な課題となっている。

4　児童生徒の抱える問題や課題が複雑化・多様化するなかで，教員のみならず地域の様々な思いやりのある大人が，教員とともに学校内で連携・協働する体制を形作ることが求められている。

5「チームとしての学校」が機能するためには，校長のリーダーシップが必要であり，トップダウンのピラミッド型組織による生徒指導体制を強化していくことが求められる。

【2】次の①～⑤の文は，「生徒指導提要」（令和４年12月　文部科学省）の「校則の運用・見直し」の内容について述べたものである。内容が正しければ○，誤っていれば×とすると，○×を正しく組み合わせているものはどれか，下のア～オから１つ選びなさい。〔京都府〕

①　児童生徒が遵守すべき学習上，生活上の規律として定められる校則は，児童生徒が健全な学校生活を送り，よりよく成長・発達していくために設けられるものである。

②　校則の在り方は，特に法令上は規定されていない。

③　校則の制定に当たっては，少数派の意見を採用することなく，児童生徒個人の能力や自主性を伸ばすものとなるように配慮することが必要である。

④　校則の内容については，外部の人間が参照できることは好ましくないので，学校のホームページ等で公開してはいけない。

⑤　児童生徒がそれぞれのきまりの意義を理解し，主体的に校則を遵守するようになるために，制定した背景等についても示しておくことが適切であると考えられる。

	①	②	③	④	⑤
ア	○	×	×	○	○
イ	×	×	○	×	○
ウ	○	×	○	×	×
エ	×	○	×	○	×
オ	○	○	×	×	○

【3】「生徒指導提要」（令和４年 12 月改訂　文部科学省）で校則の運用・見直しについての説明として誤りを含むものを，次の１～４のうちから１つ選びなさい。〔宮城県・仙台市〕

1　校則に基づく指導に当たっては，校則を守らせることばかりにこだわらず，何のために設けたきまりであるのか児童生徒が理解できるよう指導することが望まれる。

2　校則に違反した場合には，内省を促すことまではせず，行為を正すことに目的を焦点化して指導することが望まれる。

3　校則の見直しをする場合には，児童生徒や保護者などと確認したり議論したりする機会を設けて進めていくことが望まれる。

4　校則を策定したり，見直したりする場合には，どのような手続きを踏むことになるのか，その過程について示しておくことが望まれる。

P.122～P.123 解答

▶生徒指導提要　第Ⅰ部　第３章　チーム学校による生徒指導体制

【1】5，【2】オ，【3】2

生徒指導提要　第Ⅱ部　個別の課題に対する生徒指導

文部科学省　令和4年12月

本提要の概要

第Ⅱ部 個別の課題に対する生徒指導は，「第4章 いじめ」「第5章 暴力行為」「第6章 少年非行」「第7章 児童虐待」「第8章 自殺」「第9章 中途退学」「第10章 不登校」「第11章 インターネット・携帯電話に関わる問題」「第12章 性に関する課題」「第13章 多様な背景を持つ児童生徒への生徒指導」という10章で構成されている。「第5章 暴力行為」以外の章では，諸々の法律等との位置付けを踏まえ，内容が展開されている。

ココが大事！出題のポイント

第Ⅱ部 個別の課題に対する生徒指導については，広範囲の内容項目であるが，教育課題や施策を概観することで，特に重要な項目を把握することは可能である。

「令和4年度　児童生徒の問題行動・不登校等生徒指導上の諸課題に関する調査結果の概要」（文部科学省　令和5年10月4日）を確認していくと，いじめについて，令和4年度では認知件数・重大事態の件数ともに過去最多である。また，小・中学校における不登校児童生徒数の推移のグラフを参照すると，指数関数的な増加傾向が見られ，こちらも過去最多である。調査結果を踏まえた文部科学省及びこども家庭庁の主な取組には，「不登校対策COCOLOプラン関係」「児童生徒の自殺対策」「いじめ防止に向けた総合的な対策」等が示されている。

◆　過去問の傾向

「第Ⅱ部 個別の課題に対する生徒指導」においては，「第4章 いじめ」や「第10章 不登校」について，過去問での出題が目立つ。

◆　過去問の傾向から見える要点

「第4章 いじめ」においては，「4.2 いじめの防止等の対策のための組織と計画」や「4.3 いじめに関する生徒指導の重層的支援構造」が頻出である。具体的には，「学校いじめ対策組織」「いじめ防止につながる発達支持的生徒指導」といったいじめの防止の観点が重要事項と言える。

「第10章 不登校」においては，「10.1 不登校に関する関連法規・基本指針」や「10.3 不登校に関する生徒指導の重層的支援構造」が頻出である。具体的には，「10.1.1 不登校に関する基本指針の変遷」では，不登校の定義や不登校をめぐる指針の移り変わりについて，「10.1.4 支援の目標」に示された不登校児童生徒への支援の目標については，必ず確認しておきたい。また，「10.3.4 不登校児童生徒支援としての困難課題対応的生徒指導」も教育機会確保法の要点として重要である。

本文（抜粋）

4.2　いじめの防止等の対策のための組織と計画

⑴　組織の構成

（略）組織の構成メンバーは，校長，副校長や教頭，主幹教諭，生徒指導主事，教務主任，学年主任，養護教諭，教育相談コーディネーター，特別支援教育コーディネーターなどから，学校の規模や実態に応じて決定します。さらに，心理や福祉の専門家であるSCやSSW，弁護士，医師，警察官経験者などの外部専門家を加えることで，多角的な視点からの状況の評価や幅広い対応が可能になります。

また，生徒指導部や生徒指導委員会などの既存組織を活用して法に基づく組織として機能させることも可能ですが，学校いじめ対策組織としての会議であるという自覚の下で協議したり，年間計画に位置付けて定例会議として開催したりする必要があります。

4.3.1　いじめ防止につながる発達支持的生徒指導

（略）児童生徒が，「自分の大切さとともに他の人の大切さを認めること」ができる人権感覚を身に付けるように働きかけるためには，教職員が，一人一人の児童生徒が大切にされることを目指す人権教育と生徒指導は密接な関係にあり，いじめ防止につながる相乗的な効果を持つものであることを意識することが必要です。

また，市民性を育む教育を行うことも重要です。いじめ防止につながるという視点からは，発達段階に応じた法教育を通じて，「誰もが法によって守られている」，「法を守ることによって社会の安全が保たれる」という意識を高めるとともに，学校に市民社会のルールを持ち込むことも必要です。その際，児童生徒のみならず，教職員も保護者も，学校に関係する地域の人々も，市民社会のルールを尊重することが求められます。

児童生徒が「多様性を認め，人権侵害をしない人」へと育つためには，学校や学級が，人権が尊重され，安心して過ごせる場となることが必要です。こうした学校・学級の雰囲気を経験することによって，児童生徒の人権感覚や共生感覚は養われます。

したがって，「全ての児童生徒にとって安全で安心な学校づくり・学級づくり」を目指すことも，いじめ防止につながる発達支持的生徒指導と捉えることができます。その際，児童生徒の基本的人権に十分に配慮しつつ，次のような点に留意することが重要です。

10.1.1　不登校に関する基本指針の変遷

不登校は「何らかの心理的，情緒的，身体的あるいは社会的要因・背景により，登校しない，あるいはしたくともできない状況にあるため年間30日以上欠席した者のうち，病気や経済的な理由による者を除いたもの」と定義されています。

不登校が注目され始めたのは昭和30年代半ばで，当初は学校に行けない児童生徒の状態は「学校恐怖症」と呼ばれていました。ところが，その後，学校に行けない児童生徒が増加し，教育問題として注目され始め，呼称は「登校拒否」へと変化しました。

昭和60年代頃までは，神経症的な不登校が中心で，登校時間になると頭痛や腹痛になり登校できない葛藤を抱える児童生徒が多く見られました。こうした状況を理解し対応するために，「登校拒否問題への対応について」の中では，「不登校はどの子にも起こりうる」という視点と，「やみくもに登校刺激を与えるのではなく，待つことが大切」ということが強調されました。

10.1.4　支援の目標

不登校児童生徒への支援の目標は，将来，児童生徒が精神的にも経済的にも自立し，豊かな人生を送れるような，社会的自立を果たすことです。そのため，不登校児童生徒への支援においては，学校に登校するという結果のみを目標とするのではなく，児童生徒が自らの進路を主体的に捉え，社会的自立を目指せるように支援を行うことが求められます。

このことは，「児童生徒一人一人の個性の発見とよさや可能性の伸長と社会的資質・能力の発達を支えると同時に，自己の幸福追求と社会に受け入れられる自己実現を支える」という生徒指導の目的そのものと重なるものであると言えます。

人が社会で充実した人生を歩んでいくためには，自分と関わる人たちとの関係性を保ちながら，自らの意志と判断で主体的に社会に参画していくことができるようになることが重要です。そのため，ここでいう社会的自立は，依存しないことや支援を受けないということではなく，適切に他者に依存したり，自らが必要な支援を求めたりしながら，社会の中で自己実現していくという意味であると捉えることができます。

したがって，不登校で苦しんでいる児童生徒への支援の第一歩は，将来の社会的自立に向けて，現在の生活の中で，「傷ついた自己肯定感を回復する」，「コミュニケーション力やソーシャルスキルを身に付ける」，「人に上手にSOSを出せる」ようになることを身近で支えることに他なりません。

演習問題

【1】「生徒指導提要」（令和４年12月　文部科学省）「第４章　4.2　いじめの防止等の対策のための組織と計画」で示されている内容について，誤っているものを，次の選択肢から１つ選び，番号で答えなさい。〔宮崎県〕

1　学校いじめ対策組織は,学校のいじめ防止基本方針に基づく年間指導計画の作成・実行の中核的役割を果たす。

2　教職員一人一人が，いじめの情報を学校いじめ対策組織に報告・共有する義務がある。

3　生徒指導部や生徒指導委員会などの既存組織を，学校いじめ対策組織と位置付けることは認められていないため，それらとは別に学校いじめ対策組織を置く必要がある。

4　学校いじめ対策組織がいじめの未然防止などを的確に進めるためには，管理職のリーダーシップの下，生徒指導主事などを中心として協働的な指導・相談体制を構築することが不可欠である。

5　学校いじめ対策組織の構成メンバーには，管理職をはじめとした様々な教職員のみならず，弁護士や医師，警察官経験者などの外部専門家を加えることもできる。

【2】次の文章は，「生徒指導提要」（令和４年12月　文部科学省）の「第10章　不登校」の抜粋である。（　a　）～（　c　）にあてはまる語句の組み合わせとして正しいものを，①～⑥の中から一つ選びなさい。〔三重県〕

不登校は「何らかの（　a　）的，情緒的，身体的あるいは社会的要因・背景により，登校しない，あるいはしたくともできない状況にあるため年間（　b　）日以上欠席した者のうち，病気や（　c　）的な理由による者を除いたもの」と定義されています。

	a	b	c
①	発達	60	経済
②	心理	30	発達
③	発達	30	心理
④	心理	60	発達
⑤	心理	30	経済
⑥	発達	60	心理

【3】 次の文は，生徒指導提要（令和４年12月　文部科学省）の一部である。a～e に最も適する語句を下の①～④から１つずつ選びなさい。〔青森県〕

不登校児童生徒への支援の目標は，将来，児童生徒が精神的にも経済的にも自立し，（　a　）を送れるような，社会的自立を果たすことです。そのため，不登校児童生徒への支援においては，学校に登校するという結果のみを目標とするのではなく，児童生徒が（　b　）を主体的に捉え，社会的自立を目指せるように支援を行うことが求められます。

このことは，「児童生徒一人一人の個性の発見と（　c　）の伸長と社会的資質・能力の発達を支えると同時に，自己の幸福追求と社会に受け入れられる自己実現を支える」という生徒指導の目的そのものと重なるものであると言えます。

人が社会で充実した人生を歩んでいくためには，自分と関わる人たちとの関係性を保ちながら，自らの意志と判断で主体的に社会に参画していくことができるようになることが重要です。そのため，ここでいう社会的自立は，依存しないことや支援を受けないということではなく，適切に他者に依存したり，自らが必要な支援を求めたりしながら，社会の中で自己実現していくという意味であると捉えることができます。

したがって，不登校で苦しんでいる児童生徒への支援の第一歩は，将来の社会的自立に向けて，現在の生活の中で，「傷ついた（　d　）を回復する」，「コミュニケーション力や（　e　）を身に付ける」，「人に上手にSOSを出せる」ようになることを身近で支えることに他なりません。その上で，社会的自立に至る多様な過程を個々の状況に応じてたどることができるように支援することが，次の目標になると考えられます。

a	①幸せな生活	②豊かな人生	③自由な暮らし	④明るい未来
b	①自らの夢	②自らの将来	③自らの進路	④自らの人生
c	①生きる力	②よさや可能性	③学力や才能	④特性
d	①自己有用感	②自負心	③克己心	④自己肯定感
e	①自己管理能力	②社会形成能力	③レジリエンス	④ソーシャルスキル

【4】「生徒指導提要（令和４年12月　文部科学省）」では，いじめ防止につながる発達支持的生徒指導について，次のとおり述べられている。文中の（　①　）～（　④　）に入る語句も以下のア～クから一つずつ選び，記号で答えなさい。ただし，同じ番号の（　　）には同じ語句が入る。〔静岡県・静岡市・浜松市〕

児童生徒が，「（　①　）の大切さとともに（　②　）の大切さを認めること」ができる人権（　③　）を身に付けるように働きかけるためには，教職員が，一人一人の児童生徒が大切にされることを目指す人権教育と生徒指導は密接な関係にあり，いじめ防止につながる相乗的な効果を持つものであることを意識することが必要です。

また，市民性を育む教育を行うことも重要です。いじめ防止につながるという視点からは，発達段階に応じた法教育を通じて，「誰もが法によって守られている」，「法を守ることによって社会の安全が保たれる」という意識を高めるとともに，学校に市民社会のルールを持ち込むことも必要です。その際，児童生徒のみならず，教職員も保護者も，学校に関係する地域の人々も，市民社会のルールを尊重することが求められます。

児童生徒が「多様性を認め，人権（　④　）をしない人」へと育つためには，学校や学級が，人権が尊重され，安心して過ごせる場となることが必要です。こうした学校・学級の雰囲気を経験することによって，児童生徒の人権（　③　）や共生（　③　）は養われます。

ア　自分　**イ**　侵害　**ウ**　社会　**エ**　他の人　**オ**　人間　**カ**　相手
キ　感覚　**ク**　差別

P.128～P.130 解答

▶生徒指導提要　第Ⅱ部　個別の課題に対する生徒指導

【1】3，**【2】**⑤，**【3】**a－②　b－③　c－②　d－④　e－④，**【4】**①－ア　②－エ　③－キ　④－イ

不登校児童生徒への支援の在り方について（通知）

文部科学省初等中等教育局長　令和元年 10 月

本通知の概要

令和元年 10 月に文部科学省初等中等教育局長から「不登校児童生徒への支援の在り方について」が全国の都道府県教育委員会教育長及び各指定都市教育委員会教育長，各都道府県知事等に通知された。

不登校とは，年間 30 日以上欠席した者のうち何らかの心理的，情緒的，身体的あるいは社会的要因・背景により，登校しないあるいはしたくともできない状況にあること（ただし，病気や経済的な理由による者を除く）をいう（「児童生徒の問題行動・不登校等生徒指導上の諸課題に関する調査」より）。

本通知の大きな転換点は，「学校復帰」ではなく「社会的自立」になったことにある。通知本文には，「不登校児童生徒への支援は，『学校に登校する』という結果のみを目標にするのではなく，児童生徒が自らの進路を主体的に捉えて，社会的に自立することを目指す必要があること。」と明記されている。本通知により，各教育支援センターも「学校復帰」のみを目指すのではなく，「学校復帰」も含めた「社会的自立」を目指す必要があるということが規定された。

また，学級担任，養護教諭，スクールカウンセラー，スクールソーシャルワーカー等の学校関係者が中心となり，児童生徒や保護者と話し合うなどして「児童生徒理解・支援シート」を作成することが望ましいとされた。

不登校支援で大切なことが，「不登校は問題行動ではない」という理解である。学校・教職員が不登校で苦しんでいる児童生徒に共感的に寄り添い，根強く支援を続けることが必要である。

ココが大事！ 出題のポイント

◆ **過去問の傾向**

本通知で明記された民間団体等との連携の強化や ICT，夜間中学を活用した取組について，過去問では多く出題されている。

◆ **支援の目標が変更**

不登校児童生徒への支援の目標が，「学校に登校する」という結果ではなく，児童生徒の「社会的に自立する」ことにあることや，いじめられている児童生徒の緊急避難としての欠席が弾力的に認められていることなども多く出題されているので，確実に理解をしておきたい。

※なお，過去問の中には「不登校児童生徒への支援に関する最終報告」も散見されるため，上記の報告の内容もおさえておくとよい。

本文（抜粋）

1　不登校児童生徒への支援に対する基本的な考え方

⑴　支援の視点

不登校児童生徒への支援は，「学校に登校する」という結果のみを目標にするのではなく，児童生徒が自らの進路を主体的に捉えて，社会的に自立することを目指す必要があること。また，児童生徒によっては，不登校の時期が休養や自分を見つめ直す等の積極的な意味を持つことがある一方で，学業の遅れや進路選択上の不利益や社会的自立へのリスクが存在することに留意すること。

⑵　学校教育の意義・役割

特に義務教育段階の学校は，各個人の有する能力を伸ばしつつ，社会において自立的に生きる基礎を養うとともに，国家・社会の形成者として必要とされる基本的な資質を培うことを目的としており，その役割は極めて大きいことから，学校教育の一層の充実を図るための取組が重要であること。また，不登校児童生徒への支援については児童生徒が不登校となった要因を的確に把握し，学校関係者や家庭，必要に応じて関係機関が情報共有し，組織的・計画的な，個々の児童生徒に応じたきめ細やかな支援策を策定することや，社会的自立へ向けて進路の選択肢を広げる支援をすることが重要であること。さらに，既存の学校教育になじめない児童生徒については，学校としてどのように受け入れていくかを検討し，なじめない要因の解消に努める必要があること。

また，児童生徒の才能や能力に応じて，それぞれの可能性を伸ばせるよう，本人の希望を尊重した上で，場合によっては，教育支援センターや不登校特例校，ICT を活用した学習支援，フリースクール，中学校夜間学級（以下，「夜間中学」という。）での受入れなど，様々な関係機関等を活用し社会的自立への支援を行うこと。

その際，フリースクールなどの民間施設や NPO 等と積極的に連携し，相互に協力・補完することの意義は大きいこと。

⑶　不登校の理由に応じた働き掛けや関わりの重要性

不登校児童生徒が，主体的に社会的自立や学校復帰に向かうよう，児童生徒自身を見守りつつ，不登校のきっかけや継続理由に応じて，その環境づくりのために適切な支援や働き掛けを行う必要があること。

⑷　家庭への支援

家庭教育は全ての教育の出発点であり，不登校児童生徒の保護者の個々の状況に応じた働き掛けを行うことが重要であること。また，不登校の要因・背景によっては，福祉や医療機関等と連携し，家庭の状況を正確に把握した上で適切な支援や働き掛けを行う必要があるため，家庭と学校，関係機関の連携を図ることが不可欠であること。その際，保護者と課題意識を共有して一緒に取り組むという信頼関係をつくることや，訪問型支援による保護者への支援等，保護者が気軽に相談できる体制を整えることが重要であること。

2　学校等の取組の充実

(1)「児童生徒理解・支援シート」を活用した組織的・計画的支援

不登校児童生徒への効果的な支援については，学校及び教育支援センターなどの関係機関を中心として組織的・計画的に実施することが重要であり，また，個々の児童生徒ごとに不登校になったきっかけや継続理由を的確に把握し，その児童生徒に合った支援策を策定することが重要であること。その際，学級担任，養護教諭，スクールカウンセラー，スクールソーシャルワーカー等の学校関係者が中心となり，児童生徒や保護者と話し合うなどして，「児童生徒理解・支援シート（参考様式）※」（以下「シート」という。）を作成することが望ましいこと。これらの情報は関係者間で共有されて初めて支援の効果が期待できるものであり，必要に応じて，教育支援センター，医療機関，児童相談所等，関係者間での情報共有，小・中・高等学校間，転校先等との引継ぎが有効であるとともに，支援の進捗状況に応じて，定期的にシートの内容を見直すことが必要であること。また，校務効率化の観点からシートの作成に係る業務を効率化するとともに，引継ぎに当たって個人情報の取扱いに十分留意することが重要であること。

なお，シートの作成及び活用に当たっては，「児童生徒理解・支援シートの作成と活用について※」を参照すること。

(2) 不登校が生じないような学校づくり

1．魅力あるよりよい学校づくり

児童生徒が不登校になってからの事後的な取組に先立ち，児童生徒が不登校にならない，魅力ある学校づくりを目指すことが重要であること。

編注）※については，文部科学省より本通知の（別添1）（別添2）として発出されている。HPなどで参照のこと。

演習問題

【1】 次の文は，令和元年 10 月 25 日に文部科学省が通知した「不登校児童生徒への支援の在り方について（通知）」の内容の一部である。（　①　）～（　③　）に当てはまる語句の組合せとして適切なものは，下の1～5のうちどれか。〔新潟県〕

不登校児童生徒への支援は，「学校に登校する」という結果のみを目標にするのではなく，児童生徒が自らの進路を（　①　）に捉えて，社会的に自立することを目指す必要があること。また，児童生徒によっては，不登校の時期が休養や（　②　）を見つめ直す等の積極的な意味を持つことがある一方で，学業の遅れや（　③　）上の不利益や社会的自立へのリスクが存在することに留意すること。

1　①　客観的　　②　自分　　③　進路選択
2　①　主体的　　②　自分　　③　進路選択
3　①　主体的　　②　学校生活　　③　進路選択
4　①　客観的　　②　学習成果　　③　社会生活
5　①　主体的　　②　自分　　③　社会生活

【2】 次の文は，「不登校児童生徒への支援の在り方について（通知）」（令和元年　文部科学省）の「1　不登校児童生徒への支援に対する基本的な考え方」の一部である。これを読んで，問1，問2に答えなさい。〔北海道・札幌市〕

(2)　学校教育の意義・役割

（前略）また，不登校児童生徒の支援については児童生徒が不登校となった要因を的確に把握し，学校関係者や家庭，必要に応じて関係機関が情報共有し，（　1　）な，個々の児童生徒に応じたきめ細やかな支援策を策定することや，社会的自立へ向けて進路の選択肢を広げる支援をすることが重要であること。さらに，既存の学校教育になじめない児童生徒については，学校としてどのように受け入れていくかを検討し，なじめない要因の解消に努める必要があること。

また，児童生徒の（　2　）に応じて，それぞれの可能性を伸ばせるよう，本人の希望を尊重した上で，場合によっては，教育支援センターや不登校特例校，ICT を活用した学習支援，フリースクール，中学校夜間学級（以下，「夜間中学」という。）での受入れなど，様々な関係機関等を活用し社会的自立への支援を行うこと。（後略）

問1（　1　），（　2　）に当てはまる適切な語句の組合せを選びなさい。

ア　1―組織的・計画的　　2―発達の段階
イ　1―組織的・計画的　　2―才能や能力

ウ　1―組織的・計画的　　2―学習の状況
エ　1―多面的・多角的　　2―発達の段階
オ　1―多面的・多角的　　2―才能や能力

問2　下線部に関して，中学校学習指導要領解説　総則編（平成29年　文部科学省）第3章「教育課程の編成及び実施」の「第4節　生徒の発達の支援」に示されている内容として，適切なものの組合せを選びなさい。

① 不登校は，取り巻く環境によっては，どの生徒にも起こり得ることとして捉える必要がある。
② 不登校とは，多様な要因・背景により，結果として不登校状態になっているということであり，その行為を「問題行動」と捉えて対応する必要がある。
③ 不登校生徒への支援の際は，不登校のきっかけや継続理由，学校以外の場において行っている学習活動の状況等について，家庭訪問も含めた継続的な把握が必要である。
④ いじめられている生徒の緊急避難としての欠席が弾力的に認められてもよく，そのような場合には，その後の学習に支障がないように配慮する必要がある。
⑤ 個々の生徒の状況に関わらず，すべての生徒が登校できることを目標とし，生徒が自らの進路を主体的に捉えて，社会的に自立することを目指す必要がある。

ア　①②⑤　　イ　①③④　　ウ　①③⑤　　エ　②③④　　オ　②④⑤

【3】 令和元年10月25日に，文部科学省初等中等教育局長より「不登校児童生徒への支援の在り方について」が通知されました。この通知に記された「1　不登校児童生徒への支援に対する基本的な考え方」の内容について，次のA～Dの文の内容が正しいものには○印，正しくないものには×印を書きなさい。〔岩手県〕

A　不登校児童生徒への支援は，「学校に登校する」という結果のみを目標にするのではなく，児童生徒が自らの進路を主体的に捉えて，社会的に自立することを目指す必要があること。
B　既存の学校教育になじめない児童生徒については，学校としてどのように受け入れていくかを検討するが，登校している多数の児童生徒が混乱しないよう，なじめない要因の解消に注力することのないように留意すること。
C　児童生徒の才能や能力に応じて，それぞれの可能性を伸ばせるよう，本人の希望を尊重した上で，場合によっては，教育支援センターや不登校特例校，ICTを活用した学習支援，フリースクール，中学校夜間学級での受入れなど，様々な関係機関等を活用し社会的自立への支援を行うこと。

D　不登校児童生徒が，家庭に引きこもることのないよう，児童生徒自身を見守りつつ，適切な支援や働き掛けを行う必要があること。ただし，社会的自立や学校復帰を目標にするのではなく，あくまでも児童生徒の意向に沿う支援を行うこと。

【4】　次のA～Dの各文について，「不登校児童生徒への支援の在り方について（通知）」（令和元年 10 月　文部科学省初等中等教育局長）に示されている内容として正しいものを○，誤っているものを×としたとき，正しい組み合わせを，下の①～⑤の中から 1 つ選べ。〔和歌山県〕

A　不登校は，学業の遅れや進路選択上の不利益といったキャリア形成上のリスクとなるため，不登校児童生徒本人にとって，何ら積極的な意味はない。

B　不登校のきっかけは教師と児童生徒の人間関係の問題から生じることが大半であるため，不登校の児童生徒に対しては，学習内容を確実に身に付けることができるよう，個に応じた指導の充実を図ることが望まれる。

C　不登校児童生徒への支援は，「学校に登校する」という結果のみを目標にするのではなく，児童生徒が自らの進路を主体的に捉えて，社会的に自立することを目指す必要がある。

D　不登校児童生徒に対しては，ICT を活用した学習支援や教育支援センター，不登校特例校，フリースクール等の様々な関係機関等を，本人の希望を尊重した上で，場合によっては活用することが望まれる。

	A	B	C	D
①	○	×	○	×
②	×	×	○	×
③	×	○	×	○
④	○	○	×	○
⑤	×	×	○	○

P.134～P.136 解答

▶不登校児童生徒への支援の在り方について（通知）

【1】 2，**【2】** 問１ーイ　問２ーイ，**【3】** Aー○　Bー×　Cー○　Dー×，**【4】** ⑤

誰一人取り残されない学びの保障に向けた不登校対策について（通知）

文部科学省初等中等教育局長　令和５年３月

本通知の概要

本通知は，近年の不登校児童生徒数及び指導等状況を受けて取りまとめられた「誰一人取り残されない学びの保障に向けた不登校対策」（COCOLO プラン）を踏まえ，不登校対策の一層の充実に向けた取組を速やかに推進するために出された通知である。また，COCOLO プランは，「不登校児童生徒への支援の在り方について」（令和元年 10 月 25 日付け文部科学省初等中等教育局長通知）等において示されている不登校児童生徒への支援に対する基本的な考え方を変更するものではないことも申し添えられている。

ココが大事！ 出題のポイント

本通知は，前述した「不登校児童生徒への支援の在り方について」や「誰一人取り残されない学びの保障に向けた不登校対策」（COCOLO プラン）と強く関連があるため，本通知だけでなく，関連資料や別添資料も押さえておきたい。

◆ 過去問の傾向

本通知においては，通知と関連する「教育機会確保法」に加え，「不登校の現状（前文）」や「1．不登校児童生徒が学びたいと思った時に学べる環境の整備」について，過去問での出題がある。

◆ 過去問の傾向から見える要点

不登校児童生徒への支援については，従来から支援が行われてきているが，学校内外の専門機関等で相談・指導等を受けていない小・中学生が約 4.6 万人に上ることが明らかとなった。この状況を受けて，文部科学省では，COCOLO プランを取りまとめた。こうした経緯を踏まえると，不登校児童生徒が不登校により学びにアクセスできない現状をなくしていくことを目指していることが分かる。生徒指導提要（令和４年 12 月）を踏まえて本通知の位置付けを読み解くのであれば，「不登校に関する生徒指導の重層的支援構造」の中の「困難課題対応的生徒指導」に位置づくものが多く見られる。具体的には，「1．不登校児童生徒が学びたいと思った時に学べる環境の整備」として，（1）不登校特例校の設置，（2）校内教育支援センターの設置，（3）教育支援センターの支援機能等の強化，（7）改めて中学校等で学び直すことを希望する者への支援といった項目が重要と言える。

本文（抜粋）

不登校児童生徒への支援につきましては，義務教育の段階における普通教育に相当する教育の機会の確保等に関する法律等に基づき，関係者において様々な努力がなされ，児童生徒の社会的自立に向けた支援が行われてきておりますが，近年，不登校児童生徒数が増加し続け，令和３年度「児童生徒の問題行動・不登校等生徒指導上の諸課題に関する調査」では，小学校及び中学校で約 24.5 万人，高等学校を合わせると約 30 万人に上り過去最高となるなど，生徒指導上の喫緊の課題となっております。また，同調査からは，90 日以上の不登校であるにもかかわらず，学校内外の専門機関等で相談・指導等を受けていない小・中学生が約 4.6 万人に上ることも明らかとなっています。

１．不登校児童生徒が学びたいと思った時に学べる環境の整備

児童生徒が不登校になった場合でも，小・中・高等学校等を通じて，学びたいと思った際に多様な学びにつながることができるよう，不登校児童生徒の個々のニーズに応じた受け皿を整備するとともに，教育支援センターが地域の拠点となって，児童生徒や保護者に必要な支援を行うことが重要であること。

(1) 不登校特例校の設置

不登校児童生徒を受け入れる不登校特例校については，令和５年３月現在，全国で 21 校の設置に留まっているが，文部科学省では今後早期に全ての都道府県・政令指定都市に設置されることを目指すとともに，将来的には希望する児童生徒が居住地によらず通えるよう，分教室型も含め全国 300 校の設置がなされることを目指しており，各設置者においても，分教室型を含めた設置に向けた取組が期待されること。

各都道府県においては，自ら不登校特例校を設置するほか，域内の市町村において不登校特例校の設置に向けた意向があった場合の相談･支援や，市町村間の連絡･調整など域内全体の不登校児童生徒を支援できるよう，広域の地方公共団体として積極的な役割を果たすことが求められること。

さらに，不登校特例校の運営にあたっては，不登校児童生徒への支援の知見や実績を有する NPO やフリースクール等の民間施設との人事交流等を通して，必要な体制の構築やノウハウの共有を行うとともに，他の学校に対しても，不登校児童生徒への支援に関する助言やノウハウの普及を行うことが望まれること。

⑵　校内教育支援センター（スペシャルサポートルーム等）の設置

自分の学級に入りづらい児童生徒については，学校内に，落ち着いた空間の中で自分に合ったペースで学習・生活できる環境があれば，学習の遅れやそれに基づく不安も解消され，早期に学習や進学に関する意欲を回復しやすい効果が期待される。

このため，各学校において，支援スタッフ等の活用や学校ボランティア等の協力も得つつ，空き教室や空いているスペースを利用する等して，こうした機能を有する校内教育支援センター（スペシャルサポートルーム等）を設置することが望まれること。

⑶　教育支援センターの支援機能等の強化

教育支援センターには，不登校児童生徒本人への支援に留まらず，その保護者が必要とする相談場所や保護者の会等の情報提供や，域内の様々な学びの場や居場所につながることができるようにするための支援等を行うことが期待されること。

また，不登校児童生徒への支援の知見や実績を有するNPOやフリースクール等の民間施設のノウハウを取り入れた支援が行えるよう，業務委託や人事交流等を通したNPOやフリースクール等との連携を強化することも効果的であると考えられること。

⑺　改めて中学校等で学び直すことを希望する者への支援

不登校等によって実質的に義務教育を十分に受けられないまま中学校等を卒業した者のうち，改めて中学校等で学び直すことを希望する者については，「義務教育修了者が中学校夜間学級への再入学を希望した場合の対応に関する考え方について」(平成27年7月30日付け文部科学省初等中等教育局初等中等教育企画課長通知）に基づき，一定の要件の下，夜間中学での受入れを可能とすることが適当であることから，夜間中学が設置されている地域においては，卒業時に夜間中学の意義や入学要件等について生徒及び保護者に説明しておくことが考えられること。

2．不登校児童生徒の保護者への支援

不登校児童生徒の早期支援のためには，その保護者が悩みを抱えて孤立せず，適切な情報や支援を得られるようにすることが重要である。(略)

また，学校と地域・関係機関の連携・協働や平素からの保護者間の関係づくりを促すため，(略) 保護者の不安を和らげられるよう，スクールカウンセラーやスクールソーシャルワーカーが関係機関等と連携して保護者を重層的に支援することが望ましいこと。

演習問題

【1】 下の文は，「誰一人取り残されない学びの保障に向けた不登校対策について（通知）」（令和５年３月31日　文部科学省）の一部である。次の問いに答えよ。〔奈良県・大和高田市〕

不登校児童生徒への支援につきましては，①義務教育の段階における普通教育に相当する教育の機会の確保等に関する法律等に基づき，関係者において様々な努力がなされ，児童生徒の社会的自立に向けた支援が行われてきておりますが，近年，不登校児童生徒数が増加し続け，令和３年度「児童生徒の問題行動・不登校等生徒指導上の諸課題に関する調査」では，小学校及び中学校で約24.5万人，高等学校を合わせると約30万人に上り過去最高となるなど，生徒指導上の喫緊の課題となっております。また，同調査からは，90日以上の不登校であるにもかかわらず，学校内外の専門機関等で相談・指導等を受けていない小・中学生が約（　②　）人に上ることも明らかとなっています。

こうした状況を受けて，文部科学省では，このたび永岡文部科学大臣の下，別添のとおり，③「誰一人取り残されない学びの保障に向けた不登校対策」（COCOLOプラン）を取りまとめました。

⑴　下線部①の義務教育の段階における普通教育に相当する教育の機会の確保等に関する法律第３条に挙げられる同法の基本理念に照らして誤りのあるものを１～６から１つ選べ。

1　全ての児童生徒が豊かな学校生活を送り，安心して教育を受けられるよう，学校における環境の確保が図られるようにする。

2　不登校児童生徒が行う学習活動の傾向を踏まえ，全国で統一された基準的な支援が行われるようにする。

3　不登校児童生徒が安心して教育を受けられるよう，学校における環境の整備が図られるようにする。

4　義務教育の段階における普通教育に相当する教育を十分に受けていない者の意思を十分に尊重しつつ，その年齢又は国籍その他の置かれている事情にかかわりなく，その能力に応じた教育を受ける機会が確保されるようにする。

5　義務教育の段階における普通教育に相当する教育を十分に受けていない者がその教育を通じて，社会において自立的に生きる基礎を培い，豊かな人生を送ることができるよう，その教育水準の維持向上が図られるようにする。

6　国，地方公共団体，教育機会の確保等に関する活動を行う民間の団体その他の関係者の相互の密接な連携の下に行われるようにする。

⑵　文中の（　②　）に当てはまる数はどれか。１～６から１つ選べ。

1　600　　2　2千　　3　8千　　4　4.6万　　5　10.5万　　6　30万

(3) 同通知および下線部③で示される対策（プラン）について，次の（　　　）に当てはまる語句はどれか。1～6から1つ選べ。

児童生徒が不登校になった場合でも，小・中・高等学校等を通じて，（　　　）多様な学びにつながることができるよう，不登校児童生徒の個々のニーズに応じた受け皿を整備するとともに，教育支援センターが地域の拠点となって，児童生徒や保護者に必要な支援を行うことが重要である。

1　学びたいと思った際に	2　上級の学校へ進学するために
3　保護者の意向に即して	4　児童生徒が希望する
5　学校の教員が自宅を訪問するなどして	6　体験的な活動を伴う

【2】「誰一人取り残されない学びの保障に向けた不登校対策について（通知）」（4文科初第2817号）（令和5年3月31日　文部科学省）で示されている内容について，誤っているものを，次の選択肢から1つ選び，番号で答えなさい。〔宮崎県〕

1　不登校特例校が今後早期に全ての都道府県・政令指定都市に設置され，将来的には分教室型も含め全国300校の設置がなされることを目指すこと。

2　学校の空き教室等に，校内教育支援センター（スペシャルサポートルーム等）を設置することが望まれること。

3　教育支援センターには，不登校児童生徒本人への支援に留まらず，その保護者が必要とする相談場所や保護者の会等の情報提供といった支援を行うことも期待されること。

4　不登校児童生徒が自宅等においてICT等を活用した学習活動について，一定の要件を満たせば，可能な限り指導要録上出席扱いとすることが望ましいこと。

5　不登校児童生徒への支援の知見や実績を有するNPOやフリースクール等の民間施設が，学校としての設置認可を受けられるよう，各都道府県・政令指定都市が積極的に支援することが期待されること。

P.140～P.141 解答

▶誰一人取り残されない学びの保障に向けた不登校対策について（通知）

【1】(1)－2　(2)－4　(3)－1，【2】5

不登校に関する調査研究協力者会議報告書～今後の不登校児童生徒への学習機会と支援の在り方について～

不登校に関する調査研究協力者会議　令和４年６月

本報告書の概要

本報告書は，「教育機会確保法」等の趣旨が正しく理解され実践されているかを見直すとともに，新たに付加すべき視点がないかについても整理し，優先的・重点的に実施すべき方策はなにかを整理・検討した上で，取組を着実に進めることが必要との認識をもち，まとめられたものである。

内容としては，「はじめに」「不登校の現状と実態把握」「今後重点的に実施すべき施策の方向性」「おわりに」で構成されている。

ココが大事！ 出題のポイント

本報告書は，「教育機会確保法」等の趣旨の見直し・整理をしつつまとめられたものであることから，「教育機会確保法」の基本理念を押さえてから，本報告書の内容を押さえることが望ましい。

◆ 過去問の傾向

本報告書においては，「3．（2）困難を抱える児童生徒に対する支援ニーズの早期把握」に関する出題や，「3．（3）不登校児童生徒の多様な教育機会の確保」についての出題が見られる。

◆ 過去問の傾向から見える要点

出題については上記に示したところであるが，共通するのは，教育機会確保法の趣旨及び基本指針における基本的な考え方を押さえているかが問われる点である。この基本的な考え方に基づく対応が十分に浸透しているとは言い難い状況であると本報告書に明記されていることからも，重要な内容と言える。

また，「3．今後重点的に実施すべき施策の方向性」として，（1）誰一人取り残されない学校づくり，（2）困難を抱える児童生徒に対する支援ニーズの早期把握，（3）不登校児童生徒の多様な教育機会の確保，（4）不登校児童生徒の社会的自立を目指した中長期的支援が挙げられている。この内容は本報告書の中核となる内容であるため，（2）（3）に限らず，確実に押さえておきたい。

特に（2）困難を抱える児童生徒に対する支援ニーズの早期把握においては，誰が・どの場で・何をするのかについても押さえておく必要がある。学校が中心で担うものなのか，関係機関と連携して担うものなのかという視点や，支援ニーズを確認するのに適した会議等はどういったものがあるかという視点での把握が求められる。

本文（抜粋）

3．今後重点的に実施すべき施策の方向性

⑴　誰一人取り残されない学校づくり

○　全ての学校や教職員が，教育機会確保法の趣旨及び基本指針における，「不登校は，取り巻く環境によっては，どの児童生徒にも起こり得るものとして捉え，不登校というだけで問題行動であると受け取られないよう配慮し，児童生徒の最善の利益を最優先に支援を行うことが重要」「登校という結果のみを目標にするのではなく，児童生徒が自らの進路を主体的に捉えて，社会的に自立することを目指す必要がある」「不登校児童生徒の意思を十分に尊重しつつ，その状況によっては休養が必要な場合があることも留意しつつ，個々の児童生徒の状況に応じた支援を行うこと」等の基本的な考え方をしっかり理解した上で対応を行うことが求められる。

⑵　困難を抱える児童生徒に対する支援ニーズの早期把握

○　不登校の背景や要因が多岐に渡る中，予兆を含め学校に行きづらい等初期の段階で不登校傾向の児童生徒に気付き，適切に支援していくことは，その後の学習の遅れや生活の乱れ等を回避し，児童生徒の学ぶ機会の保障や将来の社会的自立にもつながる。また，児童生徒が安心して過ごせるためには，学校生活だけでなく家庭生活も重要な要素であり，例えば児童虐待やヤングケアラー等児童生徒の生活面に社会的課題がある場合では，学校と SSW が連携して課題を抱える児童生徒を把握し関係機関と連携するなど，安定した生活が送れ，学習が保障されるよう環境調整を行う役割が求められている。さらに，実態調査によると，低学年の時期に不登校になった児童生徒は，自ら支援を求める意識がより低いため，積極的な把握が求められる。そのためには，個々の児童生徒の状況や支援ニーズについて，児童生徒の日頃の状況を良く把握している学級担任や養護教諭，生徒指導担当教諭や教育相談担当教諭等とともに，SC や SSW 等の専門家が連携し，学校や児童生徒への的確なアセスメント（見立て）を行い，ケース会議等において支援の在り方を検討するなど，効果的な教育相談体制の構築が重要である。また，ネットゲーム等による生活習慣の乱れが不登校の前後を通じて児童生徒に与える影響等についても調査研究を実施する等，アセスメントを後押しするような知見の蓄積も必要である。

○　なお，低学年の不登校児童生徒への支援については，幼稚園・保育所・認定こども園（以下「幼児教育施設」という。）における幼児教育から小学校教育との

円滑な接続が重要である。子どもの発達や学びが連続するよう，幼児教育施設と小学校の教職員が教育課程編成・指導計画作成等を工夫するとともに，子どもが抱えている課題，学習や生活で感じている困難さについて早期に把握し，支援につなげていく必要がある。

○　児童生徒が学校や教室に居づらくなったり落ち着かない時など，不登校の兆候がある早期段階において，学校内に安心して心を落ち着ける場所があり，児童生徒のペースで個別の学習支援や相談支援を行うことができれば，学習の遅れやそれに基づく不安も解消され，早期に学習や進学に関する意欲を回復しやすい効果が期待される。都道府県・市町村教育委員会等の主導の下，オンラインやICTの活用も視野に入れつつ，校内の別室を活用して「校内教育支援センター（いわゆる校内適応指導教室）」などを設置し，退職教員やSC等を活用した，学習支援や相談を行う等，特色ある取組を進めているところであり，不登校になる前の支援策の１つとして効果が期待される。

(3)　不登校児童生徒の多様な教育機会の確保

○　不登校の背景や要因は多岐に渡り，個々の児童生徒の状況も多様である。学校には行けるが休みがちである者，教室には入れず別室による指導を希望する者，在籍校には行けずに教育支援センターによる個別指導を受けたい者，別の学校で学習したい者，フリースクール等の民間施設に通いたい者，自宅においてICTを活用した学習・相談を希望する者など，教育機会確保法が求める国・地方公共団体・民間団体等の連携を促進し，それぞれの児童生徒の状況に応じ様々な支援が可能となるような多様な学習機会・教育機会の確保を図っていくことが求められている。さらに，児童生徒の心の状況も折々で変化する。そのため，児童生徒や保護者に一番近い在籍校等は，児童生徒の状況を継続的に確認しつつ，教育委員会・教育支援センター等と連携して，不登校児童生徒及びその保護者に応じて，校内の別室指導や教育支援センターによる支援を提案したり，フリースクール等の民間団体の支援の紹介，自宅におけるICTを活用した学習支援の提案等，子どもの主体性を尊重した情報提供を行っていくことが重要である。また，それを含めて，教育委員会・教育支援センターは，各在籍校を支えつつ，域内の不登校児童生徒や保護者を支える中核としての機能強化が求められる。その意味でも国・地方公共団体や学校とフリースクール等民間団体との連携は必要不可欠であり，関係団体等が連携した教職員向け研修会，保護者向け学習会の実施等は今後も積極的に進めていく必要がある。

演習問題

【1】 次の文章は，「不登校に関する調査研究協力者会議報告書　～今後の不登校児童生徒への学習機会と支援の在り方について～（不登校に関する調査研究協力者会議　令和４年６月）」の一部である。（　A　）～（　D　）に当てはまる語句の組合せとして正しいものを，次の①～⑤の中から一つ選べ。〔岐阜県〕

不登校の（　A　）は多岐に渡り，個々の児童生徒の状況も多様である。学校には行けるが休みがちである者，教室には入れず別室による指導を希望する者，在籍校には行けずに教育支援センターによる（　B　）を受けたい者，別の学校で学習したい者，（　C　）等の民間施設に通いたい者，自宅においてICTを活用した学習・相談を希望する者など，（　D　）が求める国・地方公共団体・民間団体等の連携を促進し，それぞれの児童生徒の状況に応じ様々な支援が可能となるような多様な学習機会・教育機会の確保を図っていくことが求められている。

①	A	背景や要因	B	健康相談	C	フリースクール	D	社会教育法
②	A	背景や要因	B	個別指導	C	フリースクール	D	教育機会確保法
③	A	現れ方	B	個別指導	C	不登校特例校	D	社会教育法
④	A	現れ方	B	健康相談	C	不登校特例校	D	教育機会確保法
⑤	A	背景や要因	B	個別指導	C	不登校特例校	D	教育機会確保法

【2】 次の①～⑤の文章は，「不登校に関する調査研究協力者会議報告書　～今後の不登校児童生徒への学習機会と支援の在り方について～」（令和４年６月）の「不登校傾向のある児童生徒の早期発見及び支援ニーズの適切な把握」の内容について述べたものである。内容が正しければ○，誤っていれば×とすると，○×を正しく組み合わせているものはどれか，下のア～オから１つ選びなさい。〔京都府〕

① 不登校の背景や要因が多岐に渡る中，予兆を含め学校に行きづらい等初期の段階で不登校傾向の児童生徒に気付き，適切に支援していくことは，その後の学習の遅れや生活の乱れ等を回避し，児童生徒の学ぶ機会の保障や将来の社会的自立にもつながる。

② 児童生徒が安心して過ごせるためには，学校生活だけでなく家庭生活も重要な要素であり，例えば児童虐待やヤングケアラー等児童生徒の生活面に社会的課題がある場合では，学校とスクールカウンセラーが連携して課題を抱える児童生徒を把握し関係機関と連携するなど，安定した生活が送れ，生計が保障されるよう環境調整を行う役割が求められている。

③ 実態調査によると，低学年の時期に不登校になった児童生徒は，自ら支援を求め

る意識がより低いため，積極的な把握が求められる。そのためには，個々の児童生徒の状況や支援ニーズについて，児童生徒の日頃の状況を良く把握している学級担任や養護教諭，生徒指導担当教諭や教育相談担当教諭等とともに，スクールカウンセラーやスクールソーシャルワーカー等の専門家が連携し，学校や児童生徒への的確なアセスメント（見立て）を行い，職員会議等において支援の在り方を検討するなど，効果的な教職員体制の構築が重要である。

④ ネットゲーム等による生活習慣の乱れが不登校の前後を通じて児童生徒に与える影響等についても調査研究を実施する等，アセスメントを後押しするような知見の蓄積も必要である。

⑤ 低学年の不登校児童生徒への支援については，幼稚園・保育所・認定こども園（以下「幼児教育施設」という。）における幼児教育から小学校教育との円滑な接続が重要である。子どもの発達や学びが連続するよう，幼児教育施設と小学校の教職員が教育課程編成・指導計画作成等を工夫するとともに，子どもが抱えている課題，学習や生活で感じている困難さについて早期に把握し，支援につなげていく必要がある。

	①	②	③	④	⑤
ア	○	○	×	×	×
イ	×	×	○	○	○
ウ	○	×	×	○	○
エ	×	○	×	×	○
オ	○	×	○	×	×

P.146～P.147 解答

▶不登校に関する調査研究協力者会議報告書

【1】②，【2】ウ

いじめの防止等のための基本的な方針

文部科学大臣決定　平成25年10月・平成29年3月最終改定

本方針の概要

本方針では，いじめ防止対策推進法の第11条第1項の規定に基づき，いじめ防止等のための対策を総合的かつ効果的に推進するために「いじめの防止等のための基本的な方針」が策定された。また学校は，「学校いじめ防止基本方針」を策定する義務がある。

もとより，いじめは絶対に許されないものであることを，教師は心に強くもたなければいけない。一方で，いじめは常に存在しているという心構えも必要である。本方針でも，いじめは，どこでも，誰でも起こりうるものととらえることの必要性が強調されている。例えば，旧方針では「けんか」がいじめの定義から除かれていたが，被害性に着目し，いじめに該当するか否かを判断するように記述が改正された。また，学校全体で防止にあたること，早期発見に取り組むとともに，迅速に対処することが明記されている。

いじめは，教師が一人で抱え込み，対応することは困難であり，より問題を複雑化する危険性もある。こうした傾向を受けて，心理や福祉の専門家とともに「学校いじめ対策組織」を置き，組織対応をすることが求められている。

ココが大事！出題のポイント

1．いじめの早期発見，迅速な対処

過去問題で多く問われているのが，いじめに対する早期発見や迅速な対処である。これは，いじめ防止対策推進法第8条の規定を受けて，本方針では，より具体的な方策を示されているので，条文で確認をしておきたい。

また，ささいな兆候であっても，積極的にいじめを認知することの必要性も，本方針では定められており，そのことも多く出題されている。

2．いじめ対策組織の構成員

上記の概要でも触れたように，学校は「学校いじめ対策組織」を置くことが求められる。その構成員についても，問われることがあるので，確認が必要である。

いじめ自体は，過去の教員採用試験の問題を見ても必須の項目である。教師を目指す人たちが一人でも多く本方針をよく読み，正しい理解と迅速な対処を，学校現場で実践できるようになってほしい。

本文（抜粋）

第１　いじめの防止等のための対策の基本的な方向に関する事項

１　いじめ防止対策推進法制定の意義

いじめの問題への対応は学校における最重要課題の一つであり，一人の教職員が抱え込むのではなく，学校が一丸となって組織的に対応することが必要である。また，関係機関や地域の力も積極的に取り込むことが必要であり，これまでも，国や各地域，学校において，様々な取組が行われてきた。しかしながら，未だ，いじめを背景として，児童生徒の生命や心身に重大な危険が生じる事案が発生している。

大人社会のパワーハラスメントやセクシュアルハラスメントなどといった社会問題も，いじめと同じ地平で起こる。いじめの問題への対応力は，我が国の教育力と国民の成熟度の指標であり，子供が接するメディアやインターネットを含め，他人の弱みを笑いものにしたり，暴力を肯定していると受け取られるような行為を許容したり，異質な他者を差別したりといった大人の振る舞いが，子供に影響を与えるという指摘もある。

いじめから一人でも多くの子供を救うためには，子供を取り囲む大人一人一人が，「いじめは絶対に許されない」，「いじめは卑怯な行為である」，「いじめはどの子供にも，どの学校でも，起こりうる」との意識を持ち，それぞれの役割と責任を自覚しなければならず，いじめの問題は，心豊かで安全・安心な社会をいかにしてつくるかという，学校を含めた社会全体に関する国民的な課題である。このように，社会総がかりでいじめの問題に対峙するため，基本的な理念や体制を整備することが必要であり，平成25年6月，「いじめ防止対策推進法」が成立した。

２　いじめの防止等の対策に関する基本理念

いじめは，全ての児童生徒に関係する問題である。いじめの防止等の対策は，全ての児童生徒が安心して学校生活を送り，様々な活動に取り組むことができるよう，学校の内外を問わず，いじめが行われなくなるようにすることを旨として行われなければならない。

また，全ての児童生徒がいじめを行わず，いじめを認識しながら放置することがないよう，いじめの防止等の対策は，いじめが，いじめられた児童生徒の心身に深刻な影響を及ぼす許されない行為であることについて，児童生徒が十分に理解できるようにすることを旨としなければならない。

加えて，いじめの防止等の対策は，いじめを受けた児童生徒の生命・心身を保護することが特に重要であることを認識しつつ，国，地方公共団体，学校，地域住民，家庭その他の関係者の連携の下，いじめの問題を克服することを目指して行われなければならない。

3　法が規定するいじめの防止等への組織的対策

⑴　基本方針の策定

国，地方公共団体，学校は，それぞれ「国の基本方針」「地方いじめ防止基本方針」「学校いじめ防止基本方針」を策定する（法第 11 条～ 13 条）※国，学校は策定の義務，地方公共団体は策定の努力義務

⑵　いじめの防止等のための組織等

①　地方公共団体は，学校・教育委員会・児童相談所・法務局又は地方法務局・都道府県警察その他の関係者により構成される「いじめ問題対策連絡協議会」を置くことができる（法第 14 条第 1 項）

②　教育委員会は，「いじめ問題対策連絡協議会」との連携の下に「地方いじめ防止基本方針」に基づく対策を実効的に行うため，「附属機関」を置くことができる（法第 14 条第 3 項）

③　学校は，当該学校におけるいじめの防止等に関する措置を実効的に行うため，複数の教職員・心理や福祉等の専門的知識を有する者その他の関係者により構成される「いじめの防止等の対策のための組織」（以下「学校いじめ対策組織」という。）を置くものとする（法第 22 条）

④　学校の設置者又はその設置する学校は，重大事態に対処し，及び当該重大事態と同種の事態の発生の防止に資するため，速やかに，当該学校の設置者又はその設置する学校の下に組織を設け，質問票の使用その他の適切な方法により当該重大事態に係る事実関係を明確にするための調査を行う（法第 28 条）

⑤　地方公共団体の長等は，重大事態への対処又は当該重大事態と同種の事態の発生の防止のため必要があると認めるときは，「附属機関」を設けて調査を行う等の方法により，学校の設置者又は学校の調査の結果について調査を行うことができる（法第 29 条～第 32 条第 2 項）

演習問題

【1】 次の文は「いじめの防止等のための基本的な方針（平成29年3月最終改訂）」の第2「いじめの防止等のための対策の内容に関する事項」の3の（4）「学校におけるいじめの防止等に関する措置」からの抜粋である。文の空欄に入る語句の組み合わせとして適切なものを，下の1～6の中から1つ選んで番号で答えなさい。〔福井県〕

被害者に対する（　ア　）な影響を与える行為（インターネットを通じて行われるものを含む。）が止んでいる状態が（　イ　）継続していること。この（　イ　）とは，少なくとも（　ウ　）を目安とする。ただし，いじめの被害の重大性等からさらに（　エ　）が必要であると判断される場合は，この目安にかかわらず，学校の設置者又は学校いじめ対策組織の判断により，より（　エ　）を設定するものとする。

1	ア	心理的又は物理的	イ	相当の期間	ウ	1か月	エ	長期の期間
2	ア	心理的又は物理的	イ	長期の期間	ウ	1か月	エ	相当の期間
3	ア	心理的又は物理的	イ	相当の期間	ウ	3か月	エ	長期の期間
4	ア	精神的又は肉体的	イ	長期の期間	ウ	3か月	エ	相当の期間
5	ア	精神的又は肉体的	イ	相当の期間	ウ	3か月	エ	長期の期間
6	ア	精神的又は肉体的	イ	長期の期間	ウ	1か月	エ	相当の期間

【2】 平成29年3月に改定された「いじめの防止等のための基本的な方針」（文部科学大臣決定）の「7　いじめの防止等に関する基本的考え方」に関する内容として誤っているものを，次の1～5の中から1つ選べ。〔和歌山県〕

1　いじめは，どの子供にも，どの学校でも起こりうることを踏まえ，全ての児童生徒を対象としたいじめの未然防止の観点が重要であり，関係者が一体となった継続的取組が必要である。

2　いじめは遊びやふざけあいとは明確に異なるため，いじめの早期発見は，いじめとそうではない行為を的確に区別できるように児童生徒のささいな変化に気付く力を高めることが必要である。

3　いじめがあることが確認された場合，学校は直ちに，いじめを受けた児童生徒やいじめを知らせてきた児童生徒の安全を確保し詳細を確認し，組織的な対応を行うことが必要である。

4　いじめの防止等には，PTAや地域の関係団体等と学校関係者が，いじめの問題について協議する機会を設ける等，学校関係者と地域，家庭との連携が必要である。

5　いじめの問題への対応において困難がある場合には，関係機関と適切に連携する必要があり，平素から，学校や学校の設置者と関係機関の担当者と情報共有体制を構築しておく必要がある。

【3】 次の文は，「いじめの防止等のための基本的な方針」（平成 25 年 10 月 11 日 文部科学大臣決定，最終改定 平成 29 年 3 月 14 日）に示されている「いじめの防止等に関する基本的考え方」に関する記述の一部である。（ 1 ）～（ 4 ）に当てはまる語句を後の①～⑫の中からそれぞれ 1 つずつ選び，番号で答えよ。ただし，同一番号には同一語句が入る。〔長崎県〕

いじめは，どの子供にも，どの学校でも起こりうることを踏まえ，より根本的ないじめの問題克服のためには，全ての児童生徒を対象としたいじめの（ 1 ）の観点が重要であり，全ての児童生徒を，いじめに向かわせることなく，心の通う対人関係を構築できる社会性のある大人へと育み，いじめを生まない土壌をつくるために，（ 2 ）継続的な取組が必要である。

このため，学校の（ 3 ）を通じ，全ての児童生徒に「いじめは決して許されない」ことの理解を促し，児童生徒の豊かな情操や道徳心，自分の存在と他人の存在を等しく認め，お互いの人格を尊重し合える態度など，心の通う人間関係を構築する能力の素地を養うことが必要である。また，いじめの背景にあるストレス等の要因に着目し，その改善を図り，ストレスに適切に対処できる力を育む観点が必要である。加えて，全ての児童生徒が安心でき，（ 4 ）を感じられる学校生活づくりも（ 1 ）の観点から重要である。

①教育活動全体　②道徳教育　③連帯感　④学校を中心的役割とした
⑤包括的な対策　⑥関係者が一体となった　⑦未然防止
⑧思いやりの心　⑨特別活動の授業　⑩児童生徒の啓発に働きかける
⑪自己有用感や充実感　⑫早期介入体制の確立

【4】 次は，「いじめの防止等のための基本的な方針」〔平成 25 年 10 月 文部科学大臣決定（最終改定 平成 29 年 3 月）〕の一部です。文章中の（ ア ），（ イ ）にあてはまる語句の組み合わせとして正しいものを，下の①～④の中から 1 つ選びなさい。〔埼玉県・さいたま市〕

i）重大事態の発生と調査
（学校の設置者又はその設置する学校による対処）

第28条　学校の設置者又はその設置する学校は，次に掲げる場合には，その事態（以下「重大事態」という。）に対処し，及び当該重大事態と同種の事態の発生の防止に資するため，速やかに，当該学校の設置者又はその設置する学校の下に組織を設け，質問票の使用その他の適切な方法により当該重大事態に係る事実関係を明確にするための調査を行うものとする。

一　いじめにより当該学校に在籍する児童等の生命，心身又は（　**ア**　）に重大な被害が生じた疑いがあると認めるとき。

二　いじめにより当該学校に在籍する児童等が相当の期間学校を欠席することを余儀なくされている疑いがあると認めるとき。

（略）

①　重大事態の意味について

（中略）

法第２号の「相当の期間」については，不登校の定義を踏まえ，年間（　**イ**　）日を目安とする。ただし，児童生徒が一定期間，連続して欠席しているような場合には，上記目安にかかわらず，学校の設置者又は学校の判断により，迅速に調査に着手することが必要である。

①　**ア**　財産　　**イ**　15
②　**ア**　金品等　**イ**　30
③　**ア**　財産　　**イ**　30
④　**ア**　金品等　**イ**　15

P.152～P.154 解答

▶いじめの防止等のための基本的な方針

【1】 3，**【2】** 2，**【3】** 1－⑦　2－⑥　3－①　4－⑪，**【4】** ③

いじめ防止対策推進法

法律　平成 25 年6月公布・平成 25 年9月施行

本法律の概要

いじめ防止対策推進法は，いじめへの対策と防止を総合的かつ効果的に推進することを目的とした法律である。この法律によって，学校や国，地方公共団体等の責務が明確に規定された。また，いじめの定義が「当該行為の対象となった児童等が心身の苦痛を感じているもの」と変更された。なお，いじめの定義の変遷は文部科学省のホームページにも出ているので，参考にするとよい。

全ての学校，教員は，本法の考えのもと，いじめに対応することが求められている。なお，本法で定められていることは，いじめへの基本的な考え，方針である。

いじめに対する具体的な方策については，国や自治体に「いじめ防止基本方針」の策定義務を，また，学校は学校版の「いじめ防止基本方針」を策定することを義務付けている※（項目 22〔P.149〕を参照）。

また，いじめに対して，地域住民や関係機関とも連携を取り，学校全体で迅速に取り組むことが強調されている。

※国及び学校は策定の義務，地方公共団体は策定の努力義務である（同法第11条，第12条，第13条）。

ココが大事！ 出題のポイント

1．いじめの定義，組織体制

多くの自治体で，過去に本法は出題されている。特に出題頻度が高い，いじめの定義は確実に覚え，理解しておきたい。また，いじめの早期発見，対処について求められていることや，学校の組織体制などについてもよく問われているので，条文を確認したい。組織体制については，どんな専門職と連携をとることが求められているのかを，理解しておこう。

2．保護者の責務が規定

本法では，保護者の責務や，インターネットを通じたいじめの対策についても規定してあり，この点も過去問では多く取り上げられているので条文で確認しておくとよい。さらに，本法がもとになっている「いじめ防止基本方針」と「いじめの重大事態の調査に関するガイドライン」との関係も整理しておこう。

学校現場に出た際に，教師はいじめと真剣に向き合わなければならない。子供たちを，いじめから守ることは教師の重大な使命である。本法の考え方や背景を理解しておくことは，大きな力になる。

条文（抜粋）

第１章　総則

（目的）第１条

この法律は，いじめが，いじめを受けた児童等の教育を受ける権利を著しく侵害し，その心身の健全な成長及び人格の形成に重大な影響を与えるのみならず，その生命又は身体に重大な危険を生じさせるおそれがあるものであることに鑑み，児童等の尊厳を保持するため，いじめの防止等（いじめの防止，いじめの早期発見及びいじめへの対処をいう。以下同じ。）のための対策に関し，基本理念を定め，国及び地方公共団体等の責務を明らかにし，並びにいじめの防止等のための対策に関する基本的な方針の策定について定めるとともに，いじめの防止等のための対策の基本となる事項を定めることにより，いじめの防止等のための対策を総合的かつ効果的に推進することを目的とする。

（定義）第２条①

この法律において「いじめ」とは，児童等に対して，当該児童等が在籍する学校に在籍している等当該児童等と一定の人的関係にある他の児童等が行う心理的又は物理的な影響を与える行為（インターネットを通じて行われるものを含む。）であって，当該行為の対象となった児童等が心身の苦痛を感じているものをいう。

（基本理念）第３条①

いじめの防止等のための対策は，いじめが全ての児童等に関係する問題であることに鑑み，児童等が安心して学習その他の活動に取り組むことができるよう，学校の内外を問わずいじめが行われなくなるようにすることを旨として行われなければならない。

第２章　いじめ防止基本方針等

（地方いじめ防止基本方針）第 12 条

地方公共団体は，いじめ防止基本方針を参酌し，その地域の実情に応じ，当該地方公共団体におけるいじめの防止等のための対策を総合的かつ効果的に推進するための基本的な方針（以下「地方いじめ防止基本方針」という。）を定めるよう努めるものとする。

（学校いじめ防止基本方針）第 13 条

学校は，いじめ防止基本方針又は地方いじめ防止基本方針を参酌し，その学校の実情に応じ，当該学校におけるいじめの防止等のための対策に関する基本的な方針を定めるものとする。

(いじめ問題対策連絡協議会) 第14条①

地方公共団体は，いじめの防止等に関係する機関及び団体の連携を図るため，条例の定めるところにより，学校，教育委員会，児童相談所，法務局又は地方法務局，都道府県警察その他の関係者により構成されるいじめ問題対策連絡協議会を置くことができる。

第3章　基本的施策

(学校におけるいじめの防止) 第15条①

学校の設置者及びその設置する学校は，児童等の豊かな情操と道徳心を培い，心の通う対人交流の能力の素地を養うことがいじめの防止に資することを踏まえ，全ての教育活動を通じた道徳教育及び体験活動等の充実を図らなければならない。

(関係機関等との連携等) 第17条

国及び地方公共団体は，いじめを受けた児童等又はその保護者に対する支援，いじめを行った児童等に対する指導又はその保護者に対する助言その他のいじめの防止等のための対策が関係者の連携の下に適切に行われるよう，関係省庁相互間その他関係機関，学校，家庭，地域社会及び民間団体の間の連携の強化，民間団体の支援その他必要な体制の整備に努めるものとする。

(インターネットを通じて行われるいじめに対する対策の推進) 第19条

学校の設置者及びその設置する学校は，当該学校に在籍する児童等及びその保護者が，発信された情報の高度の流通性，発信者の匿名性その他のインターネットを通じて送信される情報の特性を踏まえて，インターネットを通じて行われるいじめを防止し，及び効果的に対処することができるよう，これらの者に対し，必要な啓発活動を行うものとする。

第4章　いじめの防止等に関する措置

(学校におけるいじめの防止等の対策のための組織) 第22条

学校は，当該学校におけるいじめの防止等に関する措置を実効的に行うため，当該学校の複数の教職員，心理，福祉等に関する専門的な知識を有する者その他の関係者により構成されるいじめの防止等の対策のための組織を置くものとする。

演習問題

【1】 次の文章は,「いじめ防止対策推進法（平成25年法律第71号）」の第一部である。（ A ）～（ E ）に当てはまる語句の組合せとして正しいものを，次の1～5の中から選べ。〔岐阜県〕

第23条　学校の教職員，（ A ）の職員その他の児童等からの相談に応じる者及び児童等の（ B ）は，児童等からいじめに係る相談を受けた場合において，いじめの事実があると思われるときは，いじめを受けたと思われる児童等が在籍する学校への通報その他の適切な措置をとるものとする。

2　学校は，前項の規定による通報を受けたときその他当該学校に在籍する児童等がいじめを受けていると思われるときは，速やかに，当該児童等に係るいじめの事実の有無の確認を行うための措置を講ずるとともに，その結果を当該学校の（ C ）に報告するものとする。（中略）

6　学校は，いじめが犯罪行為として取り扱われるべきものであると認めるときは所轄（ D ）と連携してこれに対処するものとし，当該学校に在籍する児童等の生命，身体又は財産に重大な被害が生じるおそれがあるときは直ちに所轄（ D ）に通報し，適切に，援助を求めなければならない。

第26条　市町村の教育委員会は，いじめを行った児童等の（ B ）に対して学校教育法第35条第1項（同法第49条において準用する場合を含む。）の規定に基づき当該児童等の（ E ）を命ずる等，いじめを受けた児童等その他の児童等が安心して教育を受けられるようにするために必要な措置を速やかに講ずるものとする。

	A	B	C	D	E
1	教育委員会	保護者	設置者	警察署	停学
2	教育委員会	担任	学校長	児童相談所	出席停止
3	地方公共団体	担任	学校長	警察署	停学
4	地方公共団体	保護者	学校長	児童相談所	出席停止
5	地方公共団体	保護者	設置者	警察署	出席停止

P.158 解答

▶いじめ防止対策推進法

【1】 5

いじめ問題への的確な対応に向けた警察との連携等の徹底について（通知）

文部科学省初等中等教育局長　令和５年２月

本通知の概要

重大ないじめ事案への対応は学校のみでは対応が困難であることから，文部科学省では，こども家庭庁設立準備室と共同で「いじめ防止対策に関する関係府省連絡会議」を令和４年 11 月に設置し，政府の連携体制を強化した。

上記連絡会議は，いじめ防止対策の強化のための 14 の検討事項のうち，以下の４つの事項を早期に対応すべき項目として優先的に議論を行い，その検討結果を本通知として教育委員会等に周知した。①いじめ対応における警察との連携の徹底，②被害児童生徒への支援及び加害児童生徒に対する指導・支援の充実，③保護者と学校がともにいじめ防止対策を共有するための普及啓発の推進，④いじめの重大事態における総合教育会議の活用及び首長部局からの支援。

ココが大事！ 出題のポイント

以下の文言は，実際に出題されているので，特に注意する。

▶いじめは，児童生徒の教育を受ける権利を著しく侵害し，その心身の健全な成長及び人格の形成に重大な影響を与えるのみならず，（中略）学校及び学校の設置者は，いじめを決して許さず，被害児童生徒を徹底して守り通すという断固たる決意が求められている。

▶警察との相談・通報及び連携における基本的な考え方として，学校と警察は重要なパートナーであることを認識し，日常的に情報共有や相談を行うことができる連携体制の構築が求められる。

▶学校は，いじめが児童生徒の生命や心身に重大な危険を生じさせるおそれがあることを十分に認識し，いじめ防止対策推進法第 23 条第６項に基づき，直ちに警察に相談・通報を行い，適切に，援助を求めなければならない。

▶いじめを認知した際には，（中略）適切なアセスメントを行い，二次的な問題の発生（被害の拡大等いじめの再発，不登校，自殺等）を防ぎ，傷ついた心のケアを行うこと。

▶被害児童生徒が不登校や別室登校になった場合には，心のケアだけでなく，学習面でも十分な支援を行うこと。

▶いじめが犯罪行為に相当し得ると認められる場合には，学校としても，警察への相談・通報を行うことについて，あらかじめ保護者等に対して周知を行うことが重要であること。

本文（抜粋）

いじめは，児童生徒の教育を受ける権利を著しく侵害し，その心身の健全な成長及び人格の形成に重大な影響を与えるのみならず，その生命又は身体に重大な危険を生じさせるおそれがあるものであり，学校及び学校の設置者は，いじめを決して許さず，被害児童生徒を徹底して守り通すという断固たる決意で，全力を尽くすことが必要です。

また，犯罪行為（触法行為を含む。）として取り扱われるべきいじめなど学校だけでは対応しきれない場合もあります。これまで，ややもすれば，こうした事案も生徒指導の範囲内と捉えて学校で対応し，警察に相談・通報することをためらっているとの指摘もされてきました。しかし，児童生徒の命や安全を守ることを最優先に，こうした考え方を改め，犯罪行為として取り扱われるべきいじめなどは，直ちに警察に相談・通報を行い，適切な援助を求めなければなりません。また，保護者等に対して，あらかじめ周知しておくことも必要です。

1．犯罪に相当する事案を含むいじめ対応における警察との連携の徹底

学校と警察は，児童生徒を加害に向かわせず，被害に遭うことから防ぐ等，児童生徒の健全な育成の観点から重要なパートナーであることを認識し，日常的に情報共有や相談を行うことができる連携体制の構築が求められること。

特に，①学校の内外で発生した児童生徒の生命，心身若しくは財産に重大な被害が生じている，又はその疑いのあるいじめ事案（以下,「重大ないじめ事案」という。）や②被害児童生徒又は保護者の加害側に対する処罰感情が強いなどいじめが犯罪行為として取り扱われるべきと認められる事案等に対して，警察においては，教育上の配慮等の観点から，一義的には教育現場における対応を尊重しつつも，いじめを受けた児童生徒や保護者の意向，学校における対応状況等を踏まえながら，必要な対応をとることとしていることも踏まえ，学校は，いじめが児童生徒の生命や心身に重大な危険を生じされるおそれがあることを十分に認識し，いじめ防止対策推進法（以下,「法」という。）第 23 条第 6 項に基づき，直ちに警察に相談・通報を行い，適切に，援助を求めなければならないこと。

2．被害児童生徒への支援及び加害児童生徒に対する指導・支援の充実

いじめを認知した際には，何よりも被害児童生徒を徹底して守り抜くとの意識の下，被害児童生徒にとって信頼できる人（親しい友人や教職員，家族，地域の人等）と連携し，被害児童生徒に寄り添い支える体制を構築し，スクールカウンセラー・スクールソーシャルワーカー（以下,「SC・SSW」という。）を始め，医療機関等とも協力しつつ，ケース会議を速やかに開催し，適切なアセスメントを行い，二次的な問題の発生（被害の拡大等いじめの再発，不登校，自殺等）を防ぎ，傷ついた心のケアを行うこと。

また，被害児童生徒から事実関係の聴取を行う際には，被害児童生徒にも責任があるという考え方はあってはならず，「あなたが悪いのではない」ことをはっきりと伝えるなど，自尊感情を高めるよう留意すること。

被害児童生徒が不登校や別室登校になった場合には，心のケアだけでなく，学習面でも十分な支援を行うこと。

被害児童生徒が安心して学習その他の活動に取り組むことができるよう，必要に応じて加害児童生徒を別室において指導することとしたり，状況に応じて出席停止制度を活用したりして，被害児童生徒が落ち着いて教育を受けられる環境の確保を図ること。

加害児童生徒に対しては，いじめを行う背景として，心理的ストレス，集団内の異質なものへの嫌悪感情などが考えられ，いじめと疑われる事案については，関係者へのヒアリング等を通して適切に状況確認を行うとともに，こうした加害行為の背景や当該児童生徒が抱える課題についてSC・SSWと連携して，適切なアセスメントを行いつつ，教育的配慮の下，毅然とした態度で指導・対応を行い，自らの行為を反省させることが必要であること。

加害児童生徒が様々な背景を有している場合もあり，特別な配慮を必要とする場合には，加害児童生徒や保護者に対し，SC・SSWを活用して指導だけでなく適切な支援を行うこと。

加害児童生徒に対するアセスメントや指導・支援を行うに当たっては，SC・SSWの活用に加えて，外部の専門機関を活用することも有効であり，児童生徒の心理や性格の面からアセスメントを行う法務少年支援センター等の活用や，加害児童生徒の健全育成を図るためのカウンセリングや注意・説諭等が期待できる少年サポートセンター，警察署等の警察機関との連携を行うことも考えられること。

3．保護者と学校がともにいじめ防止対策を共有するための普及啓発の推進

いじめが犯罪行為に相当し得ると認められる場合には，学校としても，警察への相談・通報を行うことについて，あらかじめ保護者等に対して周知を行うことが重要であること。

演習問題

【1】 次の文章は，「いじめ問題への的確な対応に向けた警察との連携等の徹底について（通知）」（令和５年２月７日　文部科学省）の一部である。文中の（　Ａ　）～（　Ｄ　）に入る語句の正しい組合せを，下の１～５のうちから一つ選べ。〔大分県〕

いじめは，児童生徒の教育を受ける権利を著しく侵害し，その心身の健全な成長及び（　Ａ　）の形成に重大な影響を与えるのみならず，その生命又は身体に重大な危険を生じさせるおそれがあるものであり，学校及び学校の設置者は，いじめを（　Ｂ　），被害児童生徒を徹底して（　Ｃ　）という断固たる決意で，全力を尽くすことが必要です。

また，犯罪行為（触法行為を含む。）として取り扱われるべきいじめなど学校だけでは対応しきれない場合もあります。これまで，ややもすれば，こうした事案も生徒指導の範囲内と捉えて学校で対応し，警察に相談・通報することをためらっているとの指摘もされてきました。しかし，児童生徒の命や安全を守ることを最優先に，こうした考え方を改め，犯罪行為として取り扱われるべきいじめなどは，（　Ｄ　）警察に相談・通報を行い，適切な援助を求めなければなりません。また，保護者等に対して，あらかじめ周知しておくことも必要です。

	Ａ	Ｂ	Ｃ	Ｄ
１	信頼関係	減少させ	守り通す	十分な調査を踏まえ
２	信頼関係	決して許さず	保護する	直ちに
３	人格	決して許さず	守り通す	直ちに
４	信頼関係	決して許さず	保護する	十分な調査を踏まえ
５	人格	減少させ	保護する	直ちに

【2】「いじめ問題への的確な対応に向けた警察との連携等の徹底について（通知）」（４文科初第2121号）（令和５年２月７日　文部科学省）で示されている内容について，次の文の記号に当てはまる語句の組合せを，下の選択肢から１つ選び，番号で答えなさい。〔宮崎県〕

被害児童生徒から事実関係の聴取を行う際には，被害児童生徒にも責任があるという考え方はあってはならず，「あなたが悪いのではない」ことをはっきりと伝えるなど，（　**ア**　）を高めるよう留意すること。

被害児童生徒が不登校や別室登校になった場合には，（　**イ**　）だけでなく，学習面でも十分な支援を行うこと。

被害児童生徒が安心して学習その他の活動に取り組むことができるよう，必要に応じて加害児童生徒を別室において指導することとしたり，状況に応じて（　ウ　）を活用したりして，被害児童生徒が落ち着いて教育を受けられる（　エ　）の確保を図ること。

1	ア	自尊感情	イ	障壁の除去	ウ	児童生徒理解・支援シート	エ	機会
2	ア	自己肯定感	イ	障壁の除去	ウ	学校警察連絡協議会	エ	環境
3	ア	自尊感情	イ	心のケア	ウ	出席停止制度	エ	環境
4	ア	自己肯定感	イ	心のケア	ウ	出席停止制度	エ	機会
5	ア	自尊感情	イ	心のケア	ウ	学校警察連絡協議会	エ	権利

【3】「いじめ問題への的確な対応に向けた警察との連携等の徹底について（通知）」（4文科初第2121号）（令和５年２月７日　文部科学省）で示されている内容について，誤っているものを，次の選択肢から１つ選び，番号で答えなさい。〔宮崎県〕

1　加害児童生徒がいじめを行う背景として，心理的ストレス，集団内の異質なものへの嫌悪感情などが考えられる。

2　いじめを行う加害児童生徒に対しては，教育的配慮の下，毅然とした態度で指導・対応を行い，自らの行為を反省させることが必要である。

3　いじめを行う加害児童生徒に対するアセスメントを行うに当たっては，警察署等に配置されているスクールサポーターなど外部の専門家を活用することも有効である。

4　少年サポートセンターや警察署等の警察機関には，加害児童生徒の健全育成を図るためのカウンセリングや注意・説諭等の役割が期待できる。

5　法務少年支援センターは，心理検査，問題行動の分析や指導方法等の提案，児童生徒や保護者に対する心理相談等のほか，法教育に関する出張授業も行っている。

【4】次の文は，「いじめ問題への的確な対応に向けた警察との連携等の徹底について（通知）」（令和５年２月７日　文部科学省）の一部を抜粋したものである。文中の下線部ア～オについて，正しいものを○，誤っているものを×としたとき，正しい組合せを選びなさい。〔福岡県・福岡市・北九州市〕

学校と警察は，児童生徒を加害に向かわせず，被害に遭うことから防ぐ等，児童生徒の健全な育成の観点から重要なパートナーであることを認識し，ア<u>必要に応じて</u>情報共有や相談を行うことができる連携体制の構築が求められること。

特に，①学校の内外で発生した児童生徒の生命，心身若しくは イ財産 に重大な被害が生じている，又はその疑いのあるいじめ事案や②被害児童生徒又は保護者の加害側に対する処罰感情が強いなどいじめが犯罪行為として取り扱われるべきと認められる事案等に対して，（略）学校は，いじめが児童生徒の生命や心身に重大な危険を生じされるおそれがあることを十分に認識し，いじめ防止対策推進法第23条第6項に基づき，ウ直ちに 警察に相談・通報を行い，適切に，援助を求めなければならないこと。（略）

いじめを認知した際には，何よりも被害児童生徒を徹底して守り抜くとの意識の下，被害児童生徒にとって信頼できる人（親しい友人や教職員，家族，地域の人等）と連携し，被害児童生徒に寄り添い支える体制を構築し，スクールカウンセラー・スクールソーシャルワーカーを始め，医療機関等とも協力しつつ，ケース会議を速やかに開催し，適切な エ情報共有 を行い，二次的な問題の発生（被害の拡大等いじめの再発，不登校，自殺等）を防ぎ，傷ついた心のケアを行うこと。（略）

いじめが犯罪行為に相当し得ると認められる場合には，学校としても，警察への相談・通報を行うことについて，あらかじめ オ児童生徒 に対して周知を行うことが重要であること。

	ア	イ	ウ	エ	オ
①	○	×	○	×	○
②	×	○	○	×	×
③	○	×	×	○	×
④	×	×	○	○	○
⑤	○	○	×	○	×

P.162～P.164 解答

▶いじめ問題への的確な対応に向けた警察との連携等の徹底について（通知）

【1】3，【2】3，【3】3，【4】②

交流及び共同学習ガイド

文部科学省　平成 31 年３月改訂

本ガイドの概要

文部科学省では，小・中学校等における障害のある子供と障害のない子供との交流及び共同学習の積極的な推進を目的として，平成 20 年に「交流及び共同学習ガイド」を作成している。本ガイドは，その改訂版である。

ココが大事！ 出題のポイント

「共同学習の意義・目的」が頻出である。学校教育における交流及び共同学習の意義と，障害のある子供と障害のない子供の双方にとって大切な学びの機会であることを十分に理解したい。

１．交流及び共同学習の意義・目的

○障害のある子供にとっても，障害のない子供にとっても，経験を深め，社会性を養い，豊かな人間性を育むとともに，お互いを尊重し合う大切さを学ぶ機会となる。

○学校卒業後においても，障害のある子供にとっては，様々な人々とともに助け合って生きていく力となり，障害のない子供にとっては，人々の多様な在り方を理解し，障害のある人とともに支え合う意識の醸成につながる。

○交流及び共同学習は，相互の触れ合いを通じて豊かな人間性を育むことを目的とする交流の側面と，教科等のねらいの達成を目的とする共同学習の側面があり，この２つの側面は分かちがたいものと捉える必要がある。

２．活動の実施

○事前に，活動のねらいや内容等について子供たちの理解を深める。

○障害について形式的に理解させる程度にとどまるものにならないよう，子供たちが主体的に取り組む活動にする。

○事後学習で振り返りを行うとともに，その後の日常の学校生活において，障害者理解に係る丁寧な指導を継続する。

３．評価の在り方

○活動後には，活動のねらいの達成状況，子供たちの意識や行動の変容を評価し，今後の取組に生かす。

○活動直後の状況だけではなく，その後の日常の生活における子供たちの変容を捉える。

本文（抜粋）

第１章　交流及び共同学習の意義・目的

我が国は，障害の有無にかかわらず，誰もが相互に人格と個性を尊重し合える共生社会の実現を目指しています。

幼稚園，小学校，中学校，義務教育学校，高等学校，中等教育学校（以下「小・中学校等」という。）及び特別支援学校等が行う，障害のある子供と障害のない子供，あるいは地域の障害のある人とが触れ合い，共に活動する交流及び共同学習は，障害のある子供にとっても，障害のない子供にとっても，経験を深め，社会性を養い，豊かな人間性を育むとともに，お互いを尊重し合う大切さを学ぶ機会となるなど，大きな意義を有するものです。

また，このような交流及び共同学習は，学校卒業後においても，障害のある子供にとっては，様々な人々と共に助け合って生きていく力となり，積極的な社会参加につながるとともに，障害のない子供にとっては，障害のある人に自然に言葉をかけて手助けをしたり，積極的に支援を行ったりする行動や，人々の多様な在り方を理解し，障害のある人と共に支え合う意識の醸成につながると考えます。

小・中学校等や特別支援学校の学習指導要領等においては，交流及び共同学習の機会を設け，共に尊重し合いながら協働して生活していく態度を育むようにすることとされています。

交流及び共同学習は，相互の触れ合いを通じて豊かな人間性を育むことを目的とする交流の側面と，教科等のねらいの達成を目的とする共同学習の側面があり，この二つの側面を分かちがたいものとして捉え，推進していく必要があります。

第２章　交流及び共同学習の展開

交流及び共同学習の実施に当たっては，学校の教職員，子供たち，保護者など当該活動に関わる関係者が，取組の意義やねらい等について，十分に理解し，共通理解をもって進めることが大切です。

教職員については，校長のリーダーシップの下，校内研修や事例報告会の実施などにより，学校全体で取組の意義やねらい，内容等を共有した上で取り組むことが大切です。また，交流及び共同学習は，小・中学校等の通常の学級と特別支援学校や小・中学校の特別支援学級との間で行うことが考えられるため，その両者の関係者が互いに活動の意義やねらい等について理解し合うことが大切です。そのためには，関係者間で協議し，両者が話し合う機会を，年間スケジュールに位置付けるなどして，計画的に確保することが考えられます。両者の組織の有機的な連携や協力体制が確保されることで，活動の意義やねらい，相手校や相手学級の教育の実際，障害のある子供への接し方等についての関係者の共通理解が進みます。

子供たちに対しては，十分な事前学習を通じて，教職員が活動の意義やねらい等を明確に示すことが，実際の活動において子供たちによる主体的な活動を促すことにつながります。

また，保護者に対しても，学校だよりや保護者説明会の場などを活用して，教職員が丁寧な説明や情報提供を行うことで，保護者においても障害者に対する理解や交流及び共同学習の意義についての理解が深まり，学校外の生活においても子供たちの意識や行動の変容を後押しすることにつながることが期待されます。

演習問題

【1】 次のA～Dの文は,「交流及び共同学習ガイド」(平成31年3月改訂　文部科学省)の一部である。正しいものを○,誤っているものを×としたとき,その組合せとして正しいものはどれか。〔岡山市〕

A　幼稚園，小学校，中学校，義務教育学校，高等学校，中等教育学校（以下「小・中学校等」という。）及び特別支援学校等が行う，障害のある子供と障害のない子供，あるいは地域の障害のある人とが触れ合い，共に活動する交流及び共同学習は，障害のある子供にとっても，障害のない子供にとっても，経験を深め，社会性を養い，豊かな人間性を育むとともに，お互いを尊重し合う大切さを学ぶ機会となるなど，大きな意義を有するものです。

B　交流及び共同学習は，学校卒業後においても，障害のある子供にとっては，様々な人々と共に助け合って生きていく力となり，積極的な職業選択につながるとともに，障害のない子供にとっては，障害のある人に必要な場合には事情を聴いて手助けをしたり，自立的な行動を見守ったりする態度や，人々の多様な在り方を理解し，障害のある人と共に支え合う意識の醸成につながると考えます。

C　交流及び共同学習は，相互の触れ合いを通じて豊かな人間性を育むことを目的とする交流の側面と，教科等のねらいの達成を目的とする共同学習の側面があり，この二つのうちどちらかを選択し，重点的に推進していく必要があります。

D　交流及び共同学習の内容としては，例えば，特別支援学校と小・中学校等が，学校行事やクラブ活動，部活動，自然体験活動，ボランティア活動などを合同で行ったり，文通や作品の交換，コンピュータや情報通信ネットワークを活用してコミュニケーションを深めたりすることなどが考えられます。

	A	B	C	D
1	○	×	○	×
2	○	×	×	○
3	×	○	×	○
4	×	×	○	○
5	○	○	×	×

【2】 次の文章は,「交流及び共同学習ガイド」(平成31年3月　文部科学省)の「第1章　交流及び共同学習の意義・目的」の一部である。(　A　)～(　E　)に当てはまる語句の組合せとして正しいものはどれか。〔岡山県〕

我が国は，障害の有無にかかわらず，誰もが相互に（　A　）と個性を尊重し合える（　B　）の実現を目指しています。

幼稚園，小学校，中学校，義務教育学校，高等学校，中等教育学校及び（　C　）等が行う，障害のある子供と障害のない子供，あるいは地域の障害のある人とが（　D　），共に活動する交流及び共同学習は，障害のある子供にとっても，障害のない子供にとっても，経験を深め，（　E　）を養い，豊かな人間性を育むとともに，お互いを尊重し合う大切さを学ぶ機会となるなど，大きな意義を有するものです。

	A	B	C	D	E
1	人権	共同社会	高等専門学校	学び合い	社会性
2	人権	共生社会	特別支援学校	学び合い	社会性
3	人格	共同社会	特別支援学校	学び合い	協調性
4	人格	共生社会	特別支援学校	触れ合い	社会性
5	人格	共生社会	高等専門学校	触れ合い	協調性

【3】 次の文は，「交流及び共同学習ガイド（平成 31 年３月　文部科学省）第１章 交流及び共同学習の意義・目的」の一部である。文中の（　①　）～（　④　）に入る語句を以下のア～コから一つずつ選び，記号で答えなさい。〔静岡県・静岡市・浜松市〕

我が国は，障害の有無にかかわらず，誰もが相互に人格と個性を尊重し合える（　①　）社会の実現を目指しています。幼稚園，小学校，中学校，義務教育学校，高等学校，中等教育学校（以下「小・中学校等」という。）及び特別支援学校等が行う，障害のある子供と障害のない子供，あるいは地域の障害のある人とが触れ合い，共に活動する交流及び共同学習は，障害のある子供にとっても，障害のない子供にとっても，（　②　）を深め，社会性を養い，豊かな人間性を育むとともに，お互いを尊重し合う大切さを学ぶ機会となるなど，大きな意義を有するものです。

また，このような交流及び共同学習は，学校卒業後においても，障害のある子供にとっては，様々な人々と共に助け合って生きていく力となり，積極的な社会参加につながるとともに，障害のない子供にとっては，障害のある人に自然に言葉をかけて手助けをしたり，積極的に支援を行ったりする行動や，人々の多様な（　③　）を理解し，障害のある人と共に支え合う意識の醸成につながると考えます。（中略）

交流及び共同学習は，相互の触れ合いを通じて豊かな人間性を育むことを目的とする交流の側面と，（　④　）のねらいの達成を目的とする共同学習の側面があり，この二つの側面を分かちがたいものとして捉え，推進していく必要があります。

ア　教育活動	イ　共生	ウ　教科等	エ　信頼	オ　経験
カ　生きる力	キ　考え方	ク　在り方	ケ　知識	コ　福祉

【4】 次の文は，「交流及び共同学習ガイド」（文部科学省　平成31年3月）の一部である。これを読んで，下の(1)～(3)の各問いに答えよ。〔山口県〕

幼稚園，小学校，中学校，義務教育学校，高等学校，中等教育学校（以下「小・中学校等」という。）及び特別支援学校等が行う，障害のある子供と障害のない子供，あるいは地域の障害のある人とが触れ合い，共に活動する交流及び共同学習は，障害のある子供にとっても，障害のない子供にとっても，経験を深め，（　1　）を養い，豊かな人間性を育むとともに，お互いを尊重し合う大切さを学ぶ機会となるなど，大きな意義を有するものです。

また，このような交流及び共同学習は，学校卒業後においても，障害のある子供にとっては，様々な人々と共に（　2　）生きていく力となり，積極的な社会参加につながるとともに，障害のない子供にとっては，障害のある人に自然に言葉をかけて手助けをしたり，積極的に支援を行ったりする行動や，人々の多様な在り方を理解し，障害のある人と共に支え合う意識の醸成につながると考えます。

小・中学校等や特別支援学校の（　3　）においては，交流及び共同学習の機会を設け，共に尊重し合いながら協働して生活していく態度を育むようにすることとされています。

(1)（　1　）に入る語句を次の語群から選び，記号で答えよ。

①　道徳性　　②　共存感　　③　平等感　　④　社会性

(2)（　2　）に入る語句を次の語群から選び，記号で答えよ。

①　助け合って　　②　支え合って　　③　協力し合って　　④　連帯し合って

(3)（　3　）に入る語句を次の語群から選び，記号で答えよ。

①　教育課程等　　②　学習指導要領等　　③　指導計画等　　④　年間計画等

P.168～P.170 解答

▶交流及び共同学習ガイド

【1】 2，**【2】** 4，**【3】** ①ーイ　②ーオ　③ーク　④ーウ，**【4】** (1)ー④　(2)ー①　(3)ー②

障害のある子供の教育支援の手引～子供たち一人一人の教育的ニーズを踏まえた学びの充実に向けて～

文部科学省初等中等教育局特別支援教育課　令和３年６月

本手引の概要

新しい時代の特別支援教育の在り方に関する有識者会議報告（令和３年１月）及び中央教育審議会答申「『令和の日本型学校教育』の構築を目指して」（令和３年１月）を踏まえ，障害のある子供の就学相談や学びの場の検討等の充実に向けて，「教育支援資料」（平成 25 年 10 年）の内容の充実が求められ，名称変更とともに改訂版として作成されたものが本資料である。

ココが大事！ 出題のポイント

「教育支援資料」（平成 25 年 10 年）からの改訂の基本方針及び主な改訂ポイントは以下の点である。

１．教育的ニーズの重視と基本的な考え方の整理

特に，小学校等における通常の学級，通級による指導，特別支援学級といった学びの場の判断について，教育支援委員会等を起点に様々な関係者が多角的，客観的に検討できるようにするため，「教育的ニーズ」に関する内容やその取扱いについての充実が図られた。

また，子供の障害の状態等は，一人一人異なっているため，必然的に一人一人に必要な支援の内容も異なってくる。そのため，子供一人一人の教育的ニーズを整理する必要がある。「教育的ニーズ」については，①障害の状態等，②特別な指導内容，③教育上の合理的配慮を含む必要な支援の内容，の３つの観点に基づき整理することとされた。

２．市区町村教育委員会による教育的ニーズの整理と必要な支援の内容の検討

市区町村教育委員会による障害のある子供の教育的ニーズの整理と必要な教育支援の内容の検討を一層充実するため，以下の項目を新たに示し，それぞれについて基本的な考え方が整理された。

・重複障害のある子供について
・特別支援学級と通級による指導等との関係について
・特別支援学級と通常の学級との交流及び共同学習について
・医療的ケアの必要な子供について
・障害のある外国人の子供について

なお，教育的ニーズを整理する際に障害種ごとに具体的に把握すべき内容の改善及び充実を図った点も確認しておきたい。

本文（抜粋）

第1編　障害のある子供の教育支援の基本的な考え方

1　障害のある子供の教育に求められること

⑵　就学に関する新しい支援の方向性

学校教育は，障害のある子供の自立と社会参加を目指した取組を含め，「共生社会」の形成に向けて，重要な役割を果たすことが求められている。そのためにも「共生社会」の形成に向けたインクルーシブ教育システム構築のための特別支援教育の推進が必要とされている。

インクルーシブ教育システムの構築のためには，障害のある子供と障害のない子供が，可能な限り同じ場で共に学ぶことを目指すべきであり，その際には，それぞれの子供が，授業内容を理解し，学習活動に参加している実感・達成感をもちながら，充実した時間を過ごしつつ，生きる力を身に付けていけるかどうかという最も本質的な視点に立つことが重要である。

そのための環境整備として，子供一人一人の自立と社会参加を見据えて，その時点での教育的ニーズに最も的確に応える指導を提供できる，多様で柔軟な仕組みを整備することが重要である。このため，小中学校等における通常の学級，通級による指導，特別支援学級や，特別支援学校といった，連続性のある「多様な学びの場」を用意していくことが必要である。

教育的ニーズとは，子供一人一人の障害の状態や特性及び心身の発達の段階等（以下「障害の状態等」という。）を把握して，具体的にどのような特別な指導内容や教育上の合理的配慮を含む支援の内容が必要とされるかということを検討することで整理されるものである。そして，こうして把握・整理した，子供一人一人の障害の状態等や教育的ニーズ，本人及び保護者の意見，教育学，医学，心理学等専門的見地からの意見，学校や地域の状況等を踏まえた総合的な観点から，就学先の学校や学びの場を判断することが必要である。

2　早期からの一貫した教育支援

⑵　一貫した教育支援の重要性

障害のある子供が，地域社会の一員として，生涯にわたって様々な人々と関わり，主体的に社会参加しながら心豊かに生きていくことができるようにするためには，教育，医療，福祉，保健，労働等の各分野が一体となって，社会全体として，その子供の自立を生涯にわたって教育支援していく体制を整備することが必要である。

このため，早期から始まっている教育相談・支援を就学期に円滑に引き継ぎ，障害のある子供一人一人の精神的及び身体的な能力等をその可能な最大限度まで発達させ，学校卒業後の地域社会に主体的に参加できるよう移行支援を充実させるなど，一貫した教育支援が強く求められる。

障害のある子供一人一人の教育的ニーズを把握・整理し，適切な指導及び必要な支援を図る特別支援教育の理念を実現させていくためには，早期からの教育相談・支援，就学相談・支援，就学後の継続的な教育支援の全体を「一貫した教育支援」と捉え直し，個別の教育支援計画の作成・活用等の推進を通じて，子供一人一人の教育的ニーズに応じた教育支援の充実を図ることが，今後の特別支援教育の更なる推進に向けた基本的な考え方として重要である。

個別の教育支援計画の作成・活用等により，障害のある子供一人一人について，①教育的ニーズの整理，②支援の目標や教育上の合理的配慮を含む必要な支援の内容の検討，③関係者間の情報共有の促進と共通認識の醸成，④家庭や医療，福祉，保健，労働等の関係機関との連携強化，⑤教育的ニーズと必要な支援の内容の定期的な見直し等による継続的な支援，などの効果が期待でき，その取組を強力に推進していくことは，特別支援教育の理念の実現につながるものである。

これにより，就学支援中心の「点」としての教育支援だけではなく，早期からの教育相談・支援，就学相談・支援，学校や学びの場の変更を含む就学後の継続的な教育支援に至る一連の「線」としての教育支援へ，そして，家庭や関係機関と連携した「面」としての教育支援を目指すべきである。

3　今日的な障害の捉えと対応

⑶　合理的配慮とその基礎となる環境整備

②　合理的配慮の定義等

合理的配慮は，「障害者の権利に関する条約」第２条の定義において提唱された概念であり，その定義に照らし，我が国の学校教育においては，中央教育審議会初等中等教育分科会報告において，合理的配慮とは，「障害のある子どもが，他の子どもと平等に『教育を受ける権利』を享有・行使することを確保するために，学校の設置者及び学校が必要かつ適当な変更・調整を行うことであり，障害のある子供に対し，その状況に応じて，学校教育を受ける場合に個別に必要とされるもの」であり，「学校の設置者及び学校に対して，体制面，財政面において，均衡を失した又は過度の負担を課さないもの」と定義されている。なお，障害者の権利に関する条約において，合理的配慮の否定は，障害を理由とする差別に含まれるとされていることに留意する必要がある。

演習問題

【1】 次の文は,「障害のある子供の教育支援の手引　～子供たち一人一人の教育的ニーズを踏まえた学びの充実に向けて～」(令和３年６月　文部科学省)「第１編　障害のある子供の教育支援の基本的な考え方」「３　今日的な障害の捉えと対応」の一部を抜粋したものである。文中の下線部ア～エについて正しいものを○,誤っているものを×としたとき,正しい組合せを選びなさい。〔福岡県・福岡市・北九州市〕

② 合理的配慮の定義等

合理的配慮は,「障害者の権利に関する条約」第２条の定義において提唱された概念であり,その定義に照らし,我が国の学校教育においては,中央教育審議会初等中等教育分科会報告において,合理的配慮とは,「障害のある子どもが,他の子どもと平等に『教育を受ける権利』を享有・行使することを確保するために,学校の設置者及び学校が必要かつ適当なア変更・調整を行うことであり,障害のある子供に対し,その状況に応じて,イ特別支援教育を受ける場合に個別に必要とされるもの」であり,「学校の設置者及び学校に対して,ウ制度面,財政面において,均衡を失した又は過度の負担を課さないもの」と定義されている。なお,障害者の権利に関する条約において,合理的配慮の否定は,障害を理由とするエ差別に含まれるとされていることに留意する必要がある。

	ア	イ	ウ	エ
①	○	○	○	×
②	×	×	○	×
③	○	×	×	○
④	×	○	×	×
⑤	○	×	○	○

【2】 次の文は,「障害のある子供の教育支援の手引　～子供たち一人一人の教育的ニーズを踏まえた学びの充実に向けて～」(令和３年６月　文部科学省)から一部を抜粋したものである。(　①　)～(　⑤　)に入る語句を下のア～シからそれぞれ１つ選び,その記号で答えなさい。〔佐賀県〕

障害のある子供が,(　①　)として,生涯にわたって様々な人々と関わり,主体的に社会参加しながら心豊かに生きていくことができるようにするためには,教育,医療,福祉,保健,労働等の各分野が一体となって,社会全体として,その子供の(　②　)を生涯にわたって教育支援していく体制を整備することが必要である。

このため,早期から始まっている教育相談・支援を就学期に円滑に引き継ぎ,障害のある子供一人一人の精神的及び身体的な能力等をその可能な最大限度まで発達させ，学校卒業後の地域社会に主体的に参加できるよう移行支援を充実させるなど，（　③　）教育支援が強く求められる。

障害のある子供一人一人の（　④　）を把握・整理し，適切な指導及び必要な支援を図る特別支援教育の理念を実現させていくためには，早期からの教育相談・支援，就学相談・支援，就学後の継続的な教育支援の全体を「（　③　）教育支援」と捉え直し，（　⑤　）教育支援計画の作成・活用等の推進を通じて，子供一人一人の（　④　）に応じた教育支援の充実を図ることが，今後の特別支援教育の更なる推進に向けた基本的な考え方として重要である。

ア	選択	イ	特質	ウ	自立	エ	個別の
オ	統合的な	カ	多面的な	キ	地域社会の一員	ク	生育環境
ケ	社会の形成者	コ	教育的ニーズ	サ	一貫した	シ	柔軟な

【3】「障害のある子供の教育支援の手引　～子供たち一人一人の教育的ニーズを踏まえた学びの充実に向けて～（令和３年６月　文部科学省）」では，障害のある子供の教育支援の基本的な考え方について，次のとおり述べられている。文中の（　①　）～（　④　）に入る語句を以下のア～クから一つずつ選び，記号で答えなさい。ただし，同じ番号の（　　　）には同じ語句が入る。〔静岡県・静岡市・浜松市〕

障害のある子供が，地域社会の一員として，生涯にわたって様々な人々と関わり，主体的に社会参加しながら心豊かに生きていくことができるようにするためには，教育，医療，福祉，保健，労働等の各分野が一体となって，社会全体として，その子供の自立を生涯にわたって教育支援していく体制を整備することが必要である。

このため，早期から始まっている（　①　）・支援を就学期に円滑に引き継ぎ，障害のある子供一人一人の精神的及び身体的な能力等をその可能な最大限度まで発達させ，学校卒業後の地域社会に主体的に参加できるよう移行支援を充実させるなど，（　②　）が強く求められる。

障害のある子供一人一人の教育的ニーズを把握・整理し，適切な指導及び必要な支援を図る特別支援教育の理念を実現させていくためには，早期からの（　①　）・支援，就学相談・支援，就学後の継続的な教育支援の全体を「（　②　）」と捉え直し，（　③　）の作成・活用等の推進を通じて，子供一人一人の教育的ニーズに応じた教育支援の充実を図ることが，今後の特別支援教育の更なる推進に向けた基本的な考え方として重要である。

（　③　）の作成・活用等により，障害のある子供一人一人について，

・教育的ニーズの整理*
・支援の目標や（　④　）を含む必要な支援の内容の検討*
・関係者間の情報共有の促進と共通認識の醸成*
・家庭や医療，福祉，保健，労働等の関係機関との連携強化*
・教育的ニーズと必要な支援の内容の定期的な見直し等による継続的な支援*

などの効果が期待でき，その取組を強力に推進していくことは，特別支援教育の理念の実現につながるものである。

（注）＊は引用文の体裁を変更している。

ア	基礎的環境整備	**イ**	一貫した教育支援	**ウ**	切れ目ない支援
エ	個別の教育支援計画	**オ**	特別な指導	**カ**	教育上の合理的配慮
キ	個別の指導計画	**ク**	教育相談		

【4】 次の文は,「障害のある子供の教育支援の手引　～子供たち一人一人の教育的ニーズを踏まえた学びの充実に向けて～」（令和３年６月　文部科学省）の「第１編　障害のある子供の教育支援の基本的な考え方」の一部である。文中の（　①　）～（　④　）に該当する語句の組み合わせとして正しいものを，以下の１～５から一つ選びなさい。〔高知県〕

障害のある子供一人一人の教育的ニーズを把握・整理し，適切な指導及び必要な支援を図る特別支援教育の理念を実現させていくためには，早期からの教育相談・支援，就学相談・支援，就学後の継続的な教育支援の全体を「（　①　）教育支援」と捉え直し，個別の教育支援計画の作成・活用等の推進を通じて，子供一人一人の教育的ニーズに応じた教育支援の充実を図ることが，今後の特別支援教育の更なる推進に向けた基本的な考え方として重要である。〈中略〉

合理的配慮の充実を図る上で，基礎的環境整備の充実は欠かせない。そのため，必要な財源を確保し，国，都道府県，市区町村は，（　②　）システムの構築に向けた取組として，基礎的環境整備の充実を図っていく必要がある。

また，令和３年４月には，「高齢者，障害者等の移動等の円滑化の促進に関する法律（（　③　）法）」の改正法の施行等により，一定規模以上の新築等を行う場合に（　③　）基準適合義務の対象となる施設に，従来対象だった特別支援学校に加え，公立小中学校等が追加された。こうした法改正等も踏まえ，特別支援学校の基礎的環境整備の維持・充実を図りつつ，特別支援学校以外の学校の基礎的環境整備の充実を図ることが重要である。同時に，基礎的環境整備を進めるに当たって，（　④　）の考え方も考慮しつつ進めていくことが重要である。

1　①一貫した　②インクルーシブ教育　③バリアフリー
　④ユニバーサルデザイン
2　①一貫した　②統合教育　③生活機能円滑化　④ダイバーシティ
3　①一貫した　②インクルーシブ教育　③バリアフリー
　④ダイバーシティ
4　①発展的な　②統合教育　③生活機能円滑化
　④ユニバーサルデザイン
5　①発展的な　②インクルーシブ教育　③バリアフリー
　④ダイバーシティ

【5】 次の文は,「障害のある子供の教育支援の手引　～子供たち一人一人の教育的ニーズを踏まえた学びの充実に向けて～」(令和３年６月　文部科学省) に示されている「就学に関する新しい支援の方向性」に関する記述の一部である。(　１　)～(　４　) に当てはまる語句を後の①～⑫の中からそれぞれ１つずつ選び, 番号で答えよ。〔長崎県〕

インクルーシブ教育システムの構築のためには, 障害のある子供と障害のない子供が, 可能な限り (　１　) 共に学ぶことを目指すべきであり, その際には, それぞれの子供が, 授業内容を理解し, 学習活動に参加している実感・達成感をもちながら, 充実した時間を過ごしつつ, (　２　) を身に付けているかどうかという最も本質的な視点に立つことが重要である。

そのための環境整備として, 子供一人一人の自立と社会参加を見据えて, その時点での教育的ニーズに最も的確に応える指導を提供できる, 多様で柔軟な仕組みを整備することが重要である。このため, 小中学校等における通常の学級, 通級による指導, 特別支援学級や, 特別支援学校といった, (　３　) のある「多様な学びの場」を用意していくことが必要である。

教育的ニーズとは, 子供一人一人の障害の状態や特性及び心身の発達の段階等 (以下「障害の状態等」という。) を把握して, 具体的にどのような特別な指導内容や (　４　) を含む支援の内容が必要とされるかということを検討することで整理されるものである。そして, こうして把握・整理した, 子供一人一人の障害の状態等や教育的ニーズ, 本人及び保護者の意見, 教育学, 医学, 心理学等専門的見地からの意見, 学校や地域の状況等を踏まえた総合的な観点から, 就学先の学校や学びの場を判断することが必要である。

① 教育上の合理的配慮	② 発達課題に応じた目標	③ 連続性
④ 各教科の場で	⑤ 同じ場で	⑥ 柔軟性
⑦ 特別な機会を設けて	⑧ 確かな学力	⑨ 専門性
⑩ 資質・能力	⑪ 生きる力	⑫ 個別の課題

P.174 ～ P.178 解答

▶障害のある子供の教育支援の手引

【1】③,【2】①ーキ ②ーウ ③ーサ ④ーコ ⑤ーエ,【3】①ーク ②ーイ ③ーエ ④ーカ,【4】1,【5】1ー⑤ 2ー⑪ 3ー③ 4ー①

新しい時代の特別支援教育の在り方に関する有識者会議報告

新しい時代の特別支援教育の在り方に関する有識者会議　令和３年１月

本報告の概要

新しい時代の特別支援教育の在り方に関する有識者会議は，医療や福祉との連携の推進，障害者の権利に係る国際的な議論の動向等も踏まえつつ，特別支援教育の現状と課題を整理し，一人一人のニーズに対応した新しい時代の特別支援教育の在り方や，その充実のための方策等について検討を行うため，令和元年９月に設置された。本報告は，その審議報告である。

ココが大事！出題のポイント

現在，特別支援教育がどのようなシステムで実施されているのか，より充実させるためにどのような点が重要なのかをおさえておく必要がある。

１．障害のある子供の学びの場の整備・連携強化

○特別支援学級と通常の学級の子供がともに学ぶ活動の充実（小・中学校）
○特別支援学校における教育環境の整備
○個別の教育支援計画等を活用した義務教育段階との丁寧な引き継ぎによる，合理的配慮の提供など特別支援教育の充実（高等学校）

２．特別支援教育を担う教師の専門性の向上

○全ての教師が発達障害等の特性等を踏まえた学級経営・授業づくりを研鑽，校内人材を活用したOJTによる支援体制の充実
○特別支援教育に係る資質を教員育成指標に位置付け
○小・中・高等学校と特別支援学校間の人事交流の推奨
○小学校等教職課程において，特別支援学校教職課程の一部単位の修得を推奨
○特別支援学校教諭免許状取得に向けた免許法認定講習等を活用した担当教師の専門性向上

３．ICT利活用等による特別支援教育の質の向上

○オンラインを活用した自立活動の実践的研究

４．関係機関の連携強化による切れ目ない支援の充実

○地域で切れ目ない支援を受けられる連携体制の整備
○就労関係機関と連携した早期からのキャリア教育の実施，小・中学校等と関係機関との連携促進
○教育，福祉，労働等の個別支援計画を活用した一体的な情報共有

本文（抜粋）

（我が国の特別支援教育に関する考え方）

○　特別支援教育は，障害のある子供の自立や社会参加に向けた主体的な取組を支援するという視点に立ち，子供一人一人の教育的ニーズを把握し，その持てる力を高め，生活や学習上の困難を改善又は克服するため，適切な指導及び必要な支援を行うものである。また，特別支援教育は，発達障害のある子供も含めて，障害により特別な支援を必要とする子供が在籍する全ての学校において実施されるものである。

（特別支援教育を巡る状況の変化）

○　少子化により学齢期の児童生徒の数が減少する中，特別支援教育に関する理解や認識の高まり，障害のある子供の就学先決定の仕組みに関する制度の改正等により，通常の学級に在籍しながら通級による指導を受ける児童生徒が大きく増加している。また，特別支援学級や特別支援学校に在籍する児童生徒の数も増加している。また，関連制度の改正や各学校・設置者の努力・創意工夫により，特別な支援を必要とする子供の学びの場が充実するとともに，通級による指導や交流及び共同学習の充実等により，それぞれの学びの場が柔軟で連続性を持ったものになりつつある。

（これからの特別支援教育の方向性）

○　特別支援教育を巡る状況の変化も踏まえ，インクルーシブ教育システムの理念を構築し，特別支援教育を進展させていくために，引き続き，

①障害のある子供と障害のない子供が可能な限り共に教育を受けられる学びの場の整備

②障害のある子供の自立と社会参加を見据え，一人一人の教育的ニーズに最も的確に応える指導を提供できるよう，通常の学級，通級による指導，特別支援学級，特別支援学校といった，連続性のある多様な学びの場の一層の充実・整備

を着実に進めていく。

○　これらを更に推進するため，それぞれの学びの場における各教科等の学習の充実を進めるとともに，

・障害のある子供と障害のない子供が，年間を通じて計画的・継続的に共に学ぶ活動の更なる拡充

・障害のある子供の教育的ニーズの変化に応じ，学びの場を変えられるよう，多様な学びの場の間で教育課程が円滑に接続することによる学びの連続性の実現

を図る。

○　また，これらの方向性を実現するため，

・就学支援，指導方法や指導体制，施設環境など障害のある子供の学びの場の整備

・特別支援教育に携わる教師の専門性の向上

・GIGA スクール構想による１人１台端末等の最新の ICT 技術の活用

・関係機関の連携強化による切れ目ない支援体制の整備

を進める。

（全ての教師に求められる特別支援教育に関する専門性）

○　全ての教師には，障害の特性等に関する理解と指導方法を工夫できる力や，個別の教育支援計画・個別の指導計画などの特別支援教育に関する基礎的な知識，合理的配慮に対する理解等が必要である。加えて，障害のある人や子供との触れ合いを通して，障害者が日常生活又社会生活において受ける制限は，障害により起因するものだけではなく，社会における様々な障壁と相対することによって生ずるものという考え方，いわゆる「社会モデル」の考え方を踏まえ，障害による学習上又は生活上の困難について本人の立場に立って捉え，それに対する必要な支援の内容を一緒に考え，本人自ら合理的配慮を意思表明できるように促していくような経験や態度の育成が求められる。

　また，こうした経験や態度を，多様な教育的ニーズのある子供がいることを前提とした学級経営・授業づくりに生かしていくことが必要である。

○　また，学校全体の特別支援教育に関する専門性を高め，学校が組織として特別の支援が必要な子供の指導に当たるためには，管理職や特別支援教育コーディネーター，特別支援学級や通級による指導の担当教師等が中心となり，全ての教師が日々の勤務の中で必要な助言や支援を受けられる体制を構築することが重要である。

　あわせて，前段にある通り，管理職が，学校全体で特別支援教育に取り組む観点から，特別支援学級や通級による指導，特別の教育課程，校内支援体制の構築など特別支援教育に関する理解を十分深めて学校経営の改善・充実につながるよう，都道府県と関係機関が連携して研修機会や内容を充実することが重要である。

演習問題

【1】 次の文は，「新しい時代の特別支援教育の在り方に関する有識者会議　報告」（令和３年１月　文部科学省）の記述の一部である。（　A　）～（　D　）に，あとのア～クのいずれかの語句を入れてこの文を完成させる場合，正しい組合せはどれか。１～５から一つ選べ。〔大阪府・豊能地区・大阪市・堺市〕

全ての教師には，障害の特性等に関する理解と指導方法を工夫できる力や，個別の教育支援計画・個別の指導計画などの特別支援教育に関する（　A　）な知識，合理的配慮に対する理解等が必要である。

加えて，障害のある人や子供との触れ合いを通して，障害者が日常生活又社会生活において受ける制限は，障害により起因するものだけではなく，社会における様々な（　B　）と相対することによって生ずるものという考え方，いわゆる「社会モデル」の考え方を踏まえ，障害による学習上又は生活上の困難について本人の立場に立って捉え，それに対する必要な支援の内容を一緒に考え，本人自ら合理的配慮を（　C　）できるように促していくような経験や態度の育成が求められる。

また，こうした経験や態度を，多様な（　D　）のある子供がいることを前提とした学級経営・授業づくりに生かしていくことが必要である。

ア　発展的　　**イ**　基礎的　　**ウ**　障壁　　**エ**　差別
オ　意思表明　　**カ**　理解　　**キ**　個性　　**ク**　教育的ニーズ

	A	B	C	D
1	ア	ウ	オ	キ
2	ア	エ	カ	ク
3	イ	ウ	カ	ク
4	イ	エ	カ	キ
5	イ	ウ	オ	ク

【2】 次の文章は，「新しい時代の特別支援教育の在り方に関する有識者会議　報告」（令和３年１月）からの抜粋である。文章中の空欄（　①　）～（　⑤　）に当てはまる語句を正しく組み合わせているものはどれか，下のア～オから１つ選びなさい。〔京都府〕

○　特別支援学級や（　①　）の担当教師には，通常の教育課程に基づく指導の専門性を基盤として，実際に指導に当たる上で必要な，（　②　）教育課程の編成方法や，（　③　）と個別の指導計画の作成方法，障害の特性等に応じた指導方法，（　④　）を実践する力，障害のある児童生徒の保護者支援の方法，関係者間との連携の方法等に関する専門性の習得が求められる。

特に，児童生徒の実態に応じて教育課程が異なる場合のある特別支援学級では，各教科等での目標が異なる児童生徒を（　⑤　）実践力が求められる。

	①	②	③	④	⑤
ア	通級による指導	特別な	個別の学習支援計画	特別活動	個別に指導する
イ	通級による指導	特別な	個別の教育支援計画	自立活動	同時に指導する
ウ	通級による指導	柔軟な	個別の教育支援計画	特別活動	個別に指導する
エ	個別指導	特別な	個別の教育支援計画	特別活動	個別に指導する
オ	個別指導	柔軟な	個別の学習支援計画	自立活動	同時に指導する

P.182～P.183 解答

▶新しい時代の特別支援教育の在り方に関する有識者会議報告

【1】5，【2】イ

共生社会の形成に向けたインクルーシブ教育システム構築のための特別支援教育の推進（報告）

中央教育審議会初等中等教育分科会　平成24年7月

本報告の概要

本報告は，障害者の権利に関する条約の国連採択や，政府による障害者制度の改革，また障害者基本法の改正や発達障害者支援法の理念を受けて，学校教育における特別支援教育のより具体的な在り方及び今後の特別支援教育の推進に向けての方向性がまとめられている。

ココが大事！出題のポイント

やや古い資料となるが，現在でも出題率は高い。「共生社会」「インクルーシブ教育システム」「合理的配慮」を正確に理解しておきたい。

1．共生社会とは

「共生社会」とは，これまで必ずしも十分に社会参加できるような環境になかった障害者等が，積極的に参加・貢献していくことができる社会である。また，誰もが相互に人格と個性を尊重し支え合い，人々の多様な在り方を相互に認め合える全員参加型の社会である。

2．インクルーシブ教育システムの構築

インクルーシブ教育システムは，同じ場でともに学ぶことを追求するとともに，個別の教育的ニーズのある幼児児童生徒に対して，自立と社会参加を見据えて，その時点で教育的ニーズに最も的確に応える指導を提供できる，多様で柔軟な仕組みを整備することが重要である。小・中学校における通常の学級，通級による指導，特別支援学級，特別支援学校といった，連続性のある「多様な学びの場」を用意しておく必要がある。

基本的な方向性としては，障害のある子供と障害のない子供が，できるだけ同じ場でともに学ぶことを目指すべきである。その場合には，それぞれの子供が，授業内容が分かり学習活動に参加している実感・達成感を持ちながら，充実した時間を過ごしつつ，生きる力を身に付けていけるかどうか，これが最も本質的な視点であり，そのための環境整備が必要である。

3．合理的配慮とは

「合理的配慮」とは，「障害のある子供が，他の子供と平等に教育を受ける権利を享受・行使することを確保するために，学校の設置者及び学校が必要かつ適当な変更・調整を行うこと」であり，「障害のある子供に対し，その状況に応じて，学校教育を受ける場合に個別に必要とされるもの」である。

本文（抜粋）

（共生社会の形成に向けて）

○　インクルーシブ教育システムにおいては，同じ場で共に学ぶことを追求するとともに，個別の教育的ニーズのある幼児児童生徒に対して，自立と社会参加を見据えて，その時点で教育的ニーズに最も的確に応える指導を提供できる，多様で柔軟な仕組みを整備することが重要である。小・中学校における通常の学級，通級による指導，特別支援学級，特別支援学校といった，連続性のある「多様な学びの場」を用意しておくことが必要である。

（共生社会の形成に向けたインクルーシブ教育システムの構築）

○「共生社会」とは，これまで必ずしも十分に社会参加できるような環境になかった障害者等が，積極的に参加・貢献していくことができる社会である。それは，誰もが相互に人格と個性を尊重し支え合い，人々の多様な在り方を相互に認め合える全員参加型の社会である。このような社会を目指すことは，我が国において最も積極的に取り組むべき重要な課題である。

（インクルーシブ教育システム構築のための特別支援教育の推進）

○　特別支援教育は，共生社会の形成に向けて，インクルーシブ教育システム構築のために必要不可欠なものである。そのため，以下の考え方に基づき，特別支援教育を発展させていくことが必要である。このような形で特別支援教育を推進していくことは，子ども一人一人の教育的ニーズを把握し，適切な指導及び必要な支援を行うものであり，この観点から教育を進めていくことにより，障害のある子どもにも，障害があることが周囲から認識されていないものの学習上又は生活上の困難のある子どもにも，更にはすべての子どもにとっても，良い効果をもたらすことができるものと考えられる。

（障害のある子どもが十分に教育を受けられるための合理的配慮及びその基礎となる環境整備）

○　条約の定義に照らし，本特別委員会における「合理的配慮」とは，「障害のある子どもが，他の子どもと平等に「教育を受ける権利」を享有・行使することを確保するために，学校の設置者及び学校が必要かつ適当な変更・調整を行うことであり，障害のある子どもに対し，その状況に応じて，学校教育を受ける場合に個別に必要とされるもの」であり，「学校の設置者及び学校に対して，体制面，財政面において，均衡を失した又は過度の負担を課さないもの」，と定義した。なお，障害者の権利に関する条約において，「合理的配慮」の否定は，障害を理由とする差別に含まれるとされていることに留意する必要がある。

○「合理的配慮」は，一人一人の障害の状態や教育的ニーズ等に応じて決定されるものであり，設置者・学校と本人・保護者により，発達の段階を考慮しつつ，「合理的配慮」の観点を踏まえ，「合理的配慮」について可能な限り合意形成を図った上で決定し，提供されることが望ましく，その内容を個別の教育支援計画に明記することが望ましい。なお，設置者・学校と本人・保護者の意見が一致しない場合には，「教育支援委員会」（仮称）の助言等により，その解決を図ることが望ましい。また，学校・家庭・地域社会における教育が十分に連携し，相互に補完しつつ，一体となって営まれることが重要であることを共通理解とすることが重要である。さらに，「合理的配慮」の決定後も，幼児児童生徒一人一人の発達の程度，適応の状況等を勘案しながら柔軟に見直しができることを共通理解とすることが重要である。

（交流及び共同学習の推進）

○　特別支援学校と幼・小・中・高等学校等との間，また，特別支援学級と通常の学級との間でそれぞれ行われる交流及び共同学習は，特別支援学校や特別支援学級に在籍する障害のある児童生徒等にとっても，障害のない児童生徒等にとっても，共生社会の形成に向けて，経験を広め，社会性を養い，豊かな人間性を育てる上で，大きな意義を有するとともに，多様性を尊重する心を育むことができる。なお，特別支援学校や特別支援学級を設置している学校における交流及び共同学習は必ず実施していくべきであるが，特別支援学級を設置していない学校においても，交流及び共同学習以外の形であっても何らかの形で，共生社会の形成に向けた障害者理解を推進していく必要がある。

演習問題

【1】「共生社会の形成に向けたインクルーシブ教育システム構築」について説明した次の文のうち，正しいものの組合せはどれか。①〜⑤から１つ選びなさい。〔群馬県〕

ア　「インクルーシブ教育システム」とは，「障害者の権利に関する条約」の中で提唱された，障害のある者と障害のない者が共に学ぶ仕組みである。

イ　「インクルーシブ教育システム」を構築することにより，就学基準に該当する障害のある子どもは，原則，特別支援学校に就学する仕組みに改められた。

ウ　「インクルーシブ教育システム」を推進していくためには，多様な学びの場として，通常の学級，通級による指導，特別支援学級，特別支援学校それぞれの環境整備の充実を図っていくことが必要である。

エ　医療的ケアを必要とする子どもについては，必ず特別支援学校に就学する仕組みになっている。

オ　「インクルーシブ教育システム」の理念の下では，障害のある子どもと障害のない子どもが，できるだけ同じ場で共に学ぶことを目指すため，授業内容を理解することよりも一緒に活動することを優先させた授業づくりが求められる。

①　ア・イ　　②　ア・ウ　　③　イ・エ　　④　ウ・オ　　⑤　エ・オ

【2】次のA，Bの文は，文部科学省「共生社会の形成に向けたインクルーシブ教育システム構築のための特別支援教育の推進（報告）」（平成24年7月23日）の一部である。文中の空欄（　ア　）〜（　エ　）に当てはまる語句を，下の語群の①〜⑤からそれぞれ１つずつ選び，番号で答えなさい。〔熊本県〕

A　「共生社会」とは，これまで必ずしも十分に社会参加できるような環境になかった障害者等が，積極的に参加・（　**ア**　）していくことができる社会である。それは，誰もが相互に（　**イ**　）と個性を尊重し支え合い，人々の多様な在り方を相互に認め合える（　**ウ**　）の社会である。このような社会を目指すことは，我が国において最も積極的に取り組むべき重要な課題である。

B　障害者の権利に関する条約第24条によれば，「インクルーシブ教育システム」とは，人間の多様性の尊重等の強化，障害者が精神的及び身体的な能力等を可能な最大限度まで発達させ，自由な社会に効果的に参加することを可能とするとの目的の下，障害のある者と障害のない者が共に学ぶ仕組みであり，障害のある者が「教育制度一般」から排除されないこと，自己の生活する地域において初等中等教育の機会が与えられること，個人に必要な（　**エ**　）が提供される等が必要とされている。

ア　①寄与　②貢献　③行動　④参画　⑤発信
イ　①人権　②尊厳　③人格　④他者　⑤特性
ウ　①全員参加型　②自由参加型　③一部参加型　④自主参加型
　⑤本人参加型
エ　①学びの場　②サービス　③合理的配慮　④教育的支援
　⑤環境整備

【3】 下の文は，「共生社会の形成に向けたインクルーシブ教育システム構築のための特別支援教育の推進（報告）」（平成24年7月23日　中央教育審議会初等中等教育分科会）の一部である。文中の（　a　）～（　c　）に当てはまる語句の正しい組合せはどれか。1～6から1つ選べ。ただし，同じ記号には，同じ語句が入るものとする。〔奈良県・大和高田市〕

○　共生社会の形成に向けて，障害者の権利に関する条約に基づくインクルーシブ教育システムの理念が重要であり，その構築のため，特別支援教育を着実に進めていく必要があると考える。

○　インクルーシブ教育システムにおいては，同じ場で共に学ぶことを追求するとともに，個別の（　a　）のある幼児児童生徒に対して，自立と社会参加を見据えて，その時点で（　a　）に最も的確に応える指導を提供できる，多用で柔軟な仕組みを整備することが重要である。小・中学校における通常の学級，（　b　），特別支援学級，特別支援学校といった，（　c　）のある「多様な学びの場」を用意しておくことが必要である。

1　a—医療的ニーズ　b—適応指導教室　c—連続性
2　a—医療的ニーズ　b—適応指導教室　c—多様性
3　a—教育的ニーズ　b—適応指導教室　c—多様性
4　a—教育的ニーズ　b—通級による指導　c—連続性
5　a—医療的ニーズ　b—通級による指導　c—連続性
6　a—教育的ニーズ　b—通級による指導　c—多様性

【4】 下の文は，「共生社会の形成に向けたインクルーシブ教育システム構築のための特別支援教育の推進（報告）」（平成24年7月23日　中央教育審議会初等中等教育分科会）の一部である。文中の（　a　）～（　d　）に当てはまる語句をア～

カから選んだとき，正しい組合せはどれか。①～⑥から１つ選べ。〔奈良県・大和高田市〕

1．共生社会の形成に向けて

⑵　インクルーシブ教育システム構築のための特別支援教育の推進

②インクルーシブ教育システム構築のための特別支援教育の推進

○　特別支援教育は，共生社会の形成に向けて，インクルーシブ教育システム構築のために必要不可欠なものである。そのため，以下の考え方に基づき，特別支援教育を発展させていくことが必要である。このような形で特別支援教育を推進していくことは，子ども一人一人の（　a　）を把握し，適切な（　b　）及び必要な（　c　）を行うものであり，この観点から教育を進めていくことにより，障害のある子どもにも，障害があることが周囲から認識されていないものの学習上又は（　d　）上の困難のある子どもにも，更にはすべての子どもにとっても，良い効果をもたらすことができるものと考えられる。

ア　教育的ニーズ　**イ**　特別なニーズ　**ウ**　支援　**エ**　指導
オ　生活　**カ**　行動

①	a―ア	b―ウ	c―エ	d―オ	②	a―ア	b―エ	c―ウ	d―オ
③	a―ア	b―エ	c―ウ	d―カ	④	a―イ	b―ウ	c―エ	d―オ
⑤	a―イ	b―ウ	c―エ	d―カ	⑥	a―イ	b―エ	c―ウ	d―カ

P.188～P.190 解答

▶共生社会の形成に向けたインクルーシブ教育システム構築のための特別支援教育の推進（報告）

【1】②，**【2】**ア―②　イ―③　ウ―①　エ―③，**【3】**4，**【4】**②

発達障害を含む障害のある幼児児童生徒に対する教育支援体制整備ガイドライン～発達障害等の可能性の段階から，教育的ニーズに気付き，支え，つなぐために～

文部科学省　平成 29 年 3 月

本ガイドラインの概要

文部科学省では，平成 16 年に「小·中学校における LD（学習障害），ADHD（注意欠陥／多動性障害），高機能自閉症の児童生徒への教育支援体制の整備のためのガイドライン（試案）」を発出し，小・中学校における発達障害のある児童生徒に対する教育支援体制の整備を推進してきた。本ガイドラインは，上記のガイドラインを見直したものである。

ココが大事！ 出題のポイント

今回の見直しのポイントは，対象を発達障害のある児童等に限定せず，障害により教育上特別の支援を必要とする全ての児童等に拡大した点にある。「全ての児童等にとって分かりやすい授業」の重要性もおさえておく必要がある。

1．ガイドライン改訂の観点

① 対象を発達障害のある児童等に限定せず，障害により教育上特別の支援を必要とする全ての児童等に拡大。

② 対象とする学校に，幼稚園及び高等学校等も加え，進学時等における学校間での情報共有（引継ぎ）の留意事項について追記。

③ 特別支援教育コーディネーター，いわゆる通級による指導の担当教員及び特別支援学級の担任など，関係者の役割分担及び必要な資質を明確化。

④ 校内における教育支援体制の整備に求められる養護教諭の役割を追記。

⑤ 特別支援学校のセンター的機能の活用及びその際の留意事項等を追記。

2．全ての学校・全ての学級で行う特別支援教育

各学校において行う特別支援教育の対象は，特別支援学級はもとより，通常の学級を含む，全ての教育上特別の支援を必要とする児童等であり，特別支援教育はあらゆる障害による学習上か生活上の困難を克服するための教育を指す。

3．特別支援学校のセンター的機能

特別支援学校が，各学校の要請に応じて，個別の教育支援計画等の作成・活用等への援助を含め，その支援を行うことを指す。（学校教育法第 74 条）

4．特別支援教育コーディネーターの役割

特別支援教育コーディネーターは，各学校における特別支援教育の推進のため，主に校内委員会・校内研修の企画・運営，関係機関・学校との連絡・調整，保護者の相談窓口等の役割を担う。

本文（抜粋）

（特別支援教育の視点を生かした温かい学級経営）

通常の学級に在籍する教育上特別の支援を必要とする児童等に対して，適切な指導や必要な支援を行うためには，基盤となる環境や人間関係を整える必要があります。

特に支援が必要な児童等も含めた学級全員が，互いの良さを認め合い，大切にする温かい学級経営を心がけることが重要です。

そのためには，障害への偏見や差別を解消する教育（障害者理解教育）を推進することを通して，児童等が様々な多様性を受け入れる心情や態度を育むように工夫することが重要であり，教員自身が，支援の必要な児童等への関わり方の見本を示しながら，周囲の児童等の理解を促していくことが大切です。

集団指導において，一人一人の障害等の特性に応じた適切な指導や必要な支援を行う際は，学級内の全ての児童等に「特別な支援の必要性」の理解を進め，互いの特徴を認め合い，支え合う関係を築きつつ行うことが重要です。

（全ての児童等にとって分かりやすい授業）

授業は，全ての児童等にとって，分かる，できる，楽しい授業であることが求められます。

特別支援教育の視点を生かした授業を創意工夫することで，教育上特別の支援を必要とする児童等だけでなく，全ての児童等にとって「分かる，できる，楽しい授業」になります。例えば，言葉だけを使った授業よりも，次のような授業スタイルが全ての児童等に有効です。

○　授業のねらいと内容を明確にした上で，めあてや学習の流れ等を板書その他の方法で視覚化する。

○　授業の開始，終了時刻を事前に伝える。

○　発表のルールを明示するなど，話し方や聴き方を提示する。

○　教室内の座席配置や設営を工夫する。

また，教育上特別の支援を必要とする児童等に行う個別の支援について，周囲の児童等に説明を行う際は，困難さや苦手さについて理解を求めるのみでなく，その児童等の良さや頑張り等の良い面を積極的に伝えることが大切です。

演習問題

【1】 次は，「発達障害を含む障害のある幼児児童生徒に対する教育支援体制整備ガイドライン　～発達障害等の可能性の段階から，教育的ニーズに気付き，支え，つなぐために～」（平成29年３月　文部科学省）の一部です。文中の（　①　），（　②　）にあてはまる語句の組み合わせとして正しいものを，下の１～４の中から１つ選びなさい。〔埼玉県・さいたま市〕

(2)（　①　）の作成とそのねらい

　教育上特別の支援を必要とする児童等の適切な指導及び必要な支援に当たっては，個別の教育支援計画における一人一人の教育的ニーズや支援内容等を踏まえ，当該児童等に関わる教職員が協力して，各教科等における指導の目標や内容，配慮事項等を示した（　①　）を作成しつつ，必要な支援を行うことが有効です。

　作成は（　②　）が中心となって行うこととなりますが，学校と家庭が一貫した支援を行えるよう，（　①　）に記載された指導・支援内容等について，保護者と共有することで，支援の効果を高めることが期待されます。

1	①個別の指導計画	②通常の学級の担任
2	①個別の指導計画	②特別支援教育コーディネーター
3	①年間運営計画	②通常の学級の担任
4	①年間運営計画	②特別支援教育コーディネーター

【2】 次の文は，「発達障害を含む障害のある幼児児童生徒に対する教育支援体制整備ガイドライン」（平成29年３月　文部科学省）の「第３部 学校用（通常の学級の担任・教科担任用）」から抜粋したものです。次の(1)～(3)の各問いに答えなさい。〔名古屋市〕

○　発達障害をはじめとする見えにくい障害については，通常の学級に在籍する教育上特別の支援を必要とする児童等のつまずきや困難な状況を早期に発見するため，児童等が示す様々な①サインに気付くことや，そのサインを見逃さないことが大切です。

○　教育上特別の支援を必要とする児童等については，学校生活だけでなく家庭生活や地域での生活も含め，（　ア　）に立って（　イ　）までの一貫した支援を行うことが重要であり，その際，家庭や医療・保健・福祉・労働等の関係機関と連携し，様々な側面からの取組を示した個別の教育支援計画を作成・活用しつつ，必要な支援を行うことが有効です。

　また，特別な支援を必要とする子供に対して提供されている「②合理的配慮」の内容については，「個別の教育支援計画」に明記し，（　ウ　）ことが重要です。

○　教育上特別の支援を必要とする児童等の適切な指導及び必要な支援に当たっては，個別の教育支援計画における一人一人の（　エ　）や支援内容等を踏まえ，当該児童等に関わる教職員が協力して，各教科等における指導の目標や内容，配慮事項等を示した個別の指導計画を作成しつつ，必要な支援を行うことが有効です。

(1)　下線部①サインについて，このガイドラインで例として示されていないものを，次の１～４から１つ選び，番号で書きなさい。

1　机や鞄の中が整理できない。
2　特定の事柄に注意が向き，私語が多くなったり気が散ったりしてしまう。
3　寝付きが悪かったり，夜眠れなかったりする日が続く。
4　おとなしく座っているが教科書が同じページのまま動かない。

(2)　文中の（　ア　）～（　エ　）に当てはまる語句として正しいものを，次の１～10からそれぞれ１つずつ選び，番号で書きなさい。

1　教育的ニーズ　　2　幼児期から学校卒業後　　3　記録する
4　評価　　5　行う　　6　小学校入学から就労　　7　幼児期から就労
8　長期的な視点　　9　当事者の立場　　10　引き継ぐ

(3)　下線部②合理的配慮について，「文部科学省所管事業分野における障害を理由とする差別の解消の推進に関する対応指針について（通知）」（平成27年11月文部科学省）において具体例としてあげられている内容として，正しくないものを，次の１～４から１つ選び，番号で書きなさい。

1　比喩表現等の理解が困難な障害者に対し，比喩や暗喩，二重否定表現などを用いずに説明する。
2　施設・設備の整備を行ったり，専門性のある教員，支援員等の人的配置を行ったりする。
3　視覚情報の処理が苦手な児童生徒等のために黒板周りの掲示物等の情報量を減らすなど，個別の事案ごとに特性に応じて教室環境を変更する。
4　読み・書き等に困難のある児童生徒等のために，授業や試験でのタブレット端末等のICT機器使用を許可したり，筆記に代えて口頭試問による学習評価を行ったりする。

P.193～P.194 解答

▶発達障害を含む障害のある幼児児童生徒に対する教育支援体制整備ガイドライン

【1】1，【2】(1)－3　(2)ア－8　イ－2　ウ－10　エ－1　(3)－2

性同一性障害や性的指向・性自認に係る，児童生徒に対するきめ細かな対応等の実施について（教職員向け）

文部科学省　平成 28 年4月

本資料の概要

平成 27 年4月文部科学省より「性同一性障害に係る児童生徒に対するきめ細かな対応の実施等について」の通知が発出された。本資料は，同通知に関する学校等からの質問に対する回答を取りまとめたものであり，性同一性障害に係る児童生徒に対するきめ細かな対応等について教職員の理解に資することが期待されている。

ココが大事！出題のポイント

性同一性障害に係る児童生徒に対して，具体的にどのような配慮が必要なのかを理解する必要がある。また，性同一性障害に係る取組の経緯や，学校における性同一性障害に係る対応に関する現状についても理解しておきたい。

1．性同一性障害とは

性同一性障害とは，生物学的な性と性別に関する自己意識（以下，「性自認」）が一致しないため，社会生活に支障がある状態である。「性自認」と「性的指向」は異なるものであり，対応に当たって混同しないことが必要である。性的指向は，恋愛対象が誰であるかを示す概念であるとされている。（性同一性障害や性的指向・性自認に係る，児童生徒に対するきめ細かな対応等の実施について（教職員向け）「１用語について」より）

2．性同一性障害に係る取組の経緯

○平成 26 年「学校における性同一性障害に係る対応に関する状況調査の実施」
　→性同一性障害に関する教育相談等があったとして 606 件の報告があった。
○平成 27 年「性同一性障害に係る児童生徒に対するきめ細かな対応の実施等について」（通知）
　→性同一性障害に係る児童生徒についての特有の支援などの具体的事項をとりまとめる。（例）自認する性別の制服・衣服や体操着の着用を認める，修学旅行において一人部屋の使用を認める，入浴時間をずらす，など。

3．性同一性障害に係る対応に関する現状

○全国の学校において，服装，トイレ，宿泊研修等に関し個別対応がなされている。
○約２割の児童生徒は，他の児童生徒に知らせた上で学校生活を過ごしている。一方で，約６割の児童生徒は基本的に他の児童生徒等には知らせていない。
○性同一性障害としての診断を有する児童生徒は学校段階が上がるにつれ増えるが，全体として見れば診断を有しない者の方が多い状況である。

なお，関連事項として，『生徒指導提要』第 12 章の性的マイノリティに関する記載内容についても確認しておくことが望ましい。

本文（抜粋）

⑴　性同一性障害に係る児童生徒についての特有の支援

①　学校における支援体制について

○　性同一性障害に係る児童生徒の支援は，最初に相談（入学等に当たって児童生徒の保護者からなされた相談を含む。）を受けた者だけで抱え込むことなく，組織的に取り組むことが重要であり，学校内外に「サポートチーム」を作り，「支援委員会」（校内）やケース会議（校外）等を適時開催しながら対応を進めること。

○　教職員等の間における情報共有に当たっては，児童生徒が自身の性同一性を可能な限り秘匿しておきたい場合があること等に留意しつつ，一方で，学校として効果的な対応を進めるためには，教職員等の間で情報共有しチームで対応することは欠かせないことから，当事者である児童生徒やその保護者に対し，情報を共有する意図を十分に説明・相談し理解を得つつ，対応を進めること。

③　学校生活の各場面での支援について

○　全国の学校では学校生活での各場面における支援として別紙（※）に示すような取組が行われてきたところであり，学校における性同一性障害に係る児童生徒への対応を行うに当たって参考とされたいこと。

項目	学校における支援の事例
服装	自認する性別の制服・衣服や，体操着の着用を認める
髪型	標準より長い髪型を一定の範囲で認める（戸籍上男性）
更衣室	保健室・多目的トイレ等の利用を認める
トイレ	職員トイレ・多目的トイレの利用を認める
呼称の工夫	校内文書（通知表を含む）を児童生徒が希望する呼称で記す 自認する性別として名簿上扱う
授業	体育又は保健体育において別メニューを設定する
水泳	上半身が隠れる水着の着用を認める（戸籍上男性） 補習として別日に実施，又はレポート提出で代替する
運動部の活動	自認する性別に係る活動への参加を認める
修学旅行等	１人部屋の使用を認める 入浴時間をずらす

（※）「性同一性障害に係る児童生徒に対するきめ細かな対応の実施等について」（平成 27 年 4 月 30 日児童生徒課長通知）の別紙より

○　学校においては，性同一性障害に係る児童生徒への配慮と，他の児童生徒への配慮との均衡を取りながら支援を進めることが重要であること。

○　性同一性障害に係る児童生徒が求める支援は，当該児童生徒が有する違和感の強弱等に応じ様々であり，また，当該違和感は成長に従い減ずることも含め変動があり得るものとされていることから，学校として先入観をもたず，その時々の児童生徒の状況等に応じた支援を行うことが必要であること。

○　他の児童生徒や保護者との情報の共有は，当事者である児童生徒や保護者の意向等を踏まえ，個別の事情に応じて進める必要があること。

○　医療機関を受診して性同一性障害の診断がなされない場合であっても，児童生徒の悩みや不安に寄り添い支援していく観点から，医療機関との相談の状況，児童生徒や保護者の意向等を踏まえつつ，支援を行うことは可能であること。

⑵　性同一性障害に係る児童生徒や「性的マイノリティ」とされる児童生徒に対する相談体制等の充実

○　学級・ホームルームにおいては，いかなる理由でもいじめや差別を許さない適切な生徒指導・人権教育等を推進することが，悩みや不安を抱える児童生徒に対する支援の土台となること

○　教職員としては，悩みや不安を抱える児童生徒の良き理解者となるよう努めることは当然であり，このような悩みや不安を受け止めることの必要性は，性同一性障害に係る児童生徒だけでなく，「性的マイノリティ」とされる児童生徒全般に共通するものであること。

○　性同一性障害に係る児童生徒や「性的マイノリティ」とされる児童生徒は，自身のそうした状態を秘匿しておきたい場合があること等を踏まえつつ，学校においては,日頃より児童生徒が相談しやすい環境を整えていくことが望まれること。このため，まず教職員自身が性同一性障害や「性的マイノリティ」全般についての心ない言動を慎むことはもちろん，例えば，ある児童生徒が，その戸籍上の性別によく見られる服装や髪型等としていない場合，性同一性障害等を理由としている可能性を考慮し，そのことを一方的に否定したり揶揄（やゆ）したりしないこと等が考えられること。

○　教職員が児童生徒から相談を受けた際は，当該児童生徒からの信頼を踏まえつつ，まずは悩みや不安を聞く姿勢を示すことが重要であること。

演習問題

【1】 次の文は「性同一性障害や性的指向・性自認に係る，児童生徒に対するきめ細かな対応等の実施について」（平成 28 年４月　文部科学省）の一部である。（　ア　）～（　エ　）にあてはまる語句の適切な組合せを①～④から選び，番号で答えよ。〔神戸市〕

性同一性障害に係る児童生徒や「性的マイノリティ」とされる児童生徒は，自身のそうした状態を（　ア　）しておきたい場合があること等を踏まえつつ，学校においては，日頃より児童生徒が相談しやすい環境を整えていくことが望まれること。このため，まず教職員自身が性同一性障害や「性的マイノリティ」全般についての心ない言動を慎むことはもちろん，例えば，ある児童生徒が，その（　イ　）の性別によく見られる（　ウ　）としていない場合，性同一性障害等を理由としている可能性を考慮し，そのことを一方的に（　エ　）したり揶揄したりしないこと等が考えられること。

①	ア	秘匿	イ	身体上	ウ	言葉遣いや態度等	エ	否定
②	ア	カミングアウト	イ	戸籍上	ウ	服装や髪型等	エ	指導
③	ア	秘匿	イ	戸籍上	ウ	服装や髪型等	エ	否定
④	ア	カミングアウト	イ	身体上	ウ	言葉遣いや態度等	エ	指導

【2】 次の文は，「性同一性障害や性的指向・性自認に係る，児童生徒に対するきめ細かな対応等の実施について（教職員向け）」（平成 28 年４月１日　文部科学省）の一部である。文中の（　ア　）～（　オ　）にあてはまる語句の組合せとして正しいものを①～⑤から一つ選べ。〔島根県〕

性同一性障害に係る児童生徒が求める支援は，（中略）学校として（　ア　）をもたず，その時々の児童生徒の状況等に応じた支援を行うことが必要であること。

他の児童生徒や（　イ　）との情報の共有は，当事者である児童生徒や（　イ　）の意向等を踏まえ，個別の事情に応じて進める必要があること。（中略）

指導要録の記載については学齢簿の記載に基づき行いつつ，卒業後に法に基づく（　ウ　）上の性別の変更等を行った者から卒業証明書等の発行を求められた場合は，（　ウ　）を確認した上で，当該者が不利益を被らないよう適切に対応すること。（中略）

性同一性障害に係る児童生徒や「性的マイノリティ」とされる児童生徒は，自身のそうした状態を（　エ　）しておきたい場合があること等を踏まえつつ，学校においては，日頃より児童生徒が相談しやすい環境を整えていくことが望まれること。このため，まず教職員自身が性同一性障害や「性的マイノリティ」全般についての心ない言動を慎むことはもちろん，例えば，ある児童生徒が，その（　**ウ**　）上の性別によく見られる（　**オ**　）等としていない場合，性同一性障害等を理由としている可能性を考慮し，そのことを一方的に否定したり揶《や》揄《ゆ》したりしないこと等が考えられること。

教職員が児童生徒から相談を受けた際は，当該児童生徒からの信頼を踏まえつつ，まずは悩みや不安を聞く姿勢を示すことが重要であること。

	ア	イ	ウ	エ	オ
①	固定観念	教育委員会	身体	カミングアウト	言葉遣いや態度
②	固定観念	保護者	戸籍	秘匿	服装や髪型
③	先入観	保護者	戸籍	秘匿	服装や髪型
④	先入観	教育委員会	戸籍	カミングアウト	言葉遣いや態度
⑤	先入観	保護者	身体	カミングアウト	言葉遣いや態度

P.198 ～ P.199 解答

▶性同一性障害や性的指向・性自認に係る，児童生徒に対するきめ細かな対応等の実施について（教職員向け）

【1】③，【2】③

通常の学級に在籍する特別な教育的支援を必要とする児童生徒に関する調査結果について

文部科学省初等中等教育局特別支援教育課　令和4年12月

本調査結果の概要

本調査結果は，平成24年に行われた「通常の学級に在籍する発達障害の可能性のある特別な教育的支援を必要とする児童生徒に関する調査」をもとに，児童生徒の困難の状況と，受けている支援の状況を調査し，通常の学級に在籍する特別な教育的支援を必要とする児童生徒の実態を明らかにしたものである。

ココが大事！ 出題のポイント

前回調査（平成24年実施）と比較して特筆すべき点を2点示す。

▶学習面または行動面で著しい困難を示すとされた児童生徒の割合が，平成24年実施調査では推定値として6.5%であったが，今回の調査では8.8%であった。

▶今回の調査から，小中学校に加え，新たに高等学校を調査対象学校種に追加した。これは，平成30年度より高等学校において通級による指導が制度化されたことを受け，高等学校の状況把握を目的としている。なお，高等学校における学習面または行動面で著しい困難を示すとされた生徒の割合は2.2%であった。

また，本調査結果の考察として学習面または行動面で著しい困難を示すとされた児童生徒の割合増加の理由を特定することは困難であるとした上で，以下の点が割合増加の可能性として考えられることを示している。

○通常の学級の担任を含む教師や保護者の特別支援教育に関する理解が進み，今まで見過ごされてきた困難のある子供たちにより目を向けるようになったこと

○子供たちの生活習慣や取り巻く環境の変化により，普段から1日1時間以上テレビゲームをする児童生徒数の割合が増加傾向にあることや，新聞を読んでいる児童生徒数の割合が減少傾向にあることなど言葉や文字に触れる機会が減少していること，インターネットやスマートフォンが身近になったことなど対面での会話が減少傾向にあることや体験活動の減少

過去の出題の傾向から，新たに示された学習面または行動面で著しい困難を示すとされる児童生徒の割合「8.8%」という数値は確実に押さえておく必要があるだろう。

なお，本調査は，発達障害のある児童生徒数の割合や知的発達に遅れがある児童生徒数の割合を推定する調査ではなく，学習面や行動面で著しい困難を示すとされた児童生徒数の割合を推定している調査であることに留意することが必要である。

本文（抜粋）

1．調査の目的

通常の学級に在籍する発達障害の可能性のある特別な教育的支援を必要とする児童生徒に関する調査を平成 24 年に実施後 10 年が経過し，この間，発達障害者支援法の改正（平成 28 年），高等学校における通級による指導の制度化（平成 30 年），小・中・高等学校学習指導要領における特別支援教育に関する記述の充実（平成 29・30 年）など，発達障害を含め障害のある児童生徒をめぐる様々な状況の変化があった。今後もインクルーシブ教育システムの理念に基づいた特別支援教育を推進するためには，現在の状況を把握することが重要である。そのため，本調査により，通常の学級に在籍する特別な教育的支援を必要とする児童生徒の実態と支援の状況を明らかにし，今後の施策の在り方等の検討の基礎資料とする。

2．調査の方法

⑼　留意事項

○　本調査における「Ⅰ．児童生徒の困難の状況」については，学級担任等による回答に基づくもので，特別支援教育コーディネーター，又は教頭（副校長）による調査票の記入内容の確認を経て，校長の了解の下，提出された回答に基づくもので，発達障害の専門家チームによる判断や，医師による診断によるものではない。従って，本調査の結果は，発達障害のある児童生徒数の割合を示すものではなく，特別な教育的支援を必要とする児童生徒数の割合を示すものであることに留意する必要がある。

○　本調査は，平成 14 年調査，平成 24 年調査と対象地域や一部質問項目等が異なるため，単純比較することはできないことに留意する必要がある。

5．有識者会議における本調査結果に対する考察

⑴　「Ⅰ．児童生徒の困難の状況」について

学習面又は行動面で著しい困難を示すとされた児童生徒数の割合が，平成 24 年に行った調査においては推定値 6.5％であったが，今回の調査では，表１に示しているとおり，小学校・中学校においては推定値 8.8％，高等学校においては推定値 2.2％であった。なお，高等学校については，公立の全日制又は定時制に在籍する１～３年次のみを対象としていることに留意いただきたい。

また，学習面・行動面別でみると，行動面で著しい困難を示すとされた児童生

徒数の割合より，学習面で著しい困難を示すとされた児童生徒数の割合の方が高くなっている。これは，前回の調査結果と同様の傾向となっている。

平成 24 年に行った調査と学校・児童生徒の抽出方法は同じである。対象地域や一部質問項目等が異なるため単純比較はできないものの，今回の調査結果は平成 24 年に行った調査結果と比べて，学習面又は行動面で著しい困難を示すとされた児童生徒数の割合が増えているが，前回の調査から 10 年で義務教育段階において通級による指導を受ける児童生徒の数が約 2.5 倍になっていることを踏まえると，驚く数字ではないものと考えられる。

繰り返しにはなるが，本調査は，発達障害のある児童生徒数の割合や知的発達に遅れがある児童生徒数の割合を推定する調査ではなく，学習面や行動面で著しい困難を示すとされた児童生徒数の割合を推定している調査である。増加の理由を特定することは困難であるが，通常の学級の担任を含む教師や保護者の特別支援教育に関する理解が進み，今まで見過ごされてきた困難のある子供たちにより目を向けるようになったことが一つの理由として考えられる。そのほか，子供たちの生活習慣や取り巻く環境の変化により，普段から 1 日 1 時間以上テレビゲームをする児童生徒数の割合が増加傾向にあることや新聞を読んでいる児童生徒数の割合が減少傾向にあることなど言葉や文字に触れる機会が減少していること，インターネットやスマートフォンが身近になったことなど対面での会話が減少傾向にあることや体験活動の減少などの影響も可能性として考えられる。

表 1　質問項目に対して学級担任等が回答した内容から，「学習面又は行動面で著しい困難を示す」とされた児童生徒数の割合

＜小学校・中学校＞[1]

	推定値（95%信頼区間）
学習面又は行動面で著しい困難を示す	8.8%（8.4%～9.3%）
学習面で著しい困難を示す	6.5%（6.1%～6.9%）
行動面で著しい困難を示す	4.7%（4.4%～5.0%）
学習面と行動面ともに著しい困難を示す	2.3%（2.1%～2.6%）

＜高等学校＞

	推定値（95%信頼区間）
学習面又は行動面で著しい困難を示す	2.2%（1.7%～2.8%）
学習面で著しい困難を示す	1.3%（0.9%～1.7%）
行動面で著しい困難を示す	1.4%（1.0%～1.9%）
学習面と行動面ともに著しい困難を示す	0.5%（0.3%～0.7%）

※「学習面で著しい困難を示す」とは，「聞く」「話す」「読む」「書く」「計算する」「推論する」の一つあるいは複数で著しい困難を示す場合を指し，一方，「行動面で著しい困難を示す」とは，「不注意」「多動性－衝動性」，あるいは「対人関係やこだわり等」について一つか複数で問題を著しく示す場合を指す。

演習問題

【1】 文部科学省「通常の学級に在籍する特別な教育的支援を必要とする児童生徒に関する調査結果（令和４年）」において，小学校・中学校の通常の学級に在籍する児童生徒のうち，「知的発達に遅れはないものの学習面又は行動面で著しい困難を示す」とされた児童生徒数の割合（推定値）を，下の①～⑤から１つ選び，番号で答えなさい。〔熊本県〕

① 2.2%　② 5.4%　③ 6.4%　④ 8.8%　⑤ 10.5%

【2】 次は，「通常の学級に在籍する特別な教育的支援を必要とする児童生徒に関する調査結果（令和４年 12 月　文部科学省）について説明したものである。文中の（　　）からあてはまるものをそれぞれ一つずつ選べ。〔秋田県〕

○　小学校・中学校において，学習面又は行動面で著しい困難を示すとされた児童生徒の割合は（① 2.2%　② 8.8%）である。

○　学習面，各行動面で著しい困難を示すとされた児童生徒数の割合は，小学校，中学校とも学年が上がるにつれて（③高くなる　④低くなる）傾向にある。

【3】 次の文章は，「通常の学級に在籍する特別な教育的支援を必要とする児童生徒に関する調査結果について」（令和４年 12 月 13 日　文部科学省初等中等教育局特別支援教育課）の一部である。文章中の（　a　）～（　c　）にあてはまる語句または数値の組合せとして，最も適当なものを選びなさい。〔千葉県・千葉市〕

今回の調査は，平成 24 年に行われた「通常の学級に在籍する発達障害の可能性のある特別な教育的支援を必要とする児童生徒に関する調査」を基に，児童生徒の困難の状況と，受けている支援の状況を調査し，通常の学級に在籍する特別な教育的支援を必要とする児童生徒の実態を明らかにすることにより，今後の施策や教育の在り方を検討するものである。

学習面又は（　a　）で著しい困難を示すとされた小学校・中学校における児童生徒数の割合が，平成 24 年に行った調査においては推定値（　b　）%であったが，今回の調査では，小学校・中学校においては推定値（　c　）%，新たな調査対象である高等学校においては推定値 2.2%であった。

①　a　行動面　b　4.5　c　6.5
②　a　生活面　b　4.5　c　6.5
③　a　行動面　b　4.5　c　8.8
④　a　生活面　b　6.5　c　8.8
⑤　a　行動面　b　6.5　c　8.8

P.204～P.205 解答

▶通常の学級に在籍する特別な教育的支援を必要とする児童生徒に関する調査結果について

【1】④,【2】②・④,【3】⑤

学校教育の情報化の推進に関する法律

法律　令和元年6月公布・施行

本法律の概要

第1条で目的，第2条で定義，第3条で基本理念，第4～6条で国の責務等，第7条で法制上の措置等，第8・9条で推進計画，第10～21章で基本的施策について規定されている。

この法律は，高度情報通信ネットワーク社会の発展に伴い，学校における情報通信技術の活用により学校教育が直面する課題の解決及び学校教育の一層の充実を図ることが重要となっていることに鑑み，全ての児童生徒がその状況に応じて効果的に教育を受けることができる環境の整備を図るため，学校教育の情報化の推進に関し，基本理念を定め，国，地方公共団体等の責務を明らかにし，及び学校教育の情報化の推進に関する計画の策定その他の必要な事項を定めることにより，学校教育の情報化の推進に関する施策を総合的かつ計画的に推進し，もって次代の社会を担う児童生徒の育成に資することを目的としている。

教育の情報化の進展については，古くは臨時教育審議会第二次答申（1986年）で「情報及び情報手段を主体的に選択し活用していくための個人の基礎的な資質（情報活用能力）」が，読み，書き，算盤（そろばん）に並ぶ基礎・基本として示された。今日の情報教育の基本的な考えとなっている。

ココが大事！ 出題のポイント

出題のポイントとして，基本理念（第3条）をおさえておきたい。

① 情報通信技術の特性を生かして，児童生徒の能力，特性等に応じた教育，双方向性のある教育等を実施

② デジタル教材による学習とその他の学習を組み合わせるなど，多様な方法による学習を推進

③ 全ての児童生徒が，家庭の状況，地域，障害の有無等にかかわらず学校教育の情報化の恵沢を享受

④ 情報通信技術を活用した学校事務の効率化により，学校の教職員の業務負担を軽減し，教育を充実

⑤ 児童生徒等の個人情報の適正な取扱い及びサイバーセキュリティの確保

⑥ 児童生徒による情報通信技術の利用が，児童生徒の健康，生活等に及ぼす影響に十分配慮

条文（抜粋）

第３条（基本理念）

1　学校教育の情報化の推進は，情報通信技術の特性を生かして，個々の児童生徒の能力，特性等に応じた教育，双方向性のある教育（児童生徒の主体的な学習を促す教育をいう。）等が学校の教員による適切な指導を通じて行われることにより，各教科等の指導等において，情報及び情報手段を主体的に選択し，及びこれを活用する能力の体系的な育成その他の知識及び技能の習得等（心身の発達に応じて，基礎的な知識及び技能を習得させるとともに，これらを活用して課題を解決するために必要な思考力，判断力，表現力その他の能力を育み，主体的に学習に取り組む態度を養うことをいう。）が効果的に図られるよう行われなければならない。

2　学校教育の情報化の推進は，デジタル教科書その他のデジタル教材を活用した学習その他の情報通信技術を活用した学習とデジタル教材以外の教材を活用した学習，体験学習等とを適切に組み合わせること等により，多様な方法による学習が推進されるよう行われなければならない。

3　学校教育の情報化の推進は，全ての児童生徒が，その家庭の経済的な状況，居住する地域，障害の有無等にかかわらず，等しく，学校教育の情報化の恵沢を享受し，もって教育の機会均等が図られるよう行われなければならない。

4　学校教育の情報化の推進は，情報通信技術を活用した学校事務の効率化により，学校の教職員の負担が軽減され，児童生徒に対する教育の充実が図られるよう行われなければならない。

5　学校教育の情報化の推進は，児童生徒等の個人情報の適正な取扱い及びサイバーセキュリティ（サイバーセキュリティ基本法（平成26年法律第104号）第２条に規定するサイバーセキュリティをいう。第17条において同じ。）の確保を図りつつ行われなければならない。

6　学校教育の情報化の推進は，児童生徒による情報通信技術の利用が児童生徒の健康，生活等に及ぼす影響に十分配慮して行われなければならない。

演習問題

【1】 次の文章は，「学校教育の情報化の推進に関する法律（通知）」（令和元年６月28日　文部科学省）に記載されている「第１　法律の概要」の「1　総則」の中の「(3)基本理念（第３条関係）」です。文中の（　ア　）～（　オ　）にあてはまる語句を，下のA～Oから一つずつ選び，その記号を書きなさい。〔岩手県〕

1　学校教育の情報化の推進は，情報通信技術の特性を生かして，個々の児童生徒の能力，特性等に応じた教育，（　ア　）のある教育（児童生徒の主体的な学習を促す教育をいう。）等が学校の教員による適切な指導を通じて行われることにより，各教科等の指導等において，情報及び情報手段を（　イ　）に選択し，及びこれを活用する能力の体系的な育成その他の知識及び技能の習得等（心身の発達に応じて，基礎的な知識及び技能を習得させるとともに，これらを活用して課題を解決するために必要な思考力，判断力，表現力その他の能力を育み，（　イ　）に学習に取り組む態度を養うことをいう。）が効果的に図られるよう行われなければならないこと。

2　学校教育の情報化の推進は，デジタル教科書その他のデジタル教材を活用した学習その他の情報通信技術を活用した学習とデジタル教材以外の教材を活用した学習，体験学習等とを適切に組み合わせること等により，（　ウ　）による学習が推進されるよう行われなければならないこと。

3　学校教育の情報化の推進は，全ての児童生徒が，その家庭の経済的な状況，居住する地域，障害の有無等にかかわらず，等しく，学校教育の情報化の恵沢を享受し，もって（　エ　）が図られるよう行われなければならないこと。

4　学校教育の情報化の推進は，情報通信技術を活用した（　オ　）により，学校の教職員の負担が軽減され，児童生徒に対する教育の充実が図られるよう行われなければならないこと。

5　学校教育の情報化の推進は，児童生徒等の個人情報の適正な取扱い及びサイバーセキュリティ（サイバーセキュリティ基本法（平成26年法律第104号）第２条に規定するサイバーセキュリティをいう。以下同じ。）の確保を図りつつ行われなければならないこと。

6　学校教育の情報化の推進は，児童生徒による情報通信技術の利用が児童生徒の健康，生活等に及ぼす影響に十分配慮して行われなければならないこと。

A	教育の機会均等	B	単方向性	C	学校の新しい生活様式
D	教育目標の達成	E	教育環境の整備	F	主体的
G	試行錯誤	H	双方向性	I	学校事務の効率化
J	創造的	K	意欲的	L	指向性
M	多忙化の解消	N	深い学びの構築	O	多様な方法

P.209～P210 解答

▶学校教育の情報化の推進に関する法律

【1】アーH　イーF　ウーO　エーA　オーI

教育の情報化に関する手引

文部科学省　令和元年12月・追補版：令和２年６月

本手引の概要

新学習指導要領においては，初めて「情報活用能力」を学習の基盤となる資質・能力と位置付け，教科等横断的にその育成を図るとともに，その育成のために必要なICT環境を整え，それらを適切に活用した学習活動の充実を図ることとしており，情報教育や教科等の指導におけるICT活用など，教育の情報化に関わる内容の一層の充実が図られた。

新学習指導要領の下で教育の情報化が一層進展するよう，学校・教育委員会が実際に取組を行う際に参考となる「手引」が文部科学省によって作成された。各学校段階・教科等におけるICTを活用した指導の具体例が掲載されている。また，「プログラミング教育」「デジタル教科書」「遠隔教育」「先端技術」「健康面への配慮」などに言及している。

追補版は，文部科学省が環境整備関連予算の具体的な進め方を示したこと等の更新やイラストの追加等を行ったため，新たに公表されたものである。

本手引の章構成は以下のとおりである。なお，特別支援教育における教育の情報化については，各章において特別支援教育関係の記述がなされている。

第１章　社会的背景の変化と教育の情報化
第２章　情報活用能力の育成
第３章　プログラミング教育の推進
第４章　教科等の指導におけるICTの活用
第５章　校務の情報化の推進
第６章　教師に求められるICT活用指導力等の向上
第７章　学校におけるICT環境整備
第８章　学校及びその設置者等における教育の情報化に関する推進体制

ココが大事！ 出題のポイント

はじめに，及び第２章 情報活用能力の育成をおさえておきたい。特に，「情報活用能力」「公正に個別最適化された学び」「プログラミング的思考」「情報モラル」などのキーワードは確認しておく必要がある。

本文（抜粋）

はじめに

今日の社会は，生活のあらゆる場面でICTを活用することが当たり前の世の中となっている。さらに，人工知能（AI），ビッグデータ，IoT（Internet of Things），ロボティクス等の先端技術が高度化してあらゆる産業や社会生活に取り入れられ，社会の在り方そのものが劇的に変わる「Society5.0」時代の到来が予想されている。

このような時代において次代を切り拓く子供たちには，情報活用能力をはじめ，言語能力や数学的思考力などこれからの時代を生きていく上で基盤となる資質・能力を確実に育成していく必要があり，そのためにもICT等を活用して，「公正に個別最適化された学び」や学校における働き方改革を実現していくことが不可欠である。（略）

このような状況も踏まえ，今回改訂された学習指導要領においては，初めて「情報活用能力」を学習の基盤となる資質・能力と位置付け，教科等横断的にその育成を図ることとした。

第２章　情報活用能力の育成

「情報活用能力」は，世の中の様々な事象を情報とその結び付きとして捉え，情報及び情報技術を適切かつ効果的に活用して，問題を発見・解決したり自分の考えを形成したりしていくために必要な資質・能力である。より具体的に捉えれば，学習活動において必要に応じてコンピュータ等の情報手段を適切に用いて情報を得たり，情報を整理・比較したり，得られた情報を分かりやすく発信・伝達したり，必要に応じて保存・共有したりといったことができる力であり，さらに，このような学習活動を遂行する上で必要となる情報手段の基本的な操作の習得や，プログラミング的思考，情報モラル等に関する資質・能力等も含むものである。

このような情報活用能力を育成することは，将来の予測が難しい社会において，情報を主体的に捉えながら，何が重要かを主体的に考え，見いだした情報を活用しながら他者と協働し，新たな価値の創造に挑んでいくために重要である。また，情報技術は人々の生活にますます身近なものとなっていくと考えられるが，そうした情報技術を手段として学習や日常生活に活用できるようにしていくことも重要となる。

演習問題

【1】 次の文は,「教育の情報化に関する手引」(令和元年12月　文部科学省)の一部である。文中の(　①　)～(　④　)に該当する語句の組み合わせとして正しいものを,以下の1～5から一つ選びなさい。〔高知県〕

「情報活用能力」は,世の中の様々な事象を情報とその結び付きとして捉え,情報及び情報技術を適切かつ(　①　)活用して,問題を発見・解決したり(　②　)を形成したりしていくために必要な資質・能力である。より具体的に捉えれば,学習活動において必要に応じてコンピュータ等の情報手段を適切に用いて情報を得たり,情報を整理・比較したり,得られた情報を分かりやすく発信・伝達したり,必要に応じて保存・共有したりといったことができる力であり,さらに,このような学習活動を遂行する上で必要となる情報手段の基本的な操作の習得や,プログラミング的思考,(　③　)等に関する資質・能力等も含むものである。

このような情報活用能力を育成することは,将来の予測が難しい社会において,情報を主体的に捉えながら,何が重要かを主体的に考え,見いだした情報を活用しながら他者と(　④　)し,新たな価値の創造に挑んでいくために重要である。また,情報技術は人々の生活にますます身近なものとなっていくと考えられるが,そうした情報技術を手段として学習や日常生活に活用できるようにしていくことも重要となる。

1	①	積極的に	②	価値観	③	豊かな感性	④	協働
2	①	効果的に	②	価値観	③	豊かな感性	④	議論
3	①	積極的に	②	自分の考え	③	豊かな感性	④	協働
4	①	効果的に	②	自分の考え	③	情報モラル	④	協働
5	①	効果的に	②	価値観	③	情報モラル	④	議論

【2】 次の文は,文部科学省の「教育の情報化に関する手引」の一部である。(　①　)～(　③　)に当てはまる語句の組合せとして適切なものは,下の1～5のうちどれか。〔新潟県〕

今日の社会は,生活のあらゆる場面でICTを活用することが当たり前の世の中となっている。さらに,人工知能(AI),ビッグデータ,IoT(Internet of Things),ロボティクス等の先端技術が高度化してあらゆる産業や社会生活に取り入れられ,社会の在り方そのものが劇的に変わる「Society5.0」時代の到来が予想されている。

このような時代において次代を切り拓く子供たちには,(　①　)をはじめ,言語能力や数学的思考力などこれからの時代を生きていく上で基盤となる資質・能力を確実に育成していく必要があり,そのためにもICT等を活用して,「(　②　)された

学び」や学校における働き方改革を実現していくことが不可欠である。(中略)

このような状況も踏まえ，今回改訂された学習指導要領においては，初めて「(　①　)」を学習の基盤となる資質・能力と位置付け，(　③　)その育成を図ることとした。

1	①	主体的に学ぶ力	②	公正に個別最適化	③	課題探究的に
2	①	主体的に学ぶ力	②	高度に個別情報化	③	教科等横断的に
3	①	情報活用能力	②	公正に個別最適化	③	課題探究的に
4	①	情報活用能力	②	高度に個別情報化	③	教科等横断的に
5	①	情報活用能力	②	公正に個別最適化	③	教科等横断的に

【3】 次の文は，文部科学省「教育の情報化に関する手引 - 追補版」(令和２年６月)のうち，情報活用能力についての記述である。文中の(　A　)～(　D　)に入る語句の正しい組合せを，下の①～⑤のうちから一つ選べ。〔大分県〕

「情報活用能力」は，世の中の様々な事象を情報と(　A　)として捉え，情報及び情報技術を適切かつ効果的に活用して，問題を発見・解決したり自分の考えを形成したりしていくために必要な資質・能力である。より具体的に捉えれば，学習活動において必要に応じてコンピュータ等の情報手段を適切に用いて情報を得たり，情報を整理・比較したり，得られた情報を分かりやすく発信・伝達したり，必要に応じて保存・共有したりといったことができる力であり，さらに，このような学習活動を遂行する上で必要となる情報手段の基本的な操作の習得や，(　B　)，(　C　)等に関する資質・能力等も含むものである。

このような情報活用能力を育成することは，将来の予測が難しい社会において，情報を主体的に捉えながら，何が重要かを主体的に考え，見いだした情報を活用しながら他者と協働し，新たな(　D　)の創造に挑んでいくために重要である。また，情報技術は人々の生活にますます身近なものとなっていくと考えられるが，そうした情報技術を手段として学習や日常生活に活用できるようにしていくことも重要となる。

	A	B	C	D
①	その関係	情報処理	情報管理	科学技術
②	その結び付き	情報処理	情報モラル	科学技術
③	その関係	プログラミング的思考	情報管理	価値
④	その結び付き	情報処理	情報管理	科学技術

⑤ その結び付き　プログラミング的思考　情報モラル　価値

P.213～P.215 解答

▶教育の情報化に関する手引

【1】4,【2】5,【3】⑤

学習者用デジタル教科書の効果的な活用の在り方等に関するガイドライン

文部科学省　平成 30 年 12 月・令和 3 年 3 月改訂

本ガイドラインの概要

新学習指導要領の総則において，ICT（情報通信技術）環境を整備する必要性が規定され，教育の情報化の重要性が一層増している。これまで紙によるものを前提としていた教科書についても，「教科書への ICT の活用の在り方」という観点から学習者用デジタル教科書について検討が行われ，2019 年度から一定の基準の下で，必要に応じて紙の教科書に代えて学習者用デジタル教科書を使用できる制度が実施されることとなった。

上記の状況において，本ガイドラインは，学校教育法等の一部を改正する法律等の公布・施行及び学校教育法第 34 条第２項に規定する教材の使用について定める件の一部を改正する件を受け，学校・教育委員会等が学習者用デジタル教科書の導入を検討し，有識者による検討の成果をまとめたものである。

本ガイドラインを参考としながら，各学校・教育委員会や個々の教師が，それぞれ創意工夫を生かし，児童生徒の学習を充実させたり，教科書の内容へのアクセシビリティを高めたりするための道具の一つとして学習者用デジタル教科書を活用することを目指す，としている。

ココが大事！ 出題のポイント

▶「３．学習者用デジタル教科書の効果的な活用の在り方について」において，「情報活用能力」「主体的・対話的で深い学び」「ICT」「GIGA スクール構想」などのキーワードをおさえておく必要がある。

▶「４．学習者用デジタル教科書の使用に当たり留意すべき点について　⑴学習者用デジタル教科書を使用した指導上の留意点」では，学習者用デジタル教科書を各教科等の授業時数の制限なく使用できることになっていること，全児童生徒に１人１台の学習者用コンピュータが整備されていない場合にはクラス間における利用調整等を行い，当該授業において１人１台の学習者用コンピュータを用意すること，「主体的・対話的で深い学び」の視点からの授業改善に資するように活用すること，漢字や計算等に関する繰り返し学習や学習内容をまとめる等で書くことが大事な場面ではノートの使用を基本とすること，などについて言及されている。

本文（抜粋）

3．学習者用デジタル教科書の効果的な活用の在り方について

(1)　新学習指導要領におけるICTの活用の在り方

○　新学習指導要領においては，学習の基盤となる資質・能力として「情報活用能力」が位置付けられている。情報活用能力の育成を図るため，各学校において，コンピュータや情報通信ネットワークなどの情報手段を活用するために必要な環境を整え，ICTを適切に活用した学習活動を充実することが必要となっている。

○　また，ICTを適切に活用した学習活動は，新学習指導要領が目指す「主体的・対話的で深い学び」の視点からの授業改善にも資するものであり，各教科等においても指導内容に応じてICTを適切に活用することとされている。さらに，児童生徒が学習内容を確実に身に付けることができるよう，個に応じた指導の充実を図る際に，ICTや教材・教具の活用を図ることとされている。加えて，障害のある児童生徒等の指導に当たっては，ICTを有効に活用し，指導の効果を高めるようにすることとされている。

○　このような新学習指導要領の実施を見据えて，「2018年度以降の学校におけるICT環境の整備方針」が示され，さらに現在，GIGAスクール構想により児童生徒１人１台端末環境等の整備が進められている。

4．学習者用デジタル教科書の使用に当たり留意すべき点について

○　学習者用デジタル教科書の使用に当たっては，以下のような点に留意することが必要である。

(1)　学習者用デジタル教科書を使用した指導上の留意点

①　紙の教科書を使用する授業と学習者用デジタル教科書を使用する授業を適切に組み合わせることが重要であること。なお，前述の告示改正により，学習者用デジタル教科書を各教科等の授業時数の制限なく使用できることとなっている。

②　学習者用デジタル教科書を紙の教科書に代えて使用する授業においては，学習者用デジタル教科書の故障や不具合等が生じる場合に備え，可能な限り予備用学習者用コンピュータを準備しておくとともに，常に紙の教科書を使用できるようにしておくこと。

③　学習者用デジタル教科書を紙の教科書に代えて使用する授業においては，児童生徒一人一人が，それぞれ学習者用デジタル教科書を使用すること。全児童生徒に一人一台の学習者用コンピュータが整備されていない場合には，クラス間にお

ける利用調整等を行い，当該授業において一人一台の学習者用コンピュータを用意すること。

④　学習者用デジタル教科書や学習者用デジタル教材を単に視聴させるだけではなく，「主体的・対話的で深い学び」の視点からの授業改善に資するよう活用すること。また，児童生徒が自分の考えを発表する際に，必要に応じて具体的なものなどを用いたり，黒板に書いたりするなど，学習者用デジタル教科書の使用に固執しないこと。

⑤　学習者用デジタル教科書の使用により，文字を手書きすることや実験・実習等の体験的な学習活動が疎かになることは避けること。漢字や計算等に関する繰り返し学習や学習内容をまとめる等で書くことが大事な場面では，ノートの使用を基本とすること。

⑥　児童生徒が授業と関係のない内容を閲覧して授業に集中しないことがないよう，例えば，学習者用デジタル教科書を使わないときは学習者用コンピュータの画面を閉じるなど，児童生徒が授業において適切に学習者用デジタル教科書を使用するよう指導すること。

⑦　学習者用デジタル教科書の活用状況について，各学校において教育課程の実施状況を評価する中で適切に把握するなどして，学習者用デジタル教科書の効果的な活用方法やその効果・影響を見極めつつ，必要に応じて学習者用デジタル教科書の使用を見直すことも含め，指導方法や指導体制の改善に努めること。

演習問題

【1】 次のa～eの文章のうち，「学習者用デジタル教科書の効果的な活用の在り方等に関するガイドライン」（令和３年３月改訂　文部科学省）の内容の組み合わせとして最も適切なものを，①～⑤から一つ選びなさい。〔三重県〕

a　紙の教科書を使用する授業と学習者用デジタル教科書を使用する授業を適切に組み合わせることが重要であること。なお，学習者用デジタル教科書を使用する際には，学習者用デジタル教科書の使用を各教科等の授業時数の２分の１に満たないようにすること。

b　学習者用デジタル教科書を紙の教科書に代えて使用する授業においては，学習者用デジタル教科書の故障や不具合等が生じる場合に備え，可能な限り予備用学習者用コンピュータを準備しておくとともに，常に紙の教科書を使用できるようにしておくこと。

c　学習者用デジタル教科書を紙の教科書に代えて使用する授業においては，児童生徒一人一人が，それぞれ学習者用デジタル教科書を使用すること。全児童生徒に一人一台の学習者用コンピュータが整備されていない場合には，当該授業において少なくとも児童生徒二人につき一台の学習者用コンピュータを用意すること。

d　学習者用デジタル教科書や学習者用デジタル教材を単に視聴させるだけではなく,「主体的・対話的で深い学び」の視点からの授業改善に資するよう活用すること。また，児童生徒が自分の考えを発表する際に，必要に応じて具体的なものなどを用いたり，黒板に書いたりするなど，学習者用デジタル教科書の使用に固執しないこと。

e　学習者用デジタル教科書を使用する際には，姿勢に関する指導を適切に行い，目と学習者用コンピュータの画面の距離を30cm以上離すよう指導すること。

①　a　b　c
②　a　c　e
③　a　d　e
④　b　c　d
⑤　b　d　e

【2】 次の文章は，「学習者用デジタル教科書の効果的な活用の在り方等に関するガイドライン」（平成30年12月　文部科学省）の「3．学習者用デジタル教科書の効果的な活用の在り方について」「⑴新学習指導要領におけるICTの活用の在り方」の一部である。（　1　）～（　2　）にあてはまる語句を，語群①～⑧の中からそれぞれ一つ選びなさい。〔三重県〕

○　新学習指導要領においては，学習の基盤となる資質・能力として「（　1　）」が位置付けられている。（　1　）の育成を図るため，各学校において，コンピュータや情報通信ネットワークなどの情報手段を活用するために必要な環境を整え，ICT を適切に活用した学習活動を充実することが必要となっている。

○　また，ICT を適切に活用した学習活動は，新学習指導要領で重視する「（　2　）」の視点からの授業改善にも資するものであり，各教科等においても指導内容に応じて ICT を適切に活用することとされている。さらに，児童生徒が学習内容を確実に身に付けることができるよう，個に応じた指導の充実を図る際に，ICT や教材・教具の活用を図ることとされている。加えて，障害のある児童生徒等の指導に当たっては，ICT を有効に活用し，指導の効果を高めるようにすることとされている。

［語群］
①情報リテラシー　②生きる力　③情報モラル　④情報活用能力
⑤思考力・判断力・表現力　⑥知識・技能　⑦情報スキル
⑧主体的・対話的で深い学び

【3】「学習者用デジタル教科書の効果的な活用の在り方等に関するガイドライン」（令和３年３月改訂版　文部科学省）において示されている内容として誤っているものを，次の１～５から一つ選びなさい。〔高知県〕

1　教科書は，各教科等の学習における主たる教材として法律による使用義務が課せられ，基礎的・基本的な教育内容の履修を保障するものである。

2　新学習指導要領を踏まえた「主体的・対話的で深い学び」の視点からの授業改善や，障害等により教科書を使用して学習することが困難な児童生徒の学習上の支援のため，一定の基準の下で，必要に応じ，紙の教科書に代えて学習者用デジタル教科書を使用することができることとなった。

3　学習者用デジタル教科書は，紙の教科書と同一の内容がデジタル化された教材であり，教科書発行者が作成するものである。このため，動画・音声やアニメーション等のコンテンツは，学習者用デジタル教科書には該当しない。

4　義務教育諸学校においては，市区町村教育委員会が申請すれば，紙の教科書と同様に学習者用デジタル教科書も無償給与される。

5　特別な配慮を必要とする児童生徒等に対し，文字の拡大や音声読み上げ等により，その学習上の困難の程度を低減させる必要がある場合には，教育課程の全部においても，紙の教科書に代えて学習者用デジタル教科書を使用できる。

P.220〜P.221 解答

▶学習者用デジタル教科書の効果的な活用の在り方等に関するガイドライン

【1】 ⑤，**【2】** 1－④　2－⑧，**【3】** 4

小学校，中学校，高等学校及び特別支援学校等における児童生徒の学習評価及び指導要録の改善等について（通知）

文部科学省初等中等教育局長　平成 31 年 3 月

本通知の概要

学習指導要領が改訂されたことを踏まえ，平成 31 年 1 月に中央教育審議会において「児童生徒の学習評価の在り方について（報告）」がまとめられた。本通知はその報告を受け，学習評価の在り方についての基本的な考え方や具体的な改善の方向性として示されたものである。「学習指導」と「学習評価」は学校の教育活動の根幹であり，教育課程に基づいて組織的かつ計画的に教育活動の質の向上を図るカリキュラム・マネジメントの中核となる。特に指導と評価の一体化の観点からは，新学習指導要領（現行）で重視している「主体的・対話的で深い学び」の視点からの授業改善を通して各教科等における資質・能力を確実に育成する上で，学習評価は重要な役割を担う。

ココが大事！出題のポイント

▶今回の学習指導要領改訂で各教科等の目標や内容が「知識及び技能」「思考力・判断力・表現力等」「学びに向かう力・人間性等」の資質・能力の三つの柱で再整理されたことを踏まえて３観点が設定された。

「知識・技能」……個別の事実的な知識の習得だけでなく既有の知識と結び付け，概念的な知識として習得されたかを評価する。

「思考・判断・表現」……知識・技能を活用して課題を解決するために必要な思考力，判断力，表現力等を身に付けているかを評価する。

「主体的に学習に取り組む態度」……「学びに向かう力・人間性等」を①「感性・思いやりなど」と②「主体的に学習に取り組む態度」の２つに整理。①は児童生徒一人一人のよい点や可能性，進歩の状況として個人内評価とする。②は知識及び技能を獲得し，思考力，判断力，表現力等を身に付けることに向けた粘り強い取組についての側面と，自らの学習を調整しようとする側面の双方を一体的に観点別評価する。そのため児童生徒が自らの学習の見通しをもてるよう学習評価の方針等を児童生徒と共有することも重要である。

▶指導要録の「指導に関する記録」に関する記録は大幅に簡素化し，学習評価の結果を指導の改善や児童生徒の学習の改善につなげることに重点を置く。学習評価の妥当性・信頼性を高める観点から，各学校における学習評価に向けた組織的かつ計画的な取組を充実させることも求められる。

本文（抜粋）

1．学習評価についての基本的な考え方

(1)　カリキュラム・マネジメントの一環としての指導と評価

「学習指導」と「学習評価」は学校の教育活動の根幹であり，教育課程に基づいて組織的かつ計画的に教育活動の質の向上を図る「カリキュラム・マネジメント」の中核的な役割を担っていること。

(2)　主体的・対話的で深い学びの視点からの授業改善と評価

指導と評価の一体化の観点から，新学習指導要領で重視している「主体的・対話的で深い学び」の視点からの授業改善を通して各教科等における資質・能力を確実に育成する上で，学習評価は重要な役割を担っていること。

(4)　学習評価の改善の基本的な方向性

（略）次の基本的な考え方に立って，学習評価を真に意味のあるものとすることが重要であること。

［1］　児童生徒の学習改善につながるものにしていくこと

［2］　教師の指導改善につながるものにしていくこと

［3］　これまで慣行として行われてきたことでも，必要性・妥当性が認められないものは見直していくこと

2．学習評価の主な改善点について

(1)　各教科等の目標及び内容を「知識及び技能」，「思考力，判断力，表現力等」，「学びに向かう力，人間性等」の資質・能力の三つの柱で再整理した新学習指導要領の下での指導と評価の一体化を推進する観点から，観点別学習状況の評価の観点についても，これらの資質・能力に関わる「知識・技能」，「思考・判断・表現」，「主体的に学習に取り組む態度」の3観点に整理して示し，設置者において，これに基づく適切な観点を設定することとしたこと。その際，「学びに向かう力，人間性等」については，「主体的に学習に取り組む態度」として観点別学習状況の評価を通じて見取ることができる部分と観点別学習状況の評価にはなじまず，個人内評価等を通じて見取る部分があることに留意する必要があることを明確にしたこと。

(2)　「主体的に学習に取り組む態度」については，各教科等の観点の趣旨に照らし，知識及び技能を獲得したり，思考力，判断力，表現力等を身に付けたりすることに向けた粘り強い取組の中で，自らの学習を調整しようとしているかどうかを含めて評価することとしたこと。

3．指導要録の主な改善点について

(5) 教師の勤務負担軽減の観点から，「総合所見及び指導上参考となる諸事項」については，要点を箇条書きとするなど，(略) その記述の簡素化を図ることとしたこと。

4．学習評価の円滑な実施に向けた取組について

(1) 各学校においては，教師の勤務負担軽減を図りながら学習評価の妥当性や信頼性が高められるよう，学校全体としての組織的かつ計画的な取組を行うことが重要であること。

(2) 学習評価については，日々の授業の中で児童生徒の学習状況を適宜把握して指導の改善に生かすことに重点を置くことが重要であること。したがって観点別学習状況の評価の記録に用いる評価については，毎回の授業ではなく原則として単元や題材など内容や時間のまとまりごとに，それぞれの実現状況を把握できる段階で行うなど，その場面を精選することが重要であること。

(3) 観点別学習状況の評価になじまず個人内評価の対象となるものについては，児童生徒が学習したことの意義や価値を実感できるよう，日々の教育活動等の中で児童生徒に伝えることが重要であること。特に「学びに向かう力，人間性等」のうち「感性や思いやり」など児童生徒一人一人のよい点や可能性，進歩の状況などを積極的に評価し児童生徒に伝えることが重要であること。

(5) 学習評価の方針を事前に児童生徒と共有する場面を必要に応じて設けることは，学習評価の妥当性や信頼性を高めるとともに，児童生徒自身に学習の見通しをもたせる上で重要であること。その際，児童生徒の発達の段階等を踏まえ，適切な工夫が求められること。

[各教科における評価の基本構造]

下図は，文部科学省 HP 本通知の〔参考 I〕「児童生徒の学習評価の在り方について（報告）」より

・各教科における評価は，**学習指導要領に示す各教科の目標や内容に照らして学習状況を評価するもの（目標準拠評価）**
・したがって，目標準拠評価は，**集団内での相対的な位置付けを評価するいわゆる相対評価とは異なる。**

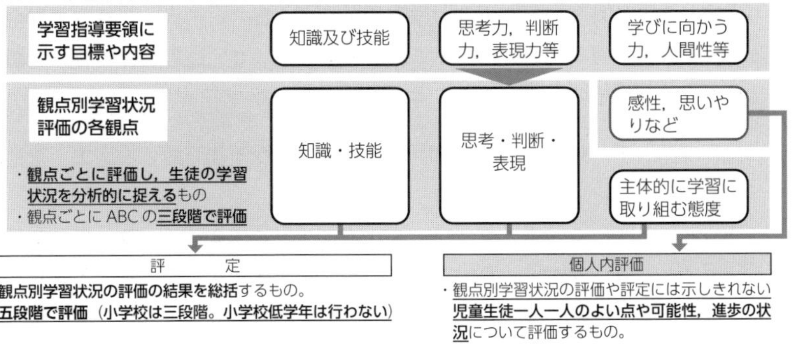

演習問題

【1】 次の文は,「小学校, 中学校, 高等学校及び特別支援学校等における児童生徒の学習評価及び指導要録の改善等について（通知)」(文部科学省初等中等教育局長 平成31年3月29日）に関する記述です。次の1～5の文の内容が正しいものには○印, 誤っているものには×印を書きなさい。〔岩手県〕

1 観点別学習状況の評価の観点は,「知識・理解」,「思考・判断・表現」,「主体的に学習に取り組む態度」の3観点に整理して, これに基づく適切な観点を設定すること。

2 評価規準や評価方法を事前に教師同士で検討し明確化することや評価に関する実践事例を蓄積し共有することが重要である。

3 学習評価については, 日々の授業の中で児童生徒の学習状況を適宜把握して指導の改善に生かすことに重点を置くことが重要である。

4 学習評価の妥当性や信頼性を高める観点から, 学習評価の方針を事前に児童生徒と共有する場面を設けることは厳に慎むことが重要である。

5 観点別学習状況の評価になじまず個人内評価の対象となるものについては, 児童生徒が学習したことの意義や価値を実感できるよう, 日々の教育活動等の中で児童生徒に伝えることが重要である。

【2】 次は,「小学校, 中学校, 高等学校及び特別支援学校等における児童生徒の学習評価及び指導要録の改善等について（通知)」(平成31年3月　文部科学省）の一部を基にしたものである。（ a ）～（ c ）内に当てはまるものを語群から選ぶとき, 正しい組合せとなるものを解答群から一つ選び, 番号で答えよ。〔愛知県〕

学習評価の結果の活用に際しては, 各教科等の児童生徒の学習状況を（ a ）に捉え, 各教科等における学習状況を分析的に把握することが可能な（ a ）学習状況の評価と, 各教科等の児童生徒の学習状況を（ b ）に捉え, 教育課程全体における各教科等の学習状況を把握することが可能な（ c ）の双方の特長を踏まえつつ, その後の指導の改善等を図ることが重要である。

［語　群］ ア 能力別　イ 観点別　ウ 部分的　エ 総括的
オ 偏差値　カ 評定

［解答群］
1 a―ア b―ウ c―オ　2 a―ア b―ウ c―カ
3 a―ア b―エ c―オ　4 a―ア b―エ c―カ
5 a―イ b―ウ c―オ　6 a―イ b―ウ c―カ

7　a—イ　b—エ　c—オ　　8　a—イ　b—エ　c—カ

【3】 次の文章は，「小学校，中学校，高等学校及び特別支援学校等における児童生徒の学習評価及び指導要録の改善等について（通知）」（平成 31 年3月 29 日　文部科学省初等中等教育局）の一部で，学習評価を適切に行うための配慮事項等を示したものである。（　a　）～（　d　）にあてはまる語句の組み合わせとして正しいものを，①～⑥の中から一つ選びなさい。〔三重県〕

2．学習評価の主な改善点について

⑴　各教科等の目標及び内容を「知識及び技能」,「思考力，判断力，表現力等」,「（　a　）」の資質・能力の三つの柱で再整理した新学習指導要領の下での指導と評価の一体化を推進する観点から，観点別学習状況の評価の観点についても，これらの資質・能力に関わる「知識・技能」,「思考・判断・表現」,「（　b　）」の３観点に整理して示し，設置者において，これに基づく適切な観点を設定することとしたこと。その際,「（　a　）」については,「（　b　）」として観点別学習状況の評価を通じて見取ることができる部分と観点別学習状況の評価にはなじまず,（　c　）評価等を通じて見取る部分があることに留意する必要があることを明確にしたこと。

⑵「（　b　）」については，各教科等の観点の趣旨に照らし，知識及び技能を獲得したり，思考力，判断力，表現力等を身に付けたりすることに向けた粘り強い取組の中で，自らの学習を（　d　）しようとしているかどうかを含めて評価することとしたこと。

	a	b	c	d
①	主体的に学習に取り組む態度	学びに向かう力，人間性等	相互	探究
②	学びに向かう力，人間性等	主体的に学習に取り組む態度	個人内	調整
③	主体的に学習に取り組む態度	学びに向かう力，人間性等	相対的	理解
④	学びに向かう力，人間性等	主体的に学習に取り組む態度	相互	探究
⑤	主体的に学習に取り組む態度	学びに向かう力，人間性等	相対的	調整
⑥	学びに向かう力，人間性等	主体的に学習に取り組む態度	個人内	理解

【4】 下の文は，「小学校，中学校，高等学校及び特別支援学校等における児童生徒の学習評価及び指導要録の改善等について（通知）」（平成31年３月29日　文部科学省）の一部である。次の問いに答えよ。〔奈良県・大和高田市〕

(1) 各学校においては，教師の勤務負担軽減を図りながら学習評価の妥当性や（　a　）が高められるよう，学校全体としての組織的かつ計画的な取組を行うことが重要であること。具体的には，例えば以下の取組が考えられること。

○評価規準や評価方法を事前に教師同士で検討し明確化することや評価に関する実践事例を蓄積し共有すること。

○評価結果の検討等を通じて評価に関する教師の（　b　）の向上を図ること。

○教務主任や研究主任を中心として学年会や教科等部会等の校内組織を活用すること。

(2) 学習評価については，日々の授業の中で児童生徒の学習状況を適宜把握して（　c　）に生かすことに重点を置くことが重要であること。したがって観点別学習状況の評価の記録に用いる評価については，毎回の授業ではなく原則として単元や題材など内容や時間のまとまりごとに，それぞれの実現状況を把握できる段階で行うなど，その場面を（　d　）ことが重要であること。

(3) 観点別学習状況の評価になじまず（　e　）の対象となるものについては，児童生徒が学習したことの意義や価値を実感できるよう，日々の教育活動等の中で児童生徒に伝えることが重要であること。特に「学びに向かう力，人間性等」のうち「感性や思いやり」など児童生徒一人一人のよい点や可能性，進歩の状況などを（　f　）に評価し児童生徒に伝えることが重要であること。

(1) 文中の（　a　），（　b　）に当てはまる語句の正しい組合せはどれか。①～⑥から１つ選べ。

①　a―確実性　b―技術	②　a―信頼性　b―力量
③　a―確実性　b―力量	④　a―信頼性　b―技術
⑤　a―多様性　b―技術	⑥　a―多様性　b―力量

(2) 文中の（　c　），（　d　）に当てはまる語句の正しい組合せはどれか。①～⑥から１つ選べ。

①　c―指導の改善　　d―分散させる
②　c―学習意欲の向上　　d―分散させる
③　c―学力の定着　　d―精選する
④　c―指導の改善　　d―精選する

⑤　c—学習意欲の向上　　d—提示する
⑥　c—学力の定着　　　d—提示する

(3)　文中の（　e　），（　f　）に当てはまる語句の正しい組合せはどれか。①～⑥から１つ選べ。

①　e—個人内評価　f—多面的　　②　e—個人内評価　f—積極的
③　e—絶対評価　　f—総合的　　④　e—絶対評価　　f—積極的
⑤　e—相対評価　　f—総合的　　⑥　e—相対評価　　f—多面的

(4)　この通知の別紙には，指導要録に記載する事項等について示されている。これに関する下の文については，正しいものを○，誤っているものを×としたとき，正しい組合せはどれか。①～⑥から１つ選べ。

A　小学校，中学校，特別支援学校小学部，同中学部の指導要録の学籍に関する記録については，原則として戸籍簿の記載に基づき，学年当初及び異動の生じたときに記入する。

B　学籍に関する記録の入学前の経歴については，外国において受けた教育の実情なども記入する。

C　小学校，中学校，特別支援学校小学部，同中学部に在籍する児童・生徒について，その就学義務が猶予・免除される場合又は児童・生徒の居所が１年以上不明である場合であったとしても，在学しない者として取り扱うことは認められない。

D　校長の氏名，学級担任者の氏名の記入及び押印については，電子署名を行うことで替えることも可能である。

E　授業日数，出席停止・忌引等の日数，出席しなければならない日数，欠席日数，出席日数などの出欠の記録は，指導に関する記録に記載する。

①　A—×　B—×　C—○　D—○　E—×
②　A—○　B—○　C—×　D—×　E—○
③　A—×　B—○　C—○　D—×　E—×
④　A—○　B—×　C—×　D—○　E—○
⑤　A—×　B—○　C—×　D—○　E—○
⑥　A—○　B—×　C—×　D—○　E—×

【5】「児童生徒の学習評価の在り方について（報告）（平成 31 年 1 月 21 日　中央教育審議会初等中等教育分科会教育課程部会）」より，以下の問いに答えなさい。〔福井県〕

⑴　児童生徒の学習評価の在り方について述べている以下のア～エの文の正誤の組み合わせとして適切なものを，①～⑥の中から１つ選んで番号で答えなさい。

ア　障害のある児童生徒に係る学習評価については，一人一人の児童生徒の障害の状態等に応じた指導と配慮及び評価を適切に行うことが必要である。

イ　児童生徒にどのような方針によって評価を行うのかを事前に示し，共有しておくことは，各教科等において身に付けるべき資質・能力の具体的なイメージをもたせる観点からも不可欠である。

ウ　学習評価を進めていく上では，通常の授業で教師が自ら行う評価が重要であり，外部試験等の結果は，教師が自らの評価を補完したり，必要に応じて修正したりすることに活用すべきではない。

エ　観点別学習状況の評価や評定には示しきれない児童生徒一人一人のよい点や可能性，進歩の状況については，個人内評価として実施する。

①　**ア**：正　**イ**：正　**ウ**：誤　**エ**：誤	②　**ア**：正　**イ**：正　**ウ**：誤　**エ**：正
③　**ア**：正　**イ**：誤　**ウ**：正　**エ**：誤	④　**ア**：誤　**イ**：正　**ウ**：正　**エ**：正
⑤　**ア**：誤　**イ**：誤　**ウ**：誤　**エ**：正	⑥　**ア**：正　**イ**：正　**ウ**：正　**エ**：誤

⑵　次の文は，観点別学習状況の評価の「主体的に学習に取り組む態度」の評価の基本的な考え方を述べた文である。空欄に入る語句の組み合わせとして適切なものを，①～⑥の中から１つ選んで番号で答えなさい。

「主体的に学習に取り組む態度」の評価に際しては，単に継続的な行動や積極的な発言等を行うなど，性格や行動面の傾向を評価するということではなく，各教科等の「主体的に学習に取り組む態度」に係る評価の観点の趣旨に照らして，知識及び（　**ア**　）を獲得したり，思考力，（　**イ**　），表現力等を身に付けたりするために，自らの学習状況を把握し，学習の進め方について試行錯誤するなど自らの学習を（　**ウ**　）しながら，学ぼうとしているかどうかという意思的な側面を評価することが重要である。

①　**ア**：技能　**イ**：判断力　**ウ**：俯瞰	②　**ア**：技能　**イ**：活用力　**ウ**：調整
③　**ア**：技能　**イ**：判断力　**ウ**：調整	④　**ア**：技量　**イ**：活用力　**ウ**：俯瞰
⑤　**ア**：技量　**イ**：判断力　**ウ**：俯瞰	⑥　**ア**：技量　**イ**：活用力　**ウ**：調整

P.226～P.230 解答

▶小学校，中学校，高等学校及び特別支援学校等における児童生徒の学習評価及び指導要録の改善等について（通知）

【1】 1－×　2－○　3－○　4－×　5－○，**【2】** 8，**【3】** ②，**【4】** ⑴－②　⑵－④　⑶－②　⑷－⑤，**【5】** ⑴－②　⑵－③

学校安全資料「生きる力」をはぐくむ学校での安全教育

文部科学省　平成 31 年3月（改訂2版）

本資料の概要

東日本大震災からの時間の経過とともに学校安全に係る取組の優先順位が低下することが危惧されているが，今後発生が懸念されている巨大地震や，全国各地で発生している豪雨等の自然災害の状況，交通事故や犯罪等，社会的な情勢の変化など，新たな課題も次々と顕在化し，SNS の利用を巡るトラブルなど従来想定されなかった新たな危機事象も発生している。こうした現状を踏まえ，学校における安全教育の一層の充実と適切な安全管理が求められている。

ココが大事！出題のポイント

▶学校における安全を図り安全教育を実施するためには次の点が重要である。

①児童生徒の安全を確保する。

②生涯にわたって健康・安全で幸福な生活を送るための基礎を培う。

③進んで安全で安心な社会づくりに参加し貢献できるような資質・能力を育てる。

つまり，児童生徒は守られるべき対象であることにとどまらず，学校教育活動全体を通じ，自らの安全を確保することのできる基礎的な資質・能力を継続的に育成していくことが求められている。

新学習指導要領における育成を目指すべき資質・能力の三つの柱の考え方は，まさに安全教育で目指す「自他の生命尊重を基盤として，自ら安全に行動し，他の人や社会の安全に貢献できる資質・能力」と軌を一にするものといえる。

▶安全教育とともに欠かせないのが安全管理である。

①安全管理を行う主体は，原則として校長をはじめとする教職員である。

②児童生徒等や保護者，地域，関係機関等が安全管理に適宜参加することにより，安全管理の取組が一層充実する面もある。

このため，学校安全計画で一体的に安全教育と安全管理を年間の計画に基づいて計画的に実施することが重要である。最新の情報を踏まえ，また，学校や地域の実態に即した実践的な研修を行うことも必要となる。

本文（抜粋）

（学校安全の考え方）

○　学校安全のねらいは，児童生徒等が自ら安全に行動し，他の人や社会の安全に貢献できる資質・能力を育成するとともに，児童生徒等の安全を確保するための環境を整えることである。

○　学校安全の領域は，「生活安全」「交通安全」「災害安全」などがあるが，従来想定されなかった新たな危機事象の出現などにも柔軟に対応し，学校保健や生徒指導など様々な関連領域と連携して取り組むことが重要である。

○　学校安全の活動は，安全教育，安全管理から構成されており，相互に関連付けて組織的に行うことが必要である。

○　学校における安全教育は，主に学習指導要領を踏まえ，学校の教育活動全体を通じて実施する。

○　学校における安全管理・組織活動は，主に学校保健安全法に基づいて実施する。

○　学校安全の推進に関する施策の方向性と具体的な方策は，５年ごとに策定する学校安全の推進に関する計画に定められている。

［学校安全の体系］

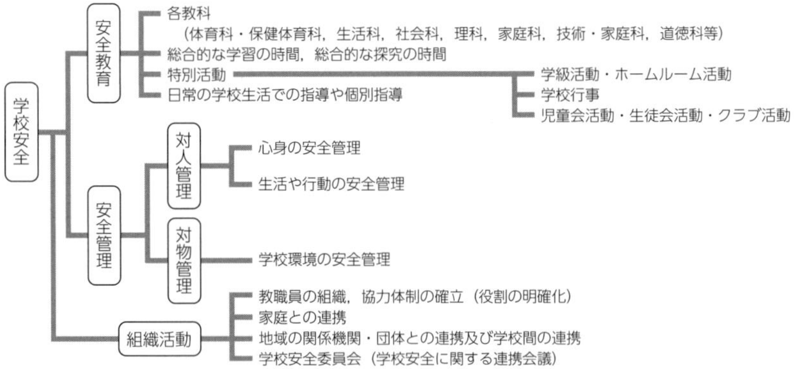

（安全教育の目標）

○　安全教育の目標は，日常生活全般における安全確保のために必要な事項を実践的に理解し，自他の生命尊重を基盤として，生涯を通じて安全な生活を送る基礎を培うとともに，進んで安全で安心な社会づくりに参加し貢献できるよう，安全に関する資質・能力を育成することである。

○　各学校においては，児童生徒等や学校，地域の実態及び児童生徒等の発達の段階を考慮して学校の特色を生かした目標や指導の重点を計画し，教育課程を編成・実施していくことが重要である。

（安全教育の内容）

○　学校における安全教育は，児童生徒等が安全に関する資質・能力を教科等横断的な視点で確実に育むことができるよう，自助，共助，公助の視点を適切に取り入れながら，地域の特性や児童生徒等の実情に応じて，各教科等の安全に関する内容のつながりを整理し教育課程を編成することが重要である。

（学校における安全管理の考え方）

○　学校における安全管理は，事故の要因や危険を早期に発見し，速やかに除去するとともに，万が一，事故等が発生した場合に，適切な応急手当や安全措置ができるような体制を確立して，児童生徒等の安全の確保を図るようにすることである。

○　安全管理は，安全教育と一体的な活動を展開することによって，初めて学校における安全が確保できるため，学校安全計画や危機管理マニュアル作成時には十分留意し，実効的なものとする必要がある。

（学校における体制整備）

○　学校安全の活動は，管理職のリーダーシップの下，学校安全の中核となる教職員の役割を明確化し，当該教職員を中心として，全ての教職員がそれぞれ果たすべき役割を踏まえて一体となって取り組むことが重要である。

○　また，教職員が学校における組織体制や安全教育の重要性と緊急性を十分認識し，安全に関する自らの意識や対応能力，安全教育に関する指導力を一層高めるためには，最新の情報を踏まえ，また，学校や地域の実態に即した実践的な研修を行う必要がある。

演習問題

【1】 次の文章は，「学校安全資料『生きる力』をはぐくむ学校での安全教育」（文部科学省　平成31年３月）の第１章　総説　第２節　学校安全の考え方　ポイントの一部です。空欄（　a　）～（　c　）にあてはまる言葉は何ですか。下の①～⑤の中から，正しい組合せを１つ選び，その記号を答えなさい。〔広島県・広島市〕

（略）

○　学校安全の領域は，「生活安全」「交通安全」「災害安全」などがあるが，従来想定されなかった（　a　）の出現などにも柔軟に対応し，学校保健や生徒指導など様々な関連領域と連携して取り組むことが重要である。

○　学校安全の活動は，安全教育，安全管理から構成されており，相互に関連付けて（　b　）に行うことが必要である。

○　学校における安全教育は，主に学習指導要領を踏まえ，学校の（　c　）を通じて実施する。

①	a	自然災害	b	組織的	c	教育活動全体
②	a	新たな危機事象	b	組織的	c	教育活動全体
③	a	自然災害	b	組織的	c	特別活動
④	a	新たな危機事象	b	計画的	c	特別活動
⑤	a	自然災害	b	計画的	c	教育活動全体

【2】 次は,『「生きる力」をはぐくむ学校での安全教育』（平成31年３月　文部科学省）第１章　総説　第２節　学校安全の考え方　の一部である。（　　）に入る正しい言葉の組み合わせを選びなさい。〔長野県〕

○　学校安全のねらいは，児童生徒等が自ら安全に行動し，他の人や社会の安全に貢献できる資質・能力を育成するとともに，児童生徒等の安全を確保するための（　ア　）を整えることである。

○　学校安全の領域は，「生活安全」「交通安全」「災害安全」などがあるが，従来想定されなかった新たな危機事象の出現などにも柔軟に対応し,学校保健や（　イ　）など様々な関連領域と連携して取り組むことが重要である。

○　学校安全の活動は，安全教育，安全管理から構成されており，相互に関連付けて組織的に行うことが必要である。

○　学校における安全教育は，主に学習指導要領を踏まえ，学校の（　ウ　）全体を通じて実施する。

○　学校における安全管理・組織活動は，主に（　エ　）に基づいて実施する。

○　学校安全の推進に関する施策の方向性と具体的な方策は，（　オ　）ごとに策定する学校安全の推進に関する計画に定められている。

①	ア	環境	イ	生徒指導	ウ	教育活動	エ	学校保健安全法	オ	5年
②	ア	生活	イ	生活指導	ウ	特別活動	エ	学校安全法	オ	10年
③	ア	生活	イ	生徒指導	ウ	教育活動	エ	学校安全法	オ	5年
④	ア	環境	イ	生徒指導	ウ	特別活動	エ	学校安全法	オ	10年
⑤	ア	環境	イ	生活指導	ウ	教育活動	エ	学校保健安全法	オ	5年

【3】　次の文は，「『生きる力』をはぐくむ学校での安全教育」（文部科学省，平成31年3月）の一部である。下のア〜ウの各問いに答えよ。〔山口県〕

安全とは，心身や物品に危害をもたらす様々な危険や災害が防止され，万が一，事件や事故，災害等が発生した場合には，被害を最小限にするために適切に対処された状態である。人々が自他の安全を確保するためには，個人だけではなく（　①　）として安全意識を高め，全ての人々が安全な社会を築いていくために必要な取組を進めていかなければならない。

安全教育の目標は，日常生活全般における安全確保のために必要な事項を（　②　）に理解し，自他の生命尊重を基盤として，生涯を通じて安全な生活を送る基礎を培うとともに，進んで安全で安心な社会づくりに参加し貢献できるよう，安全に関する資質・能力を育成することである。

安全管理は，安全教育と（　③　）な活動を展開することによって，初めて学校における安全が確保できるため，学校安全計画や危機管理マニュアル作成時には十分留意し，実効的なものとする必要がある。

ア　（　①　）に入る適切な語句を次の語群から選び，記号で答えよ。

1　学校全体　　2　地域全体　　3　社会全体　　4　国全体

イ　（　②　）に入る適切な語句を次の語群から選び，記号で答えよ。

1　体験的　　2　経験的　　3　具体的　　4　実践的

ウ　（　③　）に入る適切な語句を次の語群から選び，記号で答えよ。

1　一体的　　2　継続的　　3　体系的　　4　組織的

P.234～P.235 解答

▶学校安全資料「生きる力」をはぐくむ学校での安全教育

【1】②, **【2】**①, **【3】**アー3　イー4　ウー1

第3次学校安全の推進に関する計画

閣議決定　令和4年3月

本計画の概要

近い将来に発生が懸念される様々な自然災害のリスクや，学校における事件·事故，子供の安全を脅かす様々な事案への対応が迫られる中，今後5年間（令和4年度から令和8年度）における学校安全に係る基本的方向性と具体的な方策を示し，各学校における安全に係る取組を総合的かつ効果的に推進するために本計画は策定された。本計画に基づき，安全で安心な学校環境の整備や，組織的な取組の一層の充実が求められている。

ココが大事！ 出題のポイント

○学校安全の活動は，次の３つの主要な活動から構成されている。

①「安全教育」…「生活安全」，「交通安全」，「災害安全」の各領域を通じて，自ら安全に行動したり，他の人や社会の安全のために貢献したりできるようにすることを目指す。

②「安全管理」…児童生徒等を取り巻く環境を安全に整えることを目指す。

③「組織活動」…これらの活動を円滑に進めるため安全教育と安全管理を相互に関連付け，校内体制の構築のみならず，学校安全に関わる活動の担い手となりうる学校外の多様な主体との連携が求められる。

○5つの推進方策を設定し，学校安全に関する具体的な取組の推進と，学校安全に関する社会全体の意識の向上を図る。

1．学校安全に関する組織的取組の推進

学校安全の中核を担う教職員の位置付けを明確化し，各学校における学校安全計画を策定すると共に，見直しを図りながら内容や取組の実効性を高める。

2．家庭，地域，関係機関等との連携・協働による学校安全の推進

学校外の専門的な知見や地域からの協力を得て，学校安全に関わる取組に反映する。

3．学校における安全に関する教育の充実

カリキュラム・マネジメントの考え方を生かしながら，学校の特色を生かし，管理職や教職員の共通理解を図りながら，安全教育を積極的に推進する。

4．学校における安全管理の取組の充実

5．学校安全の推進方策に関する横断的な事項等

本文（抜粋）

Ⅰ　総論

学校安全の活動は，「生活安全」，「交通安全」，「災害安全」の各領域を通じて，自ら安全に行動したり，他の人や社会の安全のために貢献したりできるようにすることを目指す「安全教育」，児童生徒等を取り巻く環境を安全に整えることを目指す「安全管理」，これらの活動を円滑に進めるための「組織活動」という３つの主要な活動から構成されている。

特に，組織活動については，安全教育と安全管理を相互に関連付けるものであるとともに，校内体制の構築のみならず，学校安全に関わる活動の担い手となりうる学校外の多様な主体との連携が求められるものである。

2　施策の基本的な方向性

- ○　学校安全計画・危機管理マニュアルを見直すサイクルを構築し，学校安全の実効性を高める
- ○　地域の多様な主体と密接に連携・協働し，子供の視点を加えた安全対策を推進する
- ○　全ての学校における実践的・実効的な安全教育を推進する
- ○　地域の災害リスクを踏まえた実践的な防災教育・訓練を実施する
- ○　事故情報や学校の取組状況などデータを活用し学校安全を「見える化」する
- ○　学校安全に関する意識の向上を図る（学校における安全文化の醸成）

Ⅱ　学校安全を推進するための方策

1　学校安全に関する組織的取組の推進

学校安全に関わる活動を校内全体として行うためには，安全教育・安全管理を担当する教職員にその重要性や進め方が共通理解されていることが大切である。校長のリーダーシップの下，学校安全計画に基づく学校全体としての活動や適切な役割分担に基づく事故・災害等発生時の対応ができるよう校内体制が整えられている環境下でなければ，実効的な取組を進めることは困難である。

（略）学校安全計画には，当該学校の施設及び設備の安全点検，通学を含めた学校生活その他の日常生活における安全に関する指導，職員の研修，その他学校における安全に関する事項を記載することとされている。

（略）危険等発生時において学校の職員が取るべき措置の具体的内容及び手順を定めた危機管理マニュアルを作成することとされている。

(略) 校務分掌において学校安全に係る業務が位置付けられるとともに，当該校務分掌を担当する管理職以外の教職員が明確にされていることが不可欠である。

2　家庭，地域，関係機関等との連携・協働による学校安全の推進

(略) 児童生徒等を取り巻く学校安全上の課題に対して，学校や教職員がその全てを担うことは困難である。(略) 家庭や地域との連携・協働の推進が不可欠である。

(略) 通学時（通園時を含む）の安全は，交通安全の観点，犯罪被害防止という生活安全の観点，災害発生時の災害安全のそれぞれの観点からの対策が必要である。

3　学校における安全に関する教育の充実

学校における安全教育の目標は，日常生活全般における安全確保のために必要な事項を実践的に理解し，自他の生命尊重を基盤として，生涯を通じて安全な生活を送る基礎を培うとともに，進んで安全で安心な社会づくりに参加し貢献できるような資質・能力を育成することを目指すものである。

各学校では，新学習指導要領において重視しているカリキュラム・マネジメントの考え方を生かしながら，児童生徒等や学校，地域の実態及び児童生徒等の発達の段階を考慮して，学校の特色を生かした安全教育の目標や指導の重点を設定し，教育課程を編成・実施していくことが重要であり，各学校において管理職や教職員の共通理解を図りながら，安全教育を積極的に推進するべきである。

(略) 学校安全の 3 領域に関する従来の学習内容に加えて，児童生徒等が被害に遭う SNS に起因する犯罪や，性犯罪・性暴力への対策については，現代的な課題として，安全教育の中で柔軟に扱うことも重要である。

4　学校における安全管理の取組の充実

(略) 安全点検に子供の視点を加えることで，事故の要因に対する気付きや学校内での問題意識の共有を推進することができる。

(略) 学校管理下における重大事故につながり得るヒヤリハット事例を次の活動に活かすために情報共有することや，他校で起きた事例は自校でも起き得ることを想定し校内研修を進める機会を作り，事故の発生を未然に防ぐよう努める。

5　学校安全の推進方策に関する横断的な事項等

(1)　学校安全に係る情報の見える化，共有，活用の推進

(2)　科学的なアプローチによる事故予防に関する取組の推進

演習問題

【1】 次の文は，令和４年３月25日に策定された「第３次学校安全の推進に関する計画」の一部である。（　①　）～（　③　）に当てはまる語句の組合せとして適切なものは，下の１～５のうちどれか。〔新潟県〕

学校における安全教育の目標は，日常生活全般における安全確保のために必要な事項を（　①　）に理解し，自他の（　②　）を基盤として，生涯を通じて安全な生活を送る基礎を培うとともに，進んで安全で安心な社会づくりに参加し貢献できるような資質・能力を育成することを目指すものである。

各学校では，新学習指導要領において重視している（　③　）の考え方を生かしながら，児童生徒等や学校，地域の実態及び児童生徒等の発達の段階を考慮して，学校の特色を生かした安全教育の目標や指導の重点を設定し，教育課程を編成・実施していくことが重要であり，各学校において管理職や教職員の共通理解を図りながら，安全教育を積極的に推進するべきである。

1	①実践的	②生命尊重	③カリキュラム・マネジメント
2	①実践的	②人権尊重	③社会に開かれた教育課程
3	①実践的	②生命尊重	③社会に開かれた教育課程
4	①計画的	②人権尊重	③カリキュラム・マネジメント
5	①計画的	②生命尊重	③カリキュラム・マネジメント

【2】 次の文は「第３次学校安全の推進に関する計画」（文部科学省，令和４年３月）の「２．施策の基本的な方向性」の一部である。下のア，イの各問いに答えよ。〔山口県〕

これまでの取組や課題を踏まえ，第３次計画期間において取り組むべき施策の基本的な方向性は以下のとおりとする。

○　学校安全計画・危機管理マニュアルを見直すサイクルを構築し，学校安全の実効性を高める

○　地域の多様な主体と密接に連携・協働し，（　①　）の視点を加えた安全対策を推進する

○　全ての学校における実践的・実効的な安全教育を推進する

○　地域の災害リスクを踏まえた実践的な防災教育・訓練を実施する

○　事故情報や学校の取組状況などデータを活用し学校安全を「（　②　）化」する

○　学校安全に関する意識の向上を図る（学校における安全文化の醸成）

ア （ ① ）に入る適切な語句を次の語群から選び，記号で答えよ。

1	地域	2	学校	3	保護者	4	子供

イ （ ② ）に入る適切な語句を次の語群から選び，記号で答えよ。

1	見える	2	多様	3	意識	4	デジタル

【3】 次の文章は，「第３次学校安全の推進に関する計画」（令和４年３月25日 文部科学省）のうち，学校安全に関する組織的取組の推進についての記述である。文中の（ A ）～（ D ）に入る語句の正しい組合せを，下の１～５のうちから一つ選べ。なお，同じ記号には同じ語句が入るものとする。〔大分県〕

学校安全に関わる活動を校内全体として行うためには，安全教育・安全管理を担当する教職員にその重要性や進め方が（ A ）されていることが大切である。校長のリーダーシップの下，（ B ）に基づく学校全体としての活動や適切な（ C ）に基づく事故・災害等発生時の対応ができるよう校内体制が整えられている環境下でなければ，実効的な取組を進めることは困難である。

このため，校長が学校安全を（ D ）に明確に位置付けることや，（ B ）に基づく組織的・計画的な活動を進められる環境が整えられるよう校内安全委員会を設置すること等により，学校安全に関する適切な（ C ）と（ A ）に基づく対応ができる校内体制を設けることが重要である。

国は，学校設置者等との連携を図り，各学校における取組の状況を把握するとともに，学校安全が各学校の（ D ）に位置付けられるよう周知啓発等の取組を推進する。

	A	B	C	D
1	合意	危険等発生時対処要領	校務分掌	学校経営
2	合意	学校安全計画	校務分掌	教育課程
3	共通理解	危険等発生時対処要領	役割分担	教育課程
4	合意	学校安全計画	役割分担	教育課程
5	共通理解	学校安全計画	役割分担	学校経営

P.240～P.241 解答

▶第３次学校安全の推進に関する計画

【1】 1，**【2】** アー4 イー1，**【3】** 5

児童生徒の教育相談の充実について（通知）

文部科学省初等中等教育局長　平成29年2月

本通知の概要

不登校，いじめや暴力行為等問題行動，児童虐待等の件数は増加傾向にあり，相対的貧困率も依然として高い傾向にある状況において，心理的，経済的に困難を抱えている児童生徒が増加してきていると考えられる。こうした状況を踏まえ，文部科学省は平成27年12月に「教育相談等に関する調査研究協力者会議」を設置し，平成29年1月に概要とともに「児童生徒の教育相談の充実について～学校の教育力を高める組織的な教育相談体制づくり～（報告）」が取りまとめられた。

本通知は各学校に対して本報告内容の周知を図り，適切な対応を促すものである。

ココが大事！出題のポイント

1．未然防止，早期発見及び支援・対応等への体制構築

事案の対応には，未然防止，早期発見，早期支援・対応，さらには，事案が発生した時点から一貫した支援に重点を置いた体制づくりが重要であること。

2．学校内の関係者がチームとして取り組み，関係機関と連携した体制づくり

学校内の関係者が情報を共有し，教育相談にチームとして取り組むため，会議を定期的に実施し，支援・対応策を検討するためのケース会議を実施することが必要であること。

3．教育相談コーディネーターの配置・指名

学校において，組織的な連携・支援体制を維持するためには，関係機関との役割分担，SCやSSWを活用する教育相談コーディネーター役の教職員が必要であり，教育相談コーディネーターを中心とした教育相談体制を構築する必要があること。

4．教育相談体制の点検・評価

学校において，利用者も含めた教育相談体制の見直しを必要に応じて行うとともに，教育委員会は，SC及びSSWの活動方針を明確にし，定期的に評価を行う必要があること。

5．教育委員会における支援体制の在り方

教育委員会は，SC及びSSWが適切に活動でき，児童生徒の安心した学校生活及び適切な環境が構築されるような支援体制を構築する必要があること。

6．活動方針等に関する指針の策定

SC及びSSWの効果的な活用のための「活動方針等に関する指針」を策定又は見直しを行い，教育相談の更なる充実を図ること。

本文（「報告」より抜粋）

第２章　今後の教育相談体制の在り方

（未然防止，早期発見及び支援・対応等への体制構築）

これまでの教育相談は，どちらかといえば事後の個別対応に重点が置かれていたが，今後は，不登校，いじめや暴力行為等問題行動，子供の貧困，児童虐待等（以下「不登校，いじめ等」という。）については，事案が発生してからのみではなく，未然防止，早期発見，早期支援・対応，さらには，事案が発生した時点から事案の改善・回復，再発防止まで一貫した支援に重点をおいた体制づくりが重要である。

その際，地域における活動が不登校，いじめ等の未然防止，早期発見及び支援・対応に資することがあることから，例えば，コミュニティ・スクールや地域学校協働本部を活用するなど地域と連携した体制とすることが重要である。

（学校内の関係者がチームとして取り組み，関係機関と連携した体制づくり）

（略）関係者が情報を共有し，チームとして取り組むため，既存の校内組織を活用するなどして，早期から組織として気になる事例を洗い出し検討するための会議（スクリーニング会議）を定期的に実施し，解決すべき問題又は課題のある事案については，必ず支援・対応策を検討するためのケース会議を実施することが必要である。（略）こうした体制により，関係者それぞれの立場からの視点を共有し，不登校，いじめ等の未然防止，早期発見及び支援・対応も含めた児童生徒への支援策の検討・実施・検証をチームとして一体的に行うことが可能となる。

（SC の職務）

SC は，心理に関する高度な専門的知見を有する者として，不登校，いじめや暴力行為等問題行動，子供の貧困，児童虐待等の未然防止，早期発見及び支援・対応等や学習面や行動面で何らかの困難を示す児童生徒，障害のある児童生徒・保護者への支援に係る助言・援助等のため，これらを学校として認知した場合や災害等が発生した場合等において，様々な技法を駆使して児童生徒，その保護者，教職員に対して，カウンセリング，情報収集・見立て（アセスメント）や助言・援助（コンサルテーション）を行うとともに，全ての児童生徒が安心した学校生活を送ることができる環境づくり等を行うことが求められる。

(SSWの職務)

SSWは，児童生徒の最善の利益を保障するため，ソーシャルワークの価値・知識・技術を基盤とする福祉の専門性を有する者として，学校等においてソーシャルワークを行う専門職である。スクールソーシャルワークとは，不登校，いじめや暴力行為等問題行動，子供の貧困，児童虐待等の課題を抱える児童生徒の修学支援，健全育成，自己実現を図るため，ソーシャルワーク理論に基づき，児童生徒のニーズを把握し，支援を展開すると共に，保護者への支援，学校への働き掛け及び自治体の体制整備への働き掛けを行うことをいう。そのため，SSWの活動は，児童生徒という個人だけでなく，児童生徒の置かれた環境にも働き掛け児童生徒一人一人のQOL（生活の質）の向上とそれを可能とする学校・地域をつくるという特徴がある。

(児童生徒及び保護者との信頼関係の構築)

SCは，年度当初の全児童生徒への面談や保護者向けの講習会の開催等により，児童生徒にとっては自分を理解してくれる大人がいるという安心感につながり，児童生徒及び保護者から気軽に話を聞いてもらえる存在と認識される。日頃からのこうした働き掛けを通じ，信頼関係を築いておくことが重要である。SSWについても，日頃からの児童生徒及び保護者への働き掛けを通じ，信頼関係を築いておくことが重要である。なお，全校集会や保護者会等を利用し，SCやSSWが直接児童生徒や保護者等へ役割等を説明する機会を学校が設けることも重要である。

(校長の役割)

校長は，児童生徒や地域の実態を踏まえ，学校の教育目標を示し，チーム学校のリーダーとして教職員及びSC，SSW等の意識や取組の方向性の共有を図るとともに，学校の教育目標の実現に向かって学校を運営し，教職員，SC及びSSWが一体となった教育活動が行われるようにすることが重要である。

(学級担任・ホームルーム担任の役割)

児童生徒の心理的又は発達的な課題は，不登校，いじめ等具体的課題として明確になる場合，日常的行動観察により気付く場合や児童生徒の学業成績，言動，態度，表現物等を通して気付く場合などがある。児童生徒の課題を少しでも早く発見し，課題が複雑化，深刻化する前に指導・対応できるように，学級担任及びホームルーム担任には児童生徒を観察する力が必要である。

演習問題

【1】 次は，「児童生徒の教育相談の充実について（通知）」（平成29年2月3日　文部科学省初等中等教育局長）の一部です。文中の（　ア　）～（　ウ　）にあてはまる語句の組み合わせとして正しいものを，下の1～4の中から1つ選びなさい。〔埼玉県・さいたま市〕

⑴　（　ア　），早期発見及び支援・対応等への体制構築

これまでの教育相談は，どちらかといえば事後の個別事案への対応に重点が置かれていたが，今後は不登校，いじめや暴力行為等問題行動，子供の貧困，虐待等については，事案が発生してからのみではなく，（　ア　），早期発見，早期支援・対応，さらには，事案が発生した時点から事案の改善・回復，再発防止まで一貫した支援に重点を置いた体制づくりが重要であること。

⑵　学校内の関係者が（　イ　）として取り組み，関係機関と連携した体制づくり

学校内の関係者が情報を共有し，教育相談に（　イ　）として取り組むため，既存の校内組織を活用するなどして，早期から組織として気になる事例を洗い出し検討するための会議を定期的に実施し，解決すべき問題又は課題のある事案については，必ず支援・対応策を検討するためのケース会議を実施することが必要であること。

⑶　教育相談（　ウ　）の配置・指名

学校において，組織的な連携・支援体制を維持するためには，学校内に，児童生徒の状況や学校外の関係機関との役割分担，SCやSSWの役割を十分に理解し，初動段階でのアセスメントや関係者への情報伝達等を行う教育相談（　ウ　）役の教職員が必要であり，教育相談（　ウ　）を中心とした教育相談体制を構築する必要があること。

1	ア	発達支援	イ	グループ	ウ	支援員
2	ア	発達支援	イ	チーム	ウ	支援員
3	ア	未然防止	イ	グループ	ウ	コーディネーター
4	ア	未然防止	イ	チーム	ウ	コーディネーター

【2】 次の文は，「児童生徒の教育相談の充実について（通知）」（平成29年2月　文部科学省）の一部である。（　A　）～（　D　）に当てはまる語句の組合せとして正しいものはどれか。〔岡山市〕

これまでの教育相談は，どちらかといえば事後の個別事案への対応に重点が置かれていたが，今後は不登校，いじめや暴力行為等問題行動，子供の（　A　），虐待等

については，事案が発生してからのみではなく，（　B　），早期発見，早期支援・対応，さらには，事案が発生した時点から事案の改善・回復，再発防止まで一貫した支援に重点を置いた体制づくりが重要であること。

学校内の関係者が情報を共有し，教育相談に（　C　）として取り組むため，既存の校内組織を活用するなどして，早期から組織として気になる事例を洗い出し検討するための会議を（　D　）実施し，解決すべき問題又は課題のある事案については，必ず支援・対応策を検討するためのケース会議を実施することが必要であること。

	A	B	C	D
1	疾病	事前対策	チーム	必要に応じて
2	貧困	未然防止	チーム	必要に応じて
3	疾病	未然防止	専門家集団	必要に応じて
4	貧困	未然防止	チーム	定期的に
5	貧困	事前対策	専門家集団	定期的に

P.246～P.247 解答

▶児童生徒の教育相談の充実について（通知）

【1】4，【2】4

人権教育の指導方法等の在り方について［第三次とりまとめ］

人権教育の指導方法等に関する調査研究会議　平成 20 年 3 月

本とりまとめの概要

人権教育の指導方法等に関する調査研究会議は，人権についての知的理解を深めるとともに人権感覚を十分に身に付けることを目指す人権教育の指導方法等の在り方を中心に検討し，三次にわたってとりまとめを示した。「第一次とりまとめ」（平成 16 年）では，人権教育とは何かということをわかりやすく示し，「第二次とりまとめ」（平成 18 年）では，指導方法等の工夫･改善方策などについて理論的な観点から検討し，「第三次とりまとめ」（平成 20 年）では，「第二次とりまとめ」の理論の理解を深めるため，具体的な実践事例等の資料を収集・掲載している。

ココが大事！ 出題のポイント

本とりまとめの第一次から第三次の概要を踏まえると，「人権教育とは何か」「人権教育の指導方法等の工夫・改善方策の理論とはどういったものか」という部分を焦点に検討されてきた経緯が見える。

◆　**過去問の傾向**

「第 1 章 学校教育における人権教育の改善・充実の基本的考え方」の「1．人権及び人権教育」からの出題が目立つ。

◆　**過去問の傾向から見える要点**

⑴　人権感覚とは

人権の価値やその重要性にかんがみ，人権が擁護され，実現されている状態を感知して，これを望ましいものと感じるような，価値志向的な感覚である。

⑵　人権教育を通じて育てたい資質・能力

知識的側面	自他の人権を尊重したり人権問題を解決したりする上で具体的に役立つ知識
価値的・態度的側面	人間の尊厳の尊重，自他の人権の尊重，多様性に対する肯定的評価，責任感，正義や自由の実現のために活動しようとする意欲
技能的側面	コミュニケーション技能，合理的・分析的に思考する技能や偏見や差別を見きわめる技能，その他相違を認めて受容できるための諸技能，協力的・建設的に問題解決に取り組む技能，責任を負う技能（※人権に関わる事柄を認知的に捉えるだけではなく，その内容を直感的に感受し，共感的に受けとめ，それを内面化することが求められるが，その際にこれらの技能が必要となる）

本文（抜粋）

第１章　学校教育における人権教育の改善・充実の基本的考え方

１．人権及び人権教育

⑷　人権教育を通じて育てたい資質・能力

（略）人権教育は，人権に関する知的理解と人権感覚の涵養を基盤として，意識，態度，実践的な行動力など様々な資質や能力を育成し，発展させることを目指す総合的な教育であることがわかる。このような人権教育を通じて培われるべき資質・能力については，次の３つの側面（1. 知識的側面，2. 価値的・態度的側面及び3. 技能的側面）から捉えることができる。

１．知識的側面

この側面の資質・能力は，人権に関する知的理解に深く関わるものである。

人権教育により身に付けるべき知識は，自他の人権を尊重したり人権問題を解決したりする上で具体的に役立つ知識でもなければならない。例えば，自由，責任，正義，個人の尊厳，権利，義務などの諸概念についての知識，人権の歴史や現状についての知識，国内法や国際法等々に関する知識，自他の人権を擁護し人権侵害を予防したり解決したりするために必要な実践的知識等が含まれるであろう。このように多面的，具体的かつ実践的であるところにその特徴がある。

２．価値的・態度的側面

この側面の資質・能力は，技能的側面の資質・能力と同様に，人権感覚に深く関わるものである。

人権教育が育成を目指す価値や態度には，人間の尊厳の尊重，自他の人権の尊重，多様性に対する肯定的評価，責任感，正義や自由の実現のために活動しようとする意欲などが含まれる。人権に関する知識や人権擁護に必要な諸技能を人権実現のための実践行動に結びつけるためには，このような価値や態度の育成が不可欠である。こうした価値や態度が育成されるとき，人権感覚が目覚めさせられ，高められることにつながる。

３．技能的側面

この側面の資質・能力は，価値的・態度的側面の資質・能力と同様に，人権感覚に深く関わるものである。

人権の本質やその重要性を客観的な知識として知るだけでは，必ずしも人権擁護の実践に十分であるとはいえない。人権に関わる事柄を認知的に捉えるだけではなく，その内容を直感的に感受し，共感的に受けとめ，それを内面化することが求められる。そのような受容や内面化のためには，様々な技能の助けが必要である。人権教育が育成を目指す技能には，コミュニケーション技能，合理的・分析的に思考する技能や偏見や差別を見きわめる技能，その他相違を認めて受容できるための諸技能，協力的・建設的に問題解決に取り組む技能，責任を負う技能などが含まれる。こうした諸技能が人権感覚を鋭敏にする。

2．学校における人権教育

⑴　学校における人権教育の目標

（略）一人一人の児童生徒がその発達段階に応じ，人権の意義・内容や重要性について理解し，［自分の大切さとともに他の人の大切さを認めること］ができるようになり，それが様々な場面や状況下での具体的な態度や行動に現れるとともに，人権が尊重される社会づくりに向けた行動につながるようにすることが，人権教育の目標である。

第２章　学校における人権教育の指導方法等の改善・充実

第２節　人権教育の指導内容と指導方法

1．指導内容の構成

学校において人権教育を進めていく際には，人権教育が目指す諸能力を総体的・構造的にとらえた上で，その指導内容を構成することが必要である。人権教育が育成を目指す資質・能力は，知識的側面，価値的・態度的側面及び技能的側面の３つの側面として捉えることができるが，学校全体における系統的な指導内容として，これらの側面の育成を総合的に位置付けることが望ましい。

一方，学校教育における各教科等やその分野・領域にはそれぞれ独自の目標やねらいがあり，指導に当たっては，この目標やねらいを達成させることが，第一義的に求められることは言うまでもない。このような中にあって，人権教育をいかにして総合的に位置付け，実践するかについては，なお，様々な工夫や検討が求められるところである。

現代社会における人権尊重の理念の徹底の重要性にかんがみれば，児童生徒に対しては，人権に関わる資質・能力をトータルに身に付けさせる必要があり，人権教育の指導内容についても，総合的な内容構成が目指されることになるが，同時に，育成すべき資質・能力の特定の側面に焦点を当て，個別的，具体的な指導内容を構成してこれを実施していくことも，必要かつ有効な方法となる。

演習問題

【1】 次のア～オについて，「人権教育の指導方法等の在り方について［第三次とりまとめ］」（平成20年3月　人権教育の指導方法等に関する調査研究会議）で述べられているものの組合せとして正しいものを①～⑤から一つ選べ。〔島根県〕

ア　人権教育は，人権に関する知的理解と人権感覚の涵養を基盤として，意識，態度，実践的な行動力など様々な資質や能力を育成し，発展させることを目指す総合的な教育である。

イ　人権教育により身に付けるべき知識は，自他の人権を尊重したり人権問題について考えたりする上で役立つ見方・考え方でなければならない。例えば，自由，責任，正義，個人の尊厳，権利，義務などの諸概念についての知識，人権の歴史や現状についての知識，国内法や国際法等々に関する知識，自他の人権を擁護し人権侵害の予防や解決策を検討するために必要な理論的知識等が含まれる。

ウ　人権教育が育成を目指す価値や態度には，人間の尊厳の尊重，自他の人権の尊重，多様性に対する肯定的評価，責任感，正義や自由の実現のために活動しようとする意欲などが含まれる。人権に関する知識や人権擁護に必要な諸技能を人権実現のための実践行動に結びつけるためには，このような価値や態度の育成が不可欠である。

エ　人権の本質やその重要性を実践的な知識として知るだけでは，必ずしも人権擁護の実現に十分であるとはいえない。人権に関わる事柄を直観的に感受するだけではなく，その内容を認知的に捉え，反省的に考察し，それを体系化することが求められる。そのような理解や体系化のためには，様々な技能の助けが必要である。

オ　人権教育が育成を目指す技能には，コミュニケーション技能，合理的・分析的に思考する技能や偏見や差別を見きわめる技能，その他相違を認めて受容できるための諸技能，協力的・建設的に問題解決に取り組む技能，責任を負う技能などが含まれる。こうした諸技能が人権感覚を鋭敏にする。

①　ア・ウ・オ　　②　イ・エ・オ　　③　ア・イ・ウ　　④　イ・ウ・エ
⑤　ア・ウ・エ

【2】 次の文は，「人権教育の指導方法等の在り方について［第三次とりまとめ］」（平成20年3月　文部科学省）の一部である。文中の（　①　）～（　④　）に該当する語句の組み合わせとして正しいものを，下の1～5から一つ選びなさい。〔高知県〕

学校において人権教育を進めていく際には，人権教育が目指す諸能力を総体的・構造的にとらえた上で，その指導内容を構成することが必要である。人権教育が育成を目指す資質・能力は，知識的側面，価値的・態度的側面及び（　①　）的側面の３つの側面として捉えることができるが，（　②　）における系統的な指導内容として，これらの側面の育成を総合的に位置付けることが望ましい。

一方，学校教育における各教科等やその分野・領域にはそれぞれ独自の目標やねらいがあり，指導に当たっては，この目標やねらいを達成させることが，第一義的に求められることは言うまでもない。このような中にあって，人権教育をいかにして総合的に位置付け，実践するかについては，なお，様々な工夫や検討が求められるところである。

現代社会における人権尊重の理念の徹底の重要性にかんがみれば，児童生徒に対しては，人権に関わる資質・能力を（　③　）身に付けさせる必要があり，人権教育の指導内容についても，総合的な内容構成が目指されることになるが，同時に，育成すべき資質・能力の特定の側面に焦点を当て，（　④　）的，具体的な指導内容を構成してこれを実施していくことも，必要かつ有効な方法となる。

1	①技能	②学校全体	③トータルに	④個別
2	①生活	②学校全体	③個に応じて	④実践
3	①技能	②学校全体	③個に応じて	④実践
4	①技能	②生徒指導	③個に応じて	④個別
5	①生活	②生徒指導	③トータルに	④実践

【3】 次の文は，「人権教育の指導方法等の在り方について［第三次とりまとめ］」（平成20年３月　人権教育の指導方法等に関する調査研究会議）から一部抜粋したものである。（　１　）～（　３　）に当てはまる語句を後の①～⑨の中からそれぞれ１つずつ選び，番号で答えよ。〔長崎県〕

人権感覚とは，人権の価値やその重要性にかんがみ，人権が（　１　）され，実現されている状態を感知して，これを望ましいものと感じ，反対に，これが侵害されている状態を感知して，それを許せないとするような，価値志向的な感覚である。「価値志向的な感覚」とは，（　２　）にとってきわめて重要な価値である人権が守られることを肯定し，侵害されることを否定するという意味において，まさに価値を志向し，価値に向かおうとする感覚であることを言ったものである。このような人権感覚が健全に働くとき，自他の人権が尊重されていることの「妥当性」を肯定し，逆にそれが侵害されることの「問題性」を認識して，人権侵害を解決せずにはいられないとする，いわゆる人権意識が芽生えてくる。つまり，価値志向的な人権感覚が知的認識とも結びついて，問題状況を変えようとする人権意識又は意欲や態度になり，自分の人権とともに他者の人権を守るような（　3　）行動に連なると考えられるのである。

①人間　②表現　③実践　④保護　⑤探求　⑥毀損　⑦万物
⑧擁護　⑨生物

P.252～P.254 解答

▶人権教育の指導方法等の在り方について［第三次とりまとめ］

【1】①,【2】1,【3】1－⑧　2－①　3－③

人権教育を取り巻く諸情勢について～人権教育の指導方法等の在り方について〔第三次とりまとめ〕策定以降の補足資料～

学校教育における人権教育調査研究協力者会議　令和３年３月・令和５年３月改訂

本資料の概要

本資料は，学校・教育委員会において活用されている人権教育の手引きである「人権教育の指導方法等の在り方について〔第三次とりまとめ〕」策定後の学校制度の改革や，国内外の人権教育をめぐる社会情勢の変化について，第三次とりまとめとの関係性を補足するものとして，教育委員会や学校現場の人権教育担当者向けの資料として作成されたものである。

ココが大事！出題のポイント

令和４年３月，令和５年３月には，動向の変化や計画の策定等により，内容が改訂されているため，注意が必要である。

◆　**過去問の傾向**

国民の意識や社会情勢の変化に伴い，人権教育の重要性が一層高まっていることから，「Ⅰ．学校における人権教育の推進」に関する出題が目立つ。

◆　**過去問の傾向から見える要点**

①社会情勢の変化

いじめの認知件数や重大事態の件数，暴力行為の発生件数，不登校児童生徒数は増加を続けている。個別的な人権課題のうち，「子供」については学校とは切り離せない課題である。その他の人権課題においても，立法措置が相次いでいるが，これらの法律の中には，差別の解消のための教育の必要性が明記されているものもあるため，人権教育の一層の推進が必要となっている。

②人権教育の総合的な推進

人権教育は，学校の教育活動全体を通じて推進することが大切である。近年では，学習指導要領の改訂や，生徒指導提要の改訂，学校における働き方改革，GIGA スクール構想などの学校制度改革の趣旨を実現するためにも人権教育の推進が不可欠である。

学習指導要領の改訂	人権教育の指導方法の基本原理である「協力・参加・体験」は，「主体的・対話的で深い学び」の実現に向けた授業改善にもつながる。
生徒指導提要の改訂	発達支持的生徒指導や，自他の大切さを認めることができる人権感覚の育成を図ることが重要である。
GIGA スクール構想	個々の児童生徒の意見をクラス全員で共有し，他者の意見も踏まえて自分の考えをより深めることが可能である。

本文（抜粋）

Ⅰ．学校における人権教育の推進

１．人権教育の重要性

人権教育の意義や概念は，「人権教育・啓発推進法」や「人権教育・啓発に関する基本計画」（平成14年３月15日閣議決定），第三次とりまとめで既に言及されているが，国民の意識や社会情勢の変化に伴い，その重要性は更に高まっている。個別的な人権課題のうち，学校にとっても最も関わりの深い「子供」について，令和２年度はコロナ禍の影響で児童生徒間の直接の対面によるやり取りの機会が減少したこともあり，いじめの認知件数や重大事態の件数，暴力行為の発生件数は一時的に減少したものの，令和３年度にはいずれの件数ともに前年度より増加した。また，不登校児童生徒数は９年連続，児童相談所における児童虐待相談対応件数は31年連続で増加している。また，「子供」以外の個別的な人権課題でも，「障害者虐待の防止，障害者の養護者に対する支援等に関する法律」（平成23年法律第79号）や「障害を理由とする差別の解消の推進に関する法律」（平成25年法律第65号），「本邦外出身者に対する不当な差別的言動の解消に向けた取組の推進に関する法律」（平成28年法律第68号），「部落差別の解消の推進に関する法律」（平成28年法律第109号），「アイヌの人々の誇りが尊重される社会を実現するための施策の推進に関する法律」（平成31年法律第16号）等，立法措置が相次いでいる。これらの法律の中には，差別の解消のための教育の必要性が明記されているものも存在している。こうした情勢を踏まえ，学校種を問わず，全ての学校において，人権教育のより一層の推進が必要とされている。

２．人権教育の総合的な推進

学校における人権教育の指導方法等は，第三次とりまとめで言及されているが，その理念や内容自体は変わるものではない。人権教育は，学校の教育活動全体を通じて推進することが大切であり，そのためには，人権尊重の精神に立つ学校づくりを進め，人権教育の充実を目指した教育課程の編成や，人権尊重の理念に立った生徒指導，人権尊重の視点に立った学級経営等が必要である。他方，特に近年では，学習指導要領の改訂や，生徒指導提要の改訂，学校における働き方改革，GIGAスクール構想などが進んでおり，学校を取り巻く情勢は大きく変化している。このような学校制度の改革の趣旨を実現するためにも，人権教育のより一層の推進が不可欠である。

⑴人権教育の充実を目指した教育課程の編成

教育課程においては，各教科等の形で「人権教育」が設定されていないため，学校における人権教育は，各教科や「特別の教科 道徳」，総合的な学習（探究）の時間，特別活動，教科外活動等のそれぞれの特質を踏まえつつ，教育活動全体を通じて行うこととなる。その際には，人権教育の目標と各教科等の目標やねらいとの関連を明確にした上で，人権に関する意識・態度，実践力を養う人権教育の活動と，それぞれの目標・ねらいに基づく各教科等の指導とが，有機的・相乗的に効果を上げられるようにしていくことが重要であると第三次とりまとめでは言及されている。

③主体的・対話的で深い学びの実現に向けた授業改善

学習指導要領の総則では，主体的・対話的で深い学びの実現に向けた授業改善を行うことが求められており，各教科等の指導に当たっての配慮事項が示されている。第三次とりまとめでは，人権教育を通じて育てたい資質・能力について，知識的側面，価値的・態度的側面，技能的側面の３つの側面から捉えているが，人権感覚を育成する基礎となる価値的・態度的側面と技能的側面については，児童生徒が自ら主体的に，学級の他の児童生徒とともに学習活動に参加し，協力的に活動し，体験することを通して初めて身に付くものとされている。人権教育の指導方法の基本原理として，児童生徒の「協力」，「参加」，「体験」を中核に置き，「協力的な学習」，「参加的な学習」，「体験的な学習」を行うことも示されている。こうした学習は「主体的・対話的で深い学び」の実現に向けた授業改善にもつながるものであり，人権に関する知的理解や人権感覚を養い，自分の人権を守り，他者の人権を守ろうとする意識・意欲・態度を育て，その結果，自分の人権を守り，他者の人権を守るための実践行動がとれるようになる。また，GIGA スクール構想により，小中学校では１人１台端末と高速大容量の通信ネットワークの整備が進んだが，こうした学習活動を行う際にも，ICT 機器の活用が効果的である。例えば，インターネットを使って調べ学習を行うことや，電子黒板やタブレット等を活用して，個々の児童生徒の意見をクラス全員で共有し，他者の意見も踏まえて自分の考えをより深めること，遠方にいる外部講師や関係施設とインターネットでつないで講話を聞くこと，海外の学校とオンラインで交流を行うことなど，ICT 機器の利点を活かした学習により，こうした学習方法を更に深めることが可能となる。

演習問題

【1】 次の文は，「人権教育の指導方法等の在り方について［第三次とりまとめ］補足資料」（令和３年３月）からの抜粋である。（　ア　）～（　ウ　）に当てはまる語句の組合せとして正しいものはどれか。①～⑤から一つ選んで番号で答えなさい。〔京都府〕

第三次とりまとめでは，人権教育を通じて育てたい資質・能力について，（　ア　）側面，価値的・態度的側面，技能的側面の３つの側面から捉えているが，人権感覚を育成する基礎となる価値的・態度的側面と技能的側面については，児童生徒が自ら主体的に，学級の他の児童生徒とともに学習活動に参加し，協力的に活動し，体験することを通して初めて身に付くものとされている。人権教育の指導方法の基本原理として，児童生徒の「協力」，「参加」，「（　イ　）」を中核に置き，「協力的な学習」，「参加的な学習」，「（　イ　）的な学習」を行うことも示されている。こうした学習は「（　ウ　）」の実現に向けた授業改善にもつながるものであり，人権に関する知的理解や人権感覚を養い，自分の人権を守り，他者の人権を守ろうとする意識・意欲・態度を育て，その結果，自分の人権を守り，他者の人権を守るための実践行動がとれるようになる。

①	ア	資質的	イ	共感	ウ	資質・能力の育成
②	ア	知識的	イ	体験	ウ	主体的・対話的で深い学び
③	ア	知識的	イ	創造	ウ	資質・能力の育成
④	ア	知識的	イ	共感	ウ	主体的・対話的で深い学び
⑤	ア	資質的	イ	体験	ウ	資質・能力の育成

【2】 下のＡ，Ｂの文は，「人権教育を取り巻く諸情勢について　～人権教育の指導方法等の在り方について［第三次とりまとめ］策定以降の補足資料～」（令和３年３月　学校教育における人権教育調査研究協力者会議（令和５年３月改訂））から抜粋したものである。文中の（　ａ　）～（　ｄ　）に当てはまる語句の正しい組合せはどれか。１～６から１つ選べ。〔奈良県・大和高田市〕

Ａ　人権教育の意義や概念は，「人権教育・啓発推進法」や「人権教育・啓発に関する基本計画」（平成 14 年３月 15 日閣議決定），第三次とりまとめで既に言及されているが，国民の意識や社会情勢の変化に伴い，その重要性は更に高まっている。個別的な人権課題のうち，学校にとっても最も関わりの深い「（　ａ　）」について，令和２年度はコロナ禍の影響で児童生徒間の直接の対面によるやり取りの機会が減少したこともあり，いじめの認知件数や重大事態の件数，暴力行為の発生件数は一時的に減少したものの，令和３年度にはいずれの件数ともに前年度より増加した。また，不登校児童生徒数は９年連続，児童相談所における児童虐待相談対応件数は31年連続で増加している。また，「（　a　）」以外の個別的な人権課題でも，「障害者虐待の防止，障害者の養護者に対する支援等に関する法律」（平成23年法律第79号）や「障害を理由とする差別の解消の推進に関する法律」（平成25年法律第65号），「本邦外出身者に対する不当な差別的言動の解消に向けた取組の推進に関する法律」（平成28年法律第68号），「（　b　）の解消の推進に関する法律」（平成28年法律第109号），「アイヌの人々の誇りが尊重される社会を実現するための施策の推進に関する法律」（平成31年法律第16号）等，立法措置が相次いでいる。これらの法律の中には，差別の解消のための教育の必要性が明記されているものも存在している。こうした情勢を踏まえ，学校種を問わず，全ての学校において，人権教育のより一層の推進が必要とされている。

B　学校における人権教育の指導方法等は，第三次とりまとめで言及されているが，その理念や内容自体は変わるものではない。人権教育は，学校の（　c　）を通じて推進することが大切であり，そのためには，人権尊重の精神に立つ学校づくりを進め，人権教育の充実を目指した教育課程の編成や，人権尊重の理念に立った生徒指導，人権尊重の視点に立った学級経営等が必要である。他方，特に近年では，学習指導要領の改訂や，生徒指導提要の改訂，学校における働き方改革，（　d　）などが進んでおり，学校を取り巻く情勢は大きく変化している。このような学校制度の改革の趣旨を実現するためにも，人権教育のより一層の推進が不可欠である。

1　a—子供　b—部落差別
c—教育活動全体　d—GIGAスクール構想
2　a—インターネットによる人権侵害　b—女性差別
c—ホームルーム活動　d—ヤングケアラーへの対策
3　a—ハラスメント　b—ハンセン病患者に対する差別
c—授業　d—GIGAスクール構想
4　a—いじめ問題　b—性同一性障害者に対する差別
c—課外活動　d—新型コロナウイルスなどの感染症対策
5　a—いじめ問題　b—部落差別
c—教育活動全体　d—外国人児童生徒等の受け入れ
6　a—子供　b—女性差別
c—ホームルーム活動　d—新型コロナウイルスなどの感染症対策

P.258〜P.259 解答

▶人権教育を取り巻く諸情勢について

【1】②,【2】1

memo

●編著者

福本みちよ　東京学芸大学大学院教育学研究科（教職大学院）

教育実践専門職高度化専攻　教授

執筆担当　…第２章　Ⅰ 中央教育審議会答申　8～10

Ⅱ トピックス別：学校運営　11～14

●執筆者（50音順）

浅野あい子　東京学芸大学大学院教育学研究科（教職大学院）

教育実践専門職高度化専攻　准教授

執筆担当　…第１章　学習指導要領等　1～7

笹井和也　日の出町立平井中学校　主幹教諭

執筆担当　…第２章　Ⅱ トピックス別：生徒指導提要　16～18

：不登校　20～21

：人権　39～40

高津直人　北海道室蘭聾学校　教諭

執筆担当　…第２章　Ⅱ トピックス別：特別支援教育　25～31

武山朋子　鎌倉女子大学教育学部教育学科　非常勤講師

執筆担当　…第２章　Ⅱ トピックス別：学習評価　35

：安全教育　36～37

：教育相談・心のケア　38

細谷邦弘　横浜市立幸ケ谷小学校　主幹教諭

執筆担当　…第２章　Ⅱ トピックス別：不登校　19

：いじめ　22～23

湯藤定宗　玉川大学教育学部教育学科　教授

執筆担当　…第２章　Ⅱ トピックス別：学校運営　15

：いじめ　24

：情報　32～34

2026年度版《ねんどばん》 学習指導要領《がくしゅうしどうようりょう》・答申《とうしん》・通知《つうち》・報告《ほうこく》

（2024年度版　2022年10月25日　初版　第１刷発行）

2024年10月15日　初　版　第１刷発行

編著者　福本みちよ

発行者　多田敏男

発行所　TAC株式会社　出版事業部（TAC出版）

〒101-8383
東京都千代田区神田三崎町3-2-18
電話 03(5276)9492（営業）
FAX 03(5276)9674
https://shuppan.tac-school.co.jp

組　版　朝日メディアインターナショナル株式会社

印　刷　日新印刷株式会社

製　本　株式会社常川製本

　Printed in Japan

ISBN 978-4-300-11242-7
N.D.C. 370

のご案内

『人物重視の選考に、人物重視の対策を』

TACでは「ここを覚えてください」ではなく、「なぜ」「どうして」といった、理解中心の本質的な講義を展開します。理解して覚えるためのノウハウを盛り込んだ充実の講義は最終合格に結びつき、その後の学校現場にもつながっていきます。

授業では**実践的に使える知識を身に付ける**ことができました。**学校現場での例や実践と繋げて説明があるため長期記憶で定着**しました。

朝川 眞名さん　東京都 特別支援学校音楽

様々な先生の視点から指導いただけるのは非常に有意義だと思います。**どんな面接官に対しても高評価をもらえるような解答を用意**することができました。

石原 俊さん　愛知県 中学校数学

TACは面接や論文のサポートが手厚く、面接対策では、**自身の希望する自治体に合わせた質問や形式を準備頂き、本番に近い状況で対策をすることができました。**

竹腰 皐生さん
東京都 中高地歴

※各種本科生を対象とした合格体験記より抜粋。

自分に合った学習スタイルを！
選べる学習メディア

Web通信講座

いつでもどこでも
何度でも！
マルチデバイス対応
のオンライン学習

教室+Web講座

教室でも、Webでも、
自由に講義を受けられる！

【開講校舎】
新宿校・横浜校・大宮校・
名古屋校・梅田校・神戸校

各種資料のご請求・教員講座の受講や試験に関するご相談は

資料請求する

講座パンフレットを
ご自宅へお届けします

講義動画を視聴してみる

無料体験動画を公開中

オンラインで話を聞く

個別に学習や受講の
相談を承ります

TACカスタマーセンター　通話無料　**0120-509《ゴウカク》-117《イイナ》**　受付時間　平日・土日祝／10:00〜17:00

(2024年2月現在)

書籍のご購入は

1 全国の書店、大学生協、ネット書店で

2 TAC各校の書籍コーナーで

資格の学校TACの校舎は全国に展開!
校舎のご確認はホームページにて

資格の学校TAC ホームページ
https://www.tac-school.co.jp

3 TAC出版書籍販売サイトで

CYBER TAC出版書籍販売サイト
BOOK STORE

TAC 出版 で 検索

24時間
ご注文
受付中

https://bookstore.tac-school.co.jp/

新刊情報を
いち早くチェック!

たっぷり読める
立ち読み機能

学習お役立ちの
特設ページも充実!

TAC出版書籍販売サイト「サイバーブックストア」では、TAC出版および早稲田経営出版から刊行されている、すべての最新書籍をお取り扱いしています。

また、会員登録(無料)をしていただくことで、会員様限定キャンペーンのほか、送料無料サービス、メールマガジン配信サービス、マイページのご利用など、うれしい特典がたくさん受けられます。

サイバーブックストア会員は、特典がいっぱい!(一部抜粋)

通常、1万円(税込)未満のご注文につきましては、送料・手数料として500円(全国一律・税込)頂戴しておりますが、1冊から無料となります。

専用の「マイページ」は、「購入履歴・配送状況の確認」のほか、「ほしいものリスト」や「マイフォルダ」など、便利な機能が満載です。

メールマガジンでは、キャンペーンやおすすめ書籍、新刊情報のほか、「電子ブック版TACNEWS(ダイジェスト版)」をお届けします。

書籍の発売を、販売開始当日にメールにてお知らせします。これなら買い忘れの心配もありません。

書籍の正誤に関するご確認とお問合せについて

書籍の記載内容に誤りではないかと思われる箇所がございましたら、以下の手順にてご確認とお問合せをしてくださいますよう、お願い申し上げます。
なお、正誤のお問合せ以外の**書籍内容に関する解説および受験指導などは、一切行っておりません。**
そのようなお問合せにつきましては、お答えいたしかねますので、あらかじめご了承ください。

1 「Cyber Book Store」にて正誤表を確認する

TAC出版書籍販売サイト「Cyber Book Store」の
トップページ内「正誤表」コーナーにて、正誤表をご確認ください。

CYBER BOOK STORE TAC出版書籍販売サイト

URL:https://bookstore.tac-school.co.jp/

2 1の正誤表がない、あるいは正誤表に該当箇所の記載がない ⇒ 下記①、②のどちらかの方法で文書にて問合せをする

★ご注意ください★

お電話でのお問合せは、お受けいたしません。
①、②のどちらの方法でも、お問合せの際には、「お名前」とともに、
「対象の書籍名(○級・第○回対策も含む)およびその版数(第○版・○○年度版など)」
「お問合せ該当箇所の頁数と行数」
「誤りと思われる記載」
「正しいとお考えになる記載とその根拠」
を明記してください。
なお、回答までに1週間前後を要する場合もございます。あらかじめご了承ください。

① ウェブページ「Cyber Book Store」内の「お問合せフォーム」より問合せをする

【お問合せフォームアドレス】

https://bookstore.tac-school.co.jp/inquiry/

② メールにより問合せをする

【メール宛先 TAC出版】

syuppan-h@tac-school.co.jp

※土日祝日はお問合せ対応をおこなっておりません。
※正誤のお問合せ対応は、該当書籍の改訂版刊行月末日までといたします。

乱丁・落丁による交換は、該当書籍の改訂版刊行月末日までといたします。なお、書籍の在庫状況等により、お受けできない場合もございます。
また、各種本試験の実施の延期、中止を理由とした本書の返品はお受けいたしません。返金もいたしかねますので、あらかじめご了承くださいますようお願い申し上げます。

TACにおける個人情報の取り扱いについて
■お預かりした個人情報は、TAC(株)で管理させていただき、お問合せへの対応、当社の記録保管にのみ利用いたします。お客様の同意なしに業務委託先以外の第三者に開示、提供することはございません(法令等により開示を求められた場合を除く)。その他、個人情報保護管理者、お預かりした個人情報の開示等及びTAC(株)への個人情報の提供の任意性については、当社ホームページ(https://www.tac-school.co.jp)をご覧いただくか、個人情報に関するお問い合わせ窓口(E-mail:privacy@tac-school.co.jp)までお問合せください。

(2022年7月現在)